SV

NORA BOSSONG
SCHUTZZONE

Roman

Suhrkamp

Schutzzone wurde durch das Grenzgänger-Programm der Robert Bosch Stiftung und des Literarischen Colloquiums Berlin sowie durch die Stiftung Preußische Seehandlung gefördert.

2. Auflage 2019

Erste Auflage 2019
© Suhrkamp Verlag Berlin 2019
Alle Rechte vorbehalten, insbesondere das der Übersetzung, des öffentlichen Vortrags sowie der Übertragung durch Rundfunk und Fernsehen, auch einzelner Teile. Kein Teil des Werkes darf in irgendeiner Form (durch Fotografie, Mikrofilm oder andere Verfahren) ohne schriftliche Genehmigung des Verlages reproduziert oder unter Verwendung elektronischer Systeme verarbeitet, vervielfältigt oder verbreitet werden.
Satz: Satz-Offizin Hümmer GmbH, Waldbüttelbrunn
Druck: CPI – Ebner & Spiegel, Ulm
Printed in Germany
ISBN 978-3-518-42882-5

SCHUTZZONE

FRIEDEN

Genf. Februar 2017

Das Beau-Rivage hat 94 Zimmer und 15 Suiten. Durch die Fenster sieht man hinaus auf den Genfer See, in dem sich die große Welt spiegelt, die eben doch nur eine kleine Stadt am unteren Zipfel der Schweiz ist. Der Mittelpunkt Europas könnte in einer dieser Suiten liegen oder im Konferenzsaal, den sie an jenem Abend mit exotischen Blumen geschmückt hatten. Die Badewanne aus Zimmer 317, die nach Barschels Tod lange auf dem Speicher des Hauses gelagert hatte, war von einem Angestellten falsch beschriftet und versehentlich entsorgt worden, sonst geschahen in diesem Haus selten Missgeschicke, und als ich ein wenig zurückgewichen von den anderen meinen Blick durch den Raum schweifen ließ, die in sich gekrümmten roten Blütenblätter neben der Bühne betrachtete und die Gesichter der schwarzen Zedernholzdiener, die dekorativ in den Ecken platziert waren und hier den Kolonialismus noch einmal in einer verzückten Dekadenz zeigten, heiter, fast überlegen, wie Figuren eines Molièrestückes, die wissen, dass die Zusammenhänge und Liebschaften und Herkünfte doch alle anders sind, als uns die Herrschenden glauben machen wollen, da hätte ich ebenso gut den Mann übersehen können, zumindest versäumen, seinen Namen auf dem am Revers angehefteten Plastikschild zu lesen, der mir vertraut, fast intim vorkam und den ich dennoch für einen Moment nicht zuordnen konnte.

Man müsse, ja man dürfe nichts beschönigen, beschwor Monsieur le Commissaire und zählte die bescheidenen Teilerfolge im Südsudan auf, nippte an seinem Wasserglas, ich ließ meinen Blick wieder auf den Mann neben dem spitz aufragenden Blumenschmuck fallen, registrierte seine hohen Augenbrauen, den dunklen Ausdruck seines Gesichts, und da wusste ich, dass ich mit ihm, als er noch längere Haare und jungenhafte Gesichtszüge gehabt hatte, einige Zeit lang jeden Tag am Mittagstisch zusammengesessen hatte.

Man dürfe eben nicht vor dem zurückschrecken, was unmöglich erscheint, betonte Monsieur le Commissaire, während ich Milan noch immer anstarrte und er endlich meinen Blick erwiderte, erst verwundert, aber schneller mich wiedererkennend, als es mir gelungen war, und doch!, hörte ich auf der Bühne Monsieur le Commissaire sagen, Milan lächelte dezent, und doch hätten wir aneinander vorbei unbeschadet aus diesem Abend gehen können, ich hätte gegen elf Uhr ein wenig müde, ein wenig gleichgültig an meiner Haustür den Code eingegeben und kurz darauf, drei Etagen höher, die Pumps von den Füßen gestreift. Vielleicht wäre irgendein Kollege noch wach gewesen, vielleicht wäre er ans Telefon gegangen.

Wenn ich heute an den Abend zurückdenke, sehe ich die spitz zulaufenden Strelitzien überall um mich herum, ihren Kelch wie einen Vogelschnabel vorgereckt, die Blüten als exzentrischer Kopfschmuck spitz aufragend, überall im Raum stehen sie in meiner Erinnerung, viel mehr, als es tatsächlich gewesen sein können. Ihren Namen hatten sie einst zu Ehren der Prinzessin von Mecklenburg-Strelitz erhalten, wie ich Monate später las, als Milan wieder aus meinem Leben verschwunden war und ich ihn als Phantom zurückzuholen versuchte, um alles besser zu begreifen, dabei hätte ich ihn lieber vertreiben sollen, denn Gespenstern sind wir unterlegen, sie setzen sich über unsere kleinkarierte Vernunft hinweg, und das Gespenst von Milan nahm herrisch in Beschlag, was noch da war von mir, als könne er nichts gehen lassen, auch das nicht, was ihn nicht mehr interessierte, was noch übrig war von meinem Feierabend in einer zu kleinen, zu teuren Wohnung und von meinem unscheinbaren Büroleben, unscheinbar trotz all der weltläufigen Namen in den Berichten, die ich an meinen Vorgesetzten weiterreichte.

Milan hatte nur noch wenige Monate in Genf, ehe er im Herbst nach Den Haag gehen würde, wie er mir nicht unhöflich, aber doch so zurückhaltend erzählte, als wolle er darauf beharren, dass ich zwar mit seiner Vergangenheit, nicht aber mit seiner Zukunft zu tun hatte. Die Speditionsfirma war bestellt, seine Wohnung einem Kollegen aus Serbien versprochen, und im Ariana-Park, dem hinter dem Palais des Nations gelegenen Garten, gab es dreizehn Pfauen, doch niemand hatte bisher sagen können, welcher von ihnen der bösen Fee entsprach, auch Milan nicht, obwohl er die Anekdoten über die Pfauen sammelte wie seine Kollegen Statistiken, und wenn er nicht an Sitzungen im Menschenrechtsrat der Vereinten Nationen teilnahm, spürte er diesen Vögeln nach, wie er mir erzählte, ihrem torkelnd stolzen Gang, beobachtete ihre starren Augen im glänzenden Gefieder.

Wir standen etwas abseits am hintersten Fenster des Saals vor einem der dicken, roten Samtvorhänge. Unsere Kollegen hatten sich auf die Jagd nach Lachsschnittchen und Couscousschälchen begeben, sie, die am Mittag, vielleicht sogar am späten Nachmittag erst in der Kantine des Palais des Nations ein Sandwich oder in einem der Genfer Restaurants ein Cordon bleu gegessen hatten, kämpften sich nun verbissen an die Nahrung heran, in einer obszönen Mimikry, als stünden sie vor einem Hilfskonvoi der UNO und die hochdekorierten Kellner gäben nicht Porzellanschälchen und Servietten aus, sondern jene in blauer Zeltplane verschnürten Nahrungsmittelpakete, die über Gebieten abgeworfen werden, in denen Hungerkatastrophen aktenkundig geworden sind.

Leicht vorgebeugt stand Milan neben mir, die Handteller zu einer Kuhle geformt, als hielte er unsichtbare Brotkrumen darin, mit denen er die Pfauen füttern würde, die auf den allein den UNO-Angestellten vorbehaltenen Parkwegen ihr mysteriöses Leben führten, dabei hatte der Vorbesitzer des Anwesens, ein gewisser Monsieur Gustave Revilliod de la Rive, vor über hundert Jahren testamentarisch verfügt, dass das Gelände frei zugänglich bleiben müsse, doch damals, als noch nicht einmal der Völkerbund gegründet und erst recht nicht gescheitert war, hatte noch niemand geahnt, dass die gebrandschatzten Städte des Deutsch-Französischen Krieges, der hier Französisch-Deutscher Krieg hieß, eine nur arglose Vorahnung davon gaben, was das zwanzigste Jahrhundert bereithalten würde.

Doch, doch, jeder der Pfauen habe einen eigenen Namen, erklärte Milan und trug sie mir so hochachtungsvoll vor, als flanierten dort im Garten die Könige, Kaiser und Diktatoren jener Länder, über die niemand je gesprochen hatte und die, stolz und unbeteiligt, ihre Schönheit spielen ließen, all jene übertrumpfend, die im Inneren des strahlenden, geraden Gebäudes verwaltet und vertreten wurden, und als Milan sich näher zu mir neigte, mein Handgelenk streifte, zuckte ich zurück, so unerwartet, ja unangenehm war mir diese beinah zärtliche Berührung.

Ob aus Müdigkeit oder doch aus lange zurückliegender Vertrautheit, lehnte er sich an die Säule neben mir, seine Arme vor der Brust verschränkt, es mag der exakte Winkel sein, der diese Geste souverän wirken lässt, eine überlegene Lässigkeit, wie ich sie von einigen Kollegen kannte und wie sie vielleicht auch die Kavaliere, die bei der Prinzessin von Mecklenburg-Strelitz vorsprachen, beherrscht haben, wenn sie nicht andere Arten der Machtdemonstration pflegten, Pantomimen, die noch besser zu den Blumen der Prinzessin passten und heute so unverständlich sind wie jede verfallene Mode.

Milan war lediglich acht Jahre älter als ich, keine halbe Generation, und doch war er längst in einem geordneten Leben angekommen, mit seinem Posten im Menschenrechtsrat nach all den Jahren, die er im Westjordanland und in Mosul verbracht hatte, in Büros, die Luftschutzbunkern glichen, geordnet jetzt mit seiner Ehe, seinem Kind, was ihn dazu bewogen hatte, die Krisengebiete gegen Genf einzutauschen, und nach Genf nun also die Niederlande, der Strafgerichtshof, seine Kündigung bei den Vereinten Nationen zum Ende des Sommers. Dabei habe er seine Sehnsucht nach Kriegen nie ganz aufgegeben, sagte Milan und fügte hinzu, ich würde wohl genug über seine Arbeit wissen, um es nicht falsch zu verstehen, er wünsche natürlich keine Kriege, nur wünsche er sich an die Orte, an denen diese Kriege ja dennoch stattfänden, er halte es einfach schwer aus, hier am Schreibtisch die Berichte und Zahlen zu lesen und doch kaum etwas anderes tun zu können, als sie abzunicken und weiterzureichen. Strategieentwicklung, sagte er, du weißt selbst, dass die Strategien schon vor Ort nicht funktionieren, wie sollen sie von hier aus greifen?

Mit einer eleganten Geste ließ der Kellner die Hotelservietten auf den Tresen flattern. Ein violetter Schriftzug *Beau Rivage Genève 1865*, darüber breitete eine kleine Taube auf einer Säule ihre Schwingen aus, auf die er uns Martinigläser stellte. Im Nachhinein scheint es oft nicht mehr erkennbar, welcher Schritt zu welchem geführt hat, welche Geste zwingend auf eine andere gefolgt ist, an welchem Punkt man nicht mehr umkehren konnte, sondern sich nur noch der zwangsläufigen Choreographie unterwerfen, aber ich bin mir heute sicher, dass es Milans Idee war, rüber an die Bar zu gehen, auch wenn ich es vorschlug, ein Getränk noch, oder musst du morgen früh raus?, fragte ich und setzte hinzu, wirst du zu Hause erwartet?, gleichgültig fast, mich interessierte seine Frau nicht, ich wollte lediglich nicht zu mir, wo ich zwischen den erdrückend weißen Wänden auf dem ebenso weißen Sofa sitzen und Zeitung lesen würde, bis ich müde genug wäre, um einzuschlafen, und auch wenn ich es vorschlug, hatte er uns doch dorthin gebracht, mir die Worte souffliert, indem er bemerkte, dass uns im Konferenzsaal niemand vermissen würde.

Zu viele Konflikte, zu viele Kosten, sagte Milan, die Leute wollen ihr Geld lieber für andere Dinge ausgeben, und wir sehen dabei zu, wie dieses schöne Projekt namens UNO zu Ende geht. Soll man noch Geduld haben oder sie verlieren?, fragte er und stieß sein Glas gegen meines.

In Nikosia liegen die Sandsäcke seit vierzig Jahren, sagte ich. Aber sie schießen nicht mehr so oft, das ist doch was. Die Soldaten stehen nur da, schlecht gelaunt, trotzdem lassen sie dich durch. Es ist, als spielten alle nur Krieg, man vergisst leicht, dass es wirklich eine Front ist, mitten auf Zypern.

Dass ich allein in einem für zwei Jahre angemieteten Apartment über einem indischen Supermarkt wohnte, erwähnte ich nicht, in Servette, drei Stationen hinter dem Bahnhof, wo auch Menschen lebten, die nicht als Juristen oder Diplomaten bei der WTO oder der UNO arbeiteten, ich erwähnte es nicht, weil es mir, wie schon in unserer Kindheit, vor Milan peinlich war, dieses unvollständige Leben zuzugeben, das besser einzurichten mir nicht geglückt war und das nicht einmal die Schönheit von traurigem Minimalismus trug wie die Wohnung von jemandem, der keinen Sinn für Einrichtung hat, aber wenigstens versteht, das Provisorische von Kartons und Kisten und einer Matratze ohne Lattenrost zu behalten, anstatt es mit unpassenden Möbeln zu kaschieren, und ich fragte mich, ob es tatsächlich nur Selbstlosigkeit war, die ihn nach Mosul, dann ins Westjordanland gebracht hatte, und während ich mich das fragte und mich fragte, warum wir beide hier gelandet waren, im Beau-Rivage, überhaupt in Genf, in Büros, die nur durch wenige Abteilungen und ein paar bürokratische Begriffe, durch acht Jahre und Milans Ehrgeiz oder vielmehr Ruhelosigkeit voneinander getrennt waren, wusste ich natürlich, dass es nicht bloß das war, weder Zufall noch Selbstlosigkeit, das ist es bei keinem von uns, wenn ich Milan auch zu wenig kannte, um sagen zu können, was ihn tatsächlich antrieb.

Vor den falschen Augen auf dem Pfauenrad, sagte Milan, als er mich durch das hallenartige Marmorfoyer zum Ausgang begleitete, müsste uns grausen, wie das sonst der Fall ist, wenn etwas Unbelebtes lebendig wirkt. Aber die Harmonie, das strahlende Königsblau verwirrt uns eher. Diese Tiere haben viel besser als wir verstanden, dass wir durch Schönheit nur einschüchtern oder langweilen. Geltung erreichen wir durch Widerspruch. Nicht durch Dissens, sondern im Paradox, sagte er zum Abschied, küsste mich flüchtig auf die Wange, drei Mal, wie es in der Schweiz üblich ist. Die vom Regen nasse Straße glänzte im

Scheinwerferlicht des Taxis auf, und dann stand ich allein, blickte an der Fassade hinauf, an den Balkonen hingen Blumenkästen, Narzissen und Hyazinthen, und um die Stadt zog sich das Juragebirge.

Bei Bonn. Januar 1994

In meiner Kindheit hing über meinem Bett ein Bild, das einen in seinen weiten, mit gelben und blauen Rauten bedruckten Pumpkleidern verloren wirkenden Harlekin zeigte, der einen dunklen Hut auf dem Kopf trug, darunter rotes Haar. Im Haus von Milans Eltern hing über meinem Bett kein Bild, sondern ein Fenster, es war in die Dachschräge eingelassen und zeigte in den Himmel, am unteren Rand wuchsen Baumspitzen in die Aussicht.

Während der Trennung meiner Eltern war ich für einige Monate zu einer Freundin meines Vaters geschickt worden, auf dieses Grundstück abseits der Stadt, abseits von allem. Es würde mir guttun, meinte er oder wollte es zumindest meinen, wenn ich in einem Haus mit anderen Kindern wohnte, obwohl Milan der einzige Sohn war und im Übrigen nicht mehr Kind, doch meine Eltern waren so sehr mit dem Streit um Habseligkeiten beschäftigt, die ihnen während der Ehe nicht das Geringste bedeutet hatten, dass keinem von beiden auffiel, dass ein Jugendlicher weniger als jeder andere etwas mit einer Drittklässlerin anfangen kann und acht Jahre für ein Kind ein ganzes Leben sind. Sie wollten mich von den Streitigkeiten fernhalten, als hätte ich sie nicht seit Jahren zwischen ihnen erlebt und die bedrückende Stille, wenn jeder seiner Wege ging. Sogar ich als Kind spürte, dass diese Wege nur gewählt wurden, um dem anderen möglichst weit zu entkommen, und als es gar nicht mehr auszuhalten war zwischen ihnen, setzte mein Vater mich ins Auto. Ich roch sein Aftershave, als er sich in den Fond des Toyota beugte, den Sicherheitsgurt für mich schloss, was er nicht mehr getan hatte, seit ich in die Schule ging.

Wir fuhren an den grauen Nachkriegsbauten der Vororte vorbei, ich sah den Umschlagbahnhof Eifeltor vor dem Fenster, die grau gestrichenen Kranbrücken, an denen die Haken still in der Dämmerung hingen, kein Zug fuhr ein, nur die Geisterstadt aus gestapelten Containern ragte neben der Autobahn auf, und wenig später bezog ich ein größeres Zimmer, eine größere Welt, als ich sie kannte, und wenn sie auch am Rand einer Kleinstadt lag, schüchterte sie mich ein wie ein Dialekt, den ich nicht verstand, obwohl er doch eigentlich meine Muttersprache sein oder zumindest mit ihr zu tun haben sollte.

Das Haus war auch kein Haus, sondern eine Villa, blass und erhaben, ein Gebäude wie aus einem Märchen, eher aus *Tausendundeiner Nacht* als aus den Schauergeschichten der Grimms, und Lucia, die Freundin meines Vaters, war eine aus einem Fünfziger-Jahre-Werbeprospekt entflohene strenge Schönheit, deren dunkles aufgestecktes Haar ich mir offen nicht einmal vorzustellen wagte. Überhaupt stammte vieles hier aus einer anderen Zeit, der Wald, in dem drei Ziegen und ein Reh wohnten, die strengen Tischmanieren, die Lucia und Milan mit geradem Rücken vorführten, das Mobiliar, cremeweiß das meiste, die kräftigen, geschwollenen Hände von Milans Großvater auf einem der Fotos an der Wand, auf das ich immer wieder sehen musste und mir vorstellte, dass er einmal, ehe er in dieses Haus gezogen war, handwerklich, vielleicht sogar bäurisch gearbeitet haben musste, was, wie ich ein Vierteljahrhundert später von Milan erfahren würde, nicht stimmte, dass vielmehr sein Großvater sich umso mehr nach Tätigkeiten wie dem Zersägen von Holz und dem Ausbessern des Schuppens gesehnt habe, je weiter seine Verpflichtungen als einer der obersten Beamten der Republik ihn davon entfernten, und wann immer es ihm die unumstößlich getakteten Tagesabläufe erlaubten, tat er es auch, aber es war nicht oft, und seine Hände waren wohl klobig von Geburt an und nicht geschwollen, weil er sich jemals verausgabt hätte, zumindest nicht körperlich.

Wir saßen an dem großen nussbraunen Esstisch, an dem ich unter keinen Umständen spielen durfte, wie mich die Haushälterin bereits ermahnt hatte, eine kleine, pummelige Person, die liebevoll wirkte und im nächsten Moment so frostig blicken konnte, dass ich erschrak, das Holz sei zu kostbar, hatte sie mir erklärt, ich fand es einfach nur unausstehlich dunkel.

Darius saß mir gegenüber und knabberte Gurkenscheiben, was mich mehr als alles andere verwirrte, bei uns zu Hause gab es zum Kuchen keine Gurken und keinen zu weichen weißen Toast auf einer Tablettpyramide. Mein Vater nippte zurückhaltend an seinem Kaffee, blickte wie ein Schuljunge zu Darius, der von seinen Reisen erzählte, die ihn in die Schweiz, nach New York und bis in Länder brachten, deren Namen ich noch nie gehört hatte, es schien, als wäre Darius allein in den letzten Wochen häufiger verreist als meine Eltern während meines ganzen Lebens und viel weiter, als ich es bisher von irgendjemandem gehört hatte, und während ich Darius' leicht stockender Erzählung folgte, die er mit ausholenden Gesten untermalte, mit denen er sich doch nur weitere Gurkenscheiben vom Tablett pickte, sah mein Vater schweigend auf seine Fingernägel, und ich verstand wohl damals schon, dass er bereits gegangen war, er war gegangen, ohne mich mitzunehmen.

Weißt du, wenn man einmal dabei ist, kommt man nicht mehr so leicht raus, sagte Darius, und ich habe schon dem Kaiser gedient, wenn du so willst.

Lucia lachte und sah ihn kurz darauf entgeistert an, als fiele ihr erst jetzt auf, dass er tatsächlich besser in eine vergangene Monarchie passte als in die Bundesrepublik der achtziger Jahre, in der es verknotete Telefonschnüre, Legosteine und Toyota

Corolla gab, all diese profanen Dinge, nach denen niemand gefragt hatte, am wenigsten Darius.

Du weißt, dass Deutschland einmal einen Kaiser gehabt hat?, flüsterte Milan mir zu.

Und seine Frau Sissi ist in Genf ermordet worden, am Quai, rief ich.

Dass sie sich so für Todesfälle interessiert, bemerkte Lucia.

Andere interessieren sich in ihrem Alter für Dinosaurier, entgegnete Milan, das hat ja auch mit dem Tod zu tun.

Warum will sich die Kleine nur schon wieder Österreich einverleiben, sagte Darius.

Mir war beklommen, als ich seinen Blick auf mir spürte, und ich weigerte mich trotz mehrmaliger Ermahnung, meinen wattigen Toast aufzuessen. Durchs Wohnzimmerfenster sah ich wenig später die Scheinwerfer des Toyota aufleuchten, ich stand auf Zehenspitzen, stützte mich mit den Händen auf der zu hohen Fensterbank ab, und kurz darauf waren die Lichter hinter der Biegung der langen Ausfahrt verschwunden.

Am Abend fuhren andere Wagen vor, sie parkten nebeneinander auf dem Platz unter dem Wohnzimmerfenster, und Darius nahm Milan und mich mit hinaus, obwohl Milan sich sträubte, er habe keine Lust mehr auf solche Veranstaltungen, aber er wurde von Darius mit einem kräftigen Schulterklopfen nach vorne gedrängt. Wir gingen am Waldrand entlang und betraten den Stall, in dem das Reh kauerte, das Darius wo auch immer mit gebrochenem Bein aufgetrieben, zu sich genommen und aufgezogen hatte, wie er den wartenden Herren von der Presse erzählte. Eine einzige Frau war dabei, die an den Schulterpolstern ihres Blousons zupfte und skeptisch das Tier betrachtete. Darius trat an das Gatter, eine Säuglingsflasche in der Hand, hielt den Nuckel dem Kitz entgegen, und nach einiger Scheu schnappte es danach und sog Milch. Fotos wurden geschossen. Milan stieß Luft aus. Dann winkte Darius mich zu sich, ich solle das Reh streicheln. Zögernd streckte ich meine Hand aus, hörte die Blitzlichter hinter mir zischen, die mein erstes und einziges Erscheinen in der Regionalpresse ankündigten.

Ich hätte damals nicht sagen können, was ich von Darius hielt, aber es beeindruckte mich, dass sich so viele Menschen für ihn interessierten, dass er in Zeitungen vorkam, was für mich so unvorstellbar war, wie in einem Roman aufzutauchen, und als wir beim Abendessen zusammensaßen, konnte ich nicht davon ablassen, ihn zu beobachten, als könne mir seine Art, sich das Brot mit Butter zu bestreichen, verraten, wie er von diesem Tisch hinüber in den *General-Anzeiger* kam, der auf dem fünften Stuhl lag, auf dem vor ein paar Stunden noch mein Vater gesessen und zurückhaltend seinen Kaffee getrunken hatte.

Darius' Augen waren wässrig, die Haut unter den Augen grau, dabei wirkte er nicht wirklich erschöpft, seine Geschäftigkeit hatte lediglich etwas Starres. Seine Hände hingegen tänzelten über alles hinweg, Tischplatten, Glasränder, Buchrücken, und wann immer ich in den kommenden Monaten an Darius' Arbeitszimmer vorbeischlich, meinte ich, das Tapsen seiner Finger zu hören hinter der dunklen glänzenden Holztür, die so viele Länder und Städte zu verbergen schien, und wie gern hätte ich mehr gewusst über die Reisen, zu denen er um vier Uhr morgens das Haus verließ. Ich wollte hören, wie sein Leben dort aussah und wie die Menschen, ob es Wolkenkratzer gab und ob die Autos schneller fuhren als hier oder langsamer, aber Darius war mehr noch als andere Erwachsene jemand, den man als Kind nicht einfach ansprechen mochte.

Am Sonntag fuhr Milan mit seinem Hockeyteam zu einem Trainingsspiel in der Nähe von Aachen, und wir saßen nachmittags

zu dritt vor der Tablettpyramide mit Kuchen und Toast, Darius'
wirr gemusterte Krawatte verursachte mir Schwindel, vielleicht
musste ich gerade deshalb immer wieder hinsehen, ich bröselte
mit meinem Stück Sandkuchen, bis Lucia meine Hand nieder-
drückte und mich ermahnte, nicht mit dem Essen zu spielen.

Als das Telefon klingelte und sie hinausging, saß ich allein
mit ihm. Noch immer sah ich auf seine Krawatte, auf der türkise
Wirbel durcheinandertanzten, und hörte das Knacken der Gur-
kenschale, wenn er in eine weitere Scheibe biss.

Und wie kommst du in Geometrie voran?, fragte er mich
schließlich, dabei war ich gerade mal bei den vier Grundrechen-
arten angelangt. Um meine Ahnungslosigkeit nicht zugeben zu
müssen, fragte ich, ob es überall Mathematik gäbe, auch an den
entferntesten Orten, an denen er bisher gewesen war, schließlich
hatten sie dort auch eine andere Schrift, so viel wusste ich von
den bedruckten Süßigkeitenboxen, die eingestaubt und ausgeblichen in der Küche standen.

Darius lachte, was ich zum ersten Mal von ihm hörte.

Nicht unsere, es ist doch eher ihre Mathematik, wir haben sie
adoptiert, erklärte er, und kurz hoffte ich, jetzt wäre der Moment,
da er mir von den Städten erzählen würde, aus denen er jedes
Mal, wie um seine Reise zu beglaubigen, Postkarten schickte und
neben den Süßigkeiten kitschige Souvenirs mitbrachte, die niemandem im Haus gefielen, winzige Teppiche oder folkloristisch
bemalte Aschenbecher, Federn, Brieföffner, all diese Dinge, auf
die ich noch stoßen würde, wann immer ich eine Schublade
öffnete.

Und von wem?, fragte ich.

Er betrachtete mich eine Weile und wollte zum Reden anset-
zen, da kam Lucia ins Esszimmer zurück, und das Schwebende
der Situation löste sich auf.

Einmal, verriet mir die Haushälterin kurz vor dem Abendessen, als sie mich vom nussbraunen Tisch verscheuchte, einmal sei es mit Darius ja beinahe zu Ende gewesen, da unten. Aber was rede ich, murmelte sie und legte sich, scheinbar verschreckt, die Hand vor den Mund, eine theatralische Geste, die ich ihr schon mit neun Jahren nicht abnahm, doch das Wort *unten* bekam einen tiefen, morastigen Klang, während ich mir ausmalte, wie Darius, dessen Bewegungen ein wenig unbeholfen waren, von einer verschleppten Eleganz, auf eine Bergspalte zustolperte, zu Darius passte für mich keine andere Gefahr, nichts Schnelles, Modernes, höchstens noch ein Unwetter oder ein herabfallender Ast, und wie gern hätte ich gewusst, was geschehen war, als beinah etwas geschehen war, aber die Haushälterin wollte nichts mehr davon hören, gab vor, etwas sehr dringend erledigen zu müssen, einen Braten aus dem Ofen holen, der noch gar nicht im Ofen war, und mit Lucia reden, die gerade eine Bekannte in der Stadt besuchte.

Am Montag brachte Milan mich zur Schule, sein Gymnasium lag ein wenig weiter stadteinwärts als der graue Neubau, in dem die Grundschule untergebracht war, wir waren spät dran, und seine linke Schuhspitze klopfte unruhig gegen die rechte, als wir an der Ampel warteten, es wurde nicht grün, es wurde nicht grün, da griff ich nach seiner Hand.

Hast du nie Angst, wenn Darius wegfährt?, fragte ich.

Darius?, fragte Milan. Das Ampellicht sprang um, und er zog mich auf die Straße. Jemandem wie Darius passiert nichts.

Wie er das sagte und meine Hand dabei hielt, nicht zu fest, aber doch fest genug, um mich nicht zu verlieren, dachte ich, ja, jemandem wie Darius kann nichts passieren, vielleicht kann uns allen nichts passieren, wenn Milan auf uns aufpasst.

Erst später, als ich wieder in der Normalität von Köln lebte, in der vertrauten kleinen Sphäre, die sich doch verändert hatte, einen Geruch verloren, die Hälfte der Möbel, erzählte mein Vater mir, dass nach mir andere Kinder in Milans Nachbarzimmer eingezogen waren, ein stetiger Reigen ungewollter Geschwister, um die zu kümmern sich Milan nie geweigert hatte, wenn er es auch mit dezentem Desinteresse tat. Er war nicht verbindlich, aber er besaß eine Höflichkeit, die man leicht damit verwechseln konnte. Sehr viel mehr wusste ich nicht von ihm, nachdem ich das cremefarbene Zimmer wieder geräumt hatte. Ich schickte ihm keine Briefe und bekam auch keine von ihm, da es überhaupt keine Wörter gab, die wir hätten austauschen können. Ich wurde zehn, was interessierte mich ein Junge aus der Oberstufe?

Genf. April 2017

Nach unserem Treffen im Beau-Rivage hörte ich nichts mehr von Milan. In Genf eilte man von einem wichtigen zu einem noch wichtigeren Treffen, dazwischen saß man die mit Papierkram eingedeckten Stunden ab. In diesen Tagen wusste ich weniger denn je, was ich in dieser Stadt sollte. Wenn ich nach neunzehn Uhr das Büro verließ, waren die Geschäfte bereits geschlossen, nur der Migros am Bahnhof war noch geöffnet, der einzige Flecken Metropole, den es hier gab.

Mein Wohnblock trug die Eleganz einer sozialistischen Trabantenstadt, und ich versuchte, nicht vor der Dämmerung dort einzutreffen, spazierte durch die Altstadt, manchmal auch am Seeufer entlang, obwohl ich weder Kälte noch Nässe leiden kann. In den Straßen fühlte ich mich von Durchreisenden umgeben, so stark war das Gefühl bisweilen, als wären nicht nur die Menschen, sondern die Stadt selbst sich fremd. Wir alle wohnten hier nur, keiner von uns war tatsächlich zu Hause, für die paar Jahre lohnte es nicht, anzukommen, lohnten sich in Genf weniger als in den Missionen, in denen wir in unserer Notgemeinschaft zusammenhalten mussten, was eine Art des Ankommens war. In einem schmalen Ladengeschäft am Boulevard Georges-Favon drehten Modelleisenbahnen ihre Runden und ließen die Passanten allein mit der Frage, wer in Genf so viele Modelleisenbahnen, Miniaturkühe und winzige Berglandschaften kaufte, dass sich die Miete in dieser von luxuriösen Wohnungen bestellten Gegend rentierte. Am Quai fotografierten Touristen die Fontäne unter grauem Himmel, den See, der sich in die Mitte der Stadt drängte, er hätte schön sein können, doch auf mich wirkte alles wie angeschimmelt. Zu lange im Wasser gelegen.

Nur wenn ich früh am Morgen mit der Tram zur Arbeit fuhr, am Bahnhof vorbei, konnte ich zwischen zwei Haltestellen den Charme der morbiden, von welken Karyatiden überladenen Häuser und der stockfleckigen Funktionsbauten wieder verstehen und auch den Reiz des Elitären, der hinter den Fenstern der Grandhotels an der Seepromenade zu ahnen war, wo man sich Staatschefs dabei denken mochte, wie sie mit Weltkugeln Billard spielten.

Manche meiner Kollegen redeten gern davon, die Vereinten Nationen seien eine große Familie, aber wenn sie das sein sollten und die eleganten, kalten Gänge des Palais des Nations unser Zuhause, dann war es eine jener Familien, in denen zwar weder Streit noch Rachegelüste herrschten, aber doch eine großzügige Gleichgültigkeit, was in gewisser Weise schlimmer war, denn nichts deutete noch darauf hin, dass der eine den anderen einmal geliebt hätte. Wer bei den Vereinten Nationen arbeitete, durfte sich nicht in falsche Abhängigkeiten begeben, nicht von einem Kollegen, der am anderen Ende der Welt im Einsatz war oder einen solchen vorbereitete, erwarten, dass er an einen dachte, und war Milan nicht überhaupt erst an der Bar vertraulich geworden, wie man es eben wird mit etwas Alkohol, nichts deutete an, dass aus unserem Wiedersehen etwas folgen würde, und trotzdem wartete ich auf eine Nachricht von ihm, eine kurze Betreffzeile, die persönlicher klänge als meine gewöhnliche Korrespondenz, aber unter meinen Mails fand sich keine, die an einen Abend im Beau-Rivage erinnerte, und am Telefon hörte ich nur Monsieur Boucherons nasale Anweisungen.

Je nun, Sie machen das schon, Mira, zwei Staaten, eine Insel, die Lage ist günstig, man hat ja schon Karten ausgetauscht, wir müssen sie nur noch ein wenig anpassen. Ich solle die Bedenken ausräumen, die Zweifel, Zurückhaltung, die Landstriche, die falsch markiert, die Kommata, die zu viel gesetzt waren, es stehe günstig, wiederholte er, dabei wussten wir beide, dass der Präsident der Republik Zypern an seiner Macht hing wie andere Menschen an ihren Liebsten und dass es für ihn nicht genug zu gewinnen gab bei einer Einigung, ich hatte die Berichte des Generalsekretärs, die Resolutionen, Dossiers und Zeitungskolumnen gelesen, wieder und wieder, als wollte ich sie auswendig lernen, dabei würde es an meinen Verhandlungen kaum etwas ändern. Ich lockte lieber mit abwartender Stille, und schon zogen meine Gesprächspartner ihren König vor auf ein Feld jenseits des Spielplans.

Nach Genf kamen die Politiker und Generäle erst, wenn sie sich auf keinen anderen Platz der Welt mehr einigen konnten, weil der eine Ort zu sehr der einen, der andere Ort der anderen Partei zuspielte, Genf war die Tabula rasa, der neutrale Boden, und falls alles glücklich verlief – es stand gut, wie Boucheron sagte, historisch gut –, falls ich meinen Auftrag zufriedenstellend erledigte, würden wir im Juli Vertreter aus Nordzypern und der Republik Zypern begrüßen, die nach Jahrzehnten bereit wären, einen Konflikt beizulegen, den wir längst zu den unumstößlichen Gegebenheiten zählten, so wie die Gletscherschmelze und die Rocky Mountains, ein paar Dutzend Menschen, die sich beschuldigt, belogen und beschossen hatten oder es andere an ihrer Stelle hatten tun lassen, da sah ich am linken Rand meines Fensters blaue Federn vor grünem Grund aufschimmern.

Ich ließ die Unterlagen sinken, einen Stapel Statistiken zum Blauhelmeinsatz, 887 Soldaten (84 weiblich), 67 Polizeibeamte (19 weiblich), lehnte meine Stirn gegen die Scheibe. Die Federn schillerten in der nebligen Helligkeit, die seit Tagen über Genf hing. Sein Kopf ruckte vor und zurück, als der Pfau über den Kiesweg schritt, fast schien mir, er würde zittern. Er zog seine Schleppe wie ein schönes, aber zu schweres Gepäck hinter sich her, nur ein Spaziergänger müsste ihm in den Weg treten, damit er sein Rad aufschlüge, ich warf die Akten auf den Schreibtisch und verließ das Büro.

Am Cirque stieß ich die Glastür des Café Remor auf. Die Luft hier war stets ein wenig überheizt, roch nicht nach großer Welt wie die klimatisierten Räume der Vereinten Nationen, sondern nach Kaffee und feuchten Mänteln, und wenn die Tür hinter mir zufiel, verlor sich die Hektik wie der Lärm einer entfernten Baustelle.

Ich nahm mir eine Tageszeitung aus den Fächern, setzte mich zwischen die Menschen, die alle wirkten, als trügen sie noch gewohnheitsmäßig Hüte, sobald sie auf die Straße traten, und kurz dachte ich, ich könnte einfach verschwinden in einer Zeit, die nicht zu mir gehörte, eine unbemannte chinesische Raumfähre war an das Weltraumlabor *Himmelspalast* angedockt, las ich, später sollte dort einmal Reis angebaut werden, der Kellner stellte mit ausgesucht höflicher Miene den Kaffee vor mir ab, vor dem Fenster gingen zwei in sich versunkene Herren vorbei, und es war, als zöge eine calvinistische Strenge dicht an mich heran, dieser Aberglauben, der die Zukunft eher als Ertragen denn als Hoffen empfinden ließ und jeder Form von Schönheit grundsätzlich misstraute. Calvin selbst lag ein paar Gehminuten von hier entfernt auf dem Cimetière des Rois; ein kleines, von einem Gusseisenzaun umschlossenes Grabfeld, auf dem Buchsbaum wuchs. Der Friedhof war einst für all die Pesttoten des Hôpital des Pestiférés angelegt worden, in einer Zeit, als man auch hier noch massenhaft starb und nicht nur die Herren, sehr selten auch Damen willkommen hieß, die auf ihren Thronen und Logen über ihre zerstörten Ländereien verhandelten. Ich wusste nicht, wo genau sich das Jenseits befand, hoffte nur, es möge nicht in den Köpfen der Calvinisten liegen.

Ich wollte gerade aufstehen, die Zeitung zurücklegen, wieder zu den Vereinten Nationen hinauffahren, da betrat eine schlaksige Frau das Café. Sie ließ den Blick durch den Raum schweifen und erwiderte meine Verwirrung mit einem Nicken, schüttelte die Nässe von ihrem Mantelkragen und bahnte sich ihren Weg zu meinem Tisch.

Ich hatte Sarah nicht mehr gesehen, seit ich aus Burundi abgereist war. Ihr Gesicht wirkte fahl, als hätte sich ihr Teint der dauernden Bewölkung angepasst, aber etwas war schillernder an ihr, als ich es in Erinnerung hatte, und wir umarmten uns flüchtig, wohl beide unsicher, wie nah wir uns damals eigentlich gewesen waren.

Und, wie ist es?, fragte ich.

Na ja, wie soll es sein. In der Welt verloren gegangen, sagte sie.

Du auch?

Wir alle.

Wir lachten, ich griff nach ihrer Hand, sie sah mich verwundert an. Schön, dich zu sehen, sagte ich entschuldigend.

Wirkte zuletzt nicht so, bemerkte sie. UNHCR?

Ich schüttelte den Kopf. Ich bin hier nur … Vermutlich eh bald wieder weg. Nairobi oder warum nicht Teheran.

Glückwunsch, die sind ja auf unseren Verein gut zu sprechen. Aber wer ist das schon, sagte Sarah und winkte dem Kellner, bei dem sie einen frischgepressten Orangensaft bestellte, wie in Bujumbura, wo wir uns fast ausschließlich von Säften ernährt hatten, gepresst aus allen möglichen Früchten, in Jennys Café, der hippen, von Journalisten und Expats bevölkerten Enklave.

Aber diese Jungs, sagte ich, die du unterrichtet hast, du hast mir von ihnen erzählt, weißt du noch?

Natürlich, sagte Sarah. Vormittags haben wir ihre Gewehre eingesammelt, und nachmittags saßen sie vor uns in der Schulbank, damit sie irgendwas anderes als Söldner werden können.

Die mochten dich schon.

Ja, klar. So sehr, dass sie nachts gleich das Lager aufgebrochen und die Waffen wieder mitgenommen haben. Die mochten vor allem meine Naivität.

Der Kellner stellte das Saftglas vor Sarah auf den Tisch. Ich betrachtete ihre Finger, die das Glas umspielten, noch dünner als in Bujumbura waren sie geworden, zerbrechlich, ohne anmutig zu sein, und niemandem wäre eingefallen, sie beschützen zu wollen. Sie wirkten wie alles an Sarah, ihre strohigen Haare, ihre ausgebeulte Handtasche, ihre verwaschene Jacke, wie etwas, das man vergessen hat, obwohl man es immer bei sich trägt.

Manchmal kann ich mir gar nicht mehr vorstellen, dass ich mal mit wirklichen Menschen gearbeitet habe und nicht bloß mit Statistiken, sagte sie und zeigte zum Fenster. Unwirkliche Stadt da draußen. Ist doch zynisch, entschuldige. Zuerst *Afrikanische Lösungen für afrikanische Probleme*, weil sich einfach niemand die Hände an dem Kontinent schmutzig machen wollte. Weil es nicht rentabel war, dort die eigenen Soldaten erschießen zu lassen. Und nach Ruanda war doch niemand geläutert, man kam nur mit neuen Schlagwörtern: Perspektiven, Zukunft. Wie aus einer Werbeanzeige für eine bessere Welt. Hat ja wunderbar geklappt. Jetzt brennen in Bujumbura wieder die Straßen. Der Präsident bricht die Verfassung, um an der Macht zu bleiben, und wer sich ihm widersetzt, verschwindet oder schafft es mit etwas Glück noch ins Exil. Schön, das bisschen Unterricht hat auch nichts dran geändert. Wann bist du gegangen?

Ein paar Wochen vor dem Putschversuch.

Ich bin bis zum Schluss geblieben, bis sie uns rausgeworfen haben. Nein, verzeih: die Gespräche mit uns eingestellt, so nennen sie es. Und jetzt ist alles so, als wären wir nie da gewesen. Oder sogar schlimmer. Aber was haben wir erwartet? Dass wir mal eben aus der Schweiz anrücken, ein bisschen Stacheldraht um ein Gelände spannen und darin den Entwicklungserfolg eines Landes beschließen, für das sich niemand interessiert außerhalb der Mission?

Wir haben immerhin was versucht. Es ist schiefgegangen, ja, aber wir haben's versucht.

Du warst nicht bis zum Putsch da, sagte Sarah. Es ist, als würdest du ein Kind aufziehen, und dann siehst du, wie es in den Fluss fällt und einfach untergeht.

Es ist nicht dein Kind, es war nur eine Mission.

Du hast es ja nicht mehr mitbekommen am Ende. Wie alles wieder zusammengebrochen ist. Es war so sinnlos, die ganzen Jahre waren so sinnlos, sagte sie. Natürlich, du kannst behaupten, es gab die Chance, dass es klappt. Dass es vorangeht. Die Zivilgesellschaft, die war ja da. Die Mittelklasse hatte wieder ein bisschen Geld. Die Straßen waren morgens verstopft, weil sich mehr Leute einen Kleinwagen leisten konnten, als es in dieser Stadt jemals vorgesehen war. Die Kleinwagen, sagte sie und wischte mit dem Finger über ihr Handy, die waren immerhin noch für die Flucht gut.

Du hast mal ziemlich anders geredet.

Hab mich wohl vergiftet, sagte sie und blickte angespannt auf das Display. An einer Überdosis Idealismus. Und mein Chef hat auch wieder einen Tobsuchtsanfall. Entschuldige, ich muss los. Kollateralschäden vermeiden. Wir sehen uns.

Als Sarah aufstand, beugte sie sich zu mir, unbeholfen und doch geschickt, als wolle sie mich küssen, schlang sich den Schal um den Hals und wandte sich ab.

Sie stand schon an der Tür, da drehte sie sich noch einmal zu mir um, zögerte und kam dann durch den Gastraum zurück an meinen Tisch.

Habe ich gerade zu viel geredet?, fragte sie.

Wir haben uns lange nicht gesehen.

Sie sah mich einen Moment lang prüfend an, fuhr sich dann betont hastig durch ihre Haare. Ist es das, wovon sie reden?

Wer redet wovon?

Dass du Leute zum Sprechen bringst.

Ich lachte. Nein, bitte, was? Wer sagt das?

Einige. Mehrere. War das in Burundi auch schon so? Ist mir das einfach nicht aufgefallen?

Ich habe keine Ahnung, was du meinst.

Bujumbura. September 2012

Man nennt uns Expats, und auch wir selbst nennen uns so, eine lapidare Kurzform, wie hingegossen an den Rand eines Pools, ein Status wie auf einer Vielfliegerkarte und in exklusiven Clubs, und natürlich bedeutet er auch, dass wir nicht dazugehören, nicht dort, wo wir gerade sind, und auch nicht mehr da, woher wir einmal kamen, diese Gegend oder Gemeinschaft, die man gefühlsselig Heimat nennt und die eben doch etwas mehr ist als nur Kitsch, was man spätestens dann merkt, wenn man sich nur noch ungenau an sie erinnert. Einige, nicht wenige von uns, die Diplomatenkinder, haben ihre Heimat von vornherein als luxuriöses, unstetes Provisorium kennengelernt, als Netz über dem Globus, sie haben keine Ahnung davon, dass Heimat ein kleiner Ort am Rhein sein kann oder ein Dorf in der Provinz Kirundo an der Grenze zu Ruanda.

Die Expats sind eine internationale Klasse, zu der nicht nur das Personal der Vereinten Nationen gehört, sondern auch Gesandte der weltweit agierenden Wirtschaftsunternehmen, der Botschaften und die Mitarbeiter der vielen Nichtregierungsorganisationen. Das Wort oder vielmehr seine vollständige Form, Expatriates, hat mich immer an Paria denken lassen, an Staaten- und Heimatlose, was ein blanker Zynismus wäre in einer Welt, die aus Flüchtlingscamps und Vertriebenenbussen, aus fehlschlagenden Repatriierungsprogrammen, aus tatsächlich Staaten- und Heimatlosen besteht. Dass gerade wir, die selbst in Regionen, die durch Kriege, Naturkatastrophen und Hunger jeglicher Möglichkeit beraubt worden sind, eine Heimat zu sein, oder sich selbst dieser Möglichkeit beraubt haben, dass wir, die selbst dort über eine leidlich funktionierende Infrastruktur verfügen, über

Zimmer in Steinhäusern, Elektrizität, Internetverbindungen, Rück-flugtickets, als Expatriierte bezeichnet werden, scheint mir ab-surd, verfügen wir doch nicht etwa über keine Heimat, sondern über zu viele, und allein, dass wir von einigen Daheimgebliebenen gerade deshalb zunehmend geringgeschätzt, wenn nicht verach-tet werden, gibt uns ein leises Anrecht auf das Wort Paria.

Auch untereinander waren wir mitunter zerstritten, es gab die feinen Hierarchieunterschiede, die allerdings jeder ein we-nig anders sah. Die Angehörigen der NGOs, die unabhängigen Journalisten und mitreisenden Schauspieler sprachen uns Mit-arbeitern der UNO gerne die tatsächliche Kenntnis der Region ab und hielten uns für überprivilegierte Weltbehördler mit unseren gepanzerten Fahrzeugen, Karrierebahnen und Verwaltungsvor-gängen, die aus ihrer Sicht jeden Bezug zur Wirklichkeit verloren hatten. Wir UNO-Mitarbeiter sahen derweil belustigt, manchmal auch fassungslos auf die mit ihren bunten Outdooranoraks kennt-lich gemachten nichtkommerziellen Weltretter, die durch die Flüchtlingscamps stapften und die wohlorganisierte Arbeit mit ih-rem Übereifer durcheinanderbrachten, die falschen Medikamente ausgaben oder aber die richtigen, dabei allerdings übersahen, dass vor ihnen bereits irgendein IKRK- oder UN- oder sonstwie Uni-formierter andere Medikamente ausgegeben hatte, die mit den von ihnen gespendeten eine gefährliche Kettenreaktion an Ne-benwirkungen auslösten, die zu bezwingen es mehr Antibiotika bedurft hätte, als im gesamten Lager vorhanden war; oder wenn sie als eifrige Protokollanten das erlebte Elend in ihre Formulare füllen wollten, als dritte oder vierte, gar fünfte Gruppe in einem Flüchtlingscamp die Bewohner nach ihrer Herkunft, ihren Na-men, Geburtsdaten, dem Grund für ihre Vertreibung fragten und diese sie nur mit leerem Blick anschauten, weil sie genau dies doch schon drei- oder viermal zuvor berichtet hatten.

Auch, wenn wir tags miteinander zerstritten waren, feierten wir nach Dienstschluss Partys an türkisblauen Pools zusammen, vereint in dem Wunsch, die Welt zu einer besseren zu machen. Ich saß mit meinem Heineken am Rand des Bassins, studierte die Schlangenlinien, die mein Fuß im Wasser zog, die sich kräuselnde Oberfläche, und blickte wieder zu meinen Kollegen, die sich auf den Flechtmöbeln und an der Bar in ihren Shorts und Sommerkleidern rekelten. Gunnar, der deutsche Attaché, stieß mit der jungen Schweizerin an, die Wasserproben für ihre Promotion an der Universität Basel sammelte und von mir hatte wissen wollen, wo sie ihre letzten beiden Wochenenden verbringen könne, Gitega, warum nicht in Gitega?, oder doch lieber ein Ausflug nach Kenia, eine Safari mit Nashörnern und Giraffen, die es in Burundi nicht gab?

Dabei habe ich den besseren Abschluss gemacht!, rief jemand. Ich sah mich um, Gunnars Frau hatte sich in ihrer Sitzbank aufgerichtet. Mitreisende Gattin!, stieß sie hervor. Ich habe Hamsun zumindest in ein paar Texten verstanden, na gut, zu verstehen geglaubt, aber er hat doch bloß eine Einführung über ihn gelesen. Und jetzt sitze ich hier als mitreisende Gattin.

Ich betrachtete ihr hübsches Gesicht, die Stirn in Falten gelegt, zermürbt vom Nichtstun, keine europäische Presse interessierte sich für das, was hier geschah, wer wusste überhaupt, wo dieses Land lag, und dass sie einmal Lehrerin gewesen war, half ihr auch nicht weiter, Norwegisch wollte hier niemand lernen und auch für Knut Hamsun interessierte man sich nicht.

Wenn ich in einem Monat noch immer keine Stelle gefunden habe, reise ich ab. Ich reise ab. Ich kann nicht mehr. Ich werde verrückt in dieser Stadt.

Aber du weißt schon, dass es einsam wird, sobald es anders läuft?, fragte Sarah, reckte ihr Kinn, und mir fiel ein, dass ihre

Medikamente noch in einer Arzttasche in meinem Kofferraum lagen, die Kühlaggregate konnten mittlerweile kaum mehr als lauwarme Plastikplatten sein, und wäre ich verantwortungsvoll gewesen, hätte ich längst aufstehen und zum Auto gehen müssen, aber dieser Abend, das Bier, das hypnotisierende Türkis des Pools ließen alle Pflichten von mir abfallen, ich atmete die milde Abendluft, wollte nichts davon wissen, dass Sarah morgen wieder über die Grenze in ein karges Krankenhaus fahren musste, um vergewaltigte Frauen mit einem Notmedikament vor einer HIV-Infektion zu schützen, wollte nicht daran denken, dass es überhaupt so etwas gab auf der anderen Seite der Gartenmauer, die uns in unserem banalen, verkrachten Paradies schützte. Wie gern wollte ich glauben, dass dieses Land genauso war, wie es sich uns zeigte, wenn wir am See saßen, im Geny's Beach mit den breiten Bastliegen, die wie eine Armada aus Himmelbetten von einem leichten Chiffondach überspannt wurden, wir spielten Beachvolleyball und tranken frischgepresste Säfte, die Kellner standen zögernd am Tresen, was einen österreichischen Kollegen in seiner Einsicht bestärkte, dieses Land sei ein einziges retardierendes Moment. Ich wusste nur, dass das Paradies hier seltsam nah an den Denkmälern zum Genozid lag, und anders als in Deutschland hatte es keinen Marshall-Plan gegeben.

Man kann immer versuchen, sich einen der Schauspieler zu angeln, meinte Pietro, der Sarah ansah, aber vermutlich an Angelina Jolie dachte, mindestens an die mitreisende Gattin. Weißt du, die besuchen doch gern mal so ein Flüchtlingscamp.

Die wollen Frauen, die in Espadrilles und weißem Abendkleid in den Camps stehen, bemerkte Sarah, und natürlich hatte sie recht, und natürlich hatte auch sie bemerkt, dass Pietro nicht sie gemeint hatte. Es wurde auch unter uns Expats niemand geliebt, weil er oder sie die Medikamente besonders gut austeilte, die Formulare besser oder schneller ordnete, es wurde geliebt, weil es Schönheit, Anmut und Geheimnis gab, auch hier, am Arsch der Welt, die *M23*-Milizen sammelten sich nicht weit von uns entfernt an der kongolesischen Grenze, dieses Land hatte Massaker erlebt, die erst spät zum Genozid erklärt worden waren, das Völkerrecht systematisierte, was in der Wirklichkeit mit weniger Rücksicht auf Formulierungen geschah, und die Regel, dass es Chancen nicht für alle gab, dass man verblühte, starb, vergessen wurde, galt hier ebenso wie in jedem Kaff in Deutschland, nur mit brutalerer Wirkung.

Und klar, meinte Sarah gereizt, klar kannst du sagen, wir sind auch nicht viel besser als die in Espadrilles und Abendkleid, wir lassen die Straßen nur bauen, damit unsere Militärkonvois besser vorankommen, wozu brauchen die Leute auf dem Land eine Autobahn, wenn kaum jemand von ihnen auch nur ein Fahrrad besitzt? Aber ohne die Autobahnen kommen die Medikamente nicht rechtzeitig in die abgelegenen Krankenhäuser und auch nicht die Nahrungsmittel, wenn wieder eine Hungerkatastrophe ausbricht und …

Und warum verteidigst du dich so heftig?, fragte Pietro. Weil du selbst ganz genau weißt, dass du den Leuten dein Leben unterjubeln willst, deine Medikamente, deine Vorstellung von Sicherheit.

Was soll ich denn tun? Soll ich meinen Pass fälschen, damit man mir keine westliche Hegemonie unterstellt? Oder soll ich zu Hause sitzen, Ökogemüse schälen und den Frieden in meinem Vorgarten feiern?

Lieber eine Heldin sein, bravo! Hier, wo es übel ist und du das Gegenteil von allem aufbauen kannst, was du vorfindest. Aber das Gegenteil von übel ist noch lange nicht gut, meinte Pietro.

Wenn du dich als Gegenteil von diesem Land verstehst, dann

hast du gar nichts verstanden. Dann schreib weiter deine Berichte für Rom, damit sie die Verwaltung am Laufen halten.

Wir können alles sein, ganz egal, was die Leute hier sind. Das ist ungerecht, aber weißt du, es wird nicht gerechter, wenn wir uns einreden, es wäre anders. Ich habe kein Verständnis mehr für diese ganze Romantik.

Es ist keine Romantik. Wir bauen etwas auf. Nimm die Wahrheitskommission.

Sag ich doch, Romantik, rief Pietro, und ich stellte die Bierflasche auf den Poolrand, stieß mich mit den Händen vom Rand ab und glitt ins Becken, ich wollte nicht mehr daran denken, an die stockenden Verhandlungen, an all die Beschwörungen, die sie uns und die wir ihnen gaben, ich wusste nicht, ob irgendjemand auf dieser Party es noch für eine gute Idee hielt, die Aussicht auf Amnestien als Lockmittel unterstützt zu haben, aber wie wollte man ein Land wieder zum Laufen bringen, wenn kaum jemand, der etwas konnte oder zu können vorgab, unschuldig war.

Mein Kleid sog sich voll Wasser, ich spürte, wie es schwerer und schwerer wurde und meine Bewegungen erschlafften, aber endlich wurde die Hitze weggespült, die ich seit dem Morgen nicht losgeworden war, als ich im Wagen darauf gewartet hatte, aufs Parlamentsgelände vorgelassen zu werden, zu den klobigen polierten Ledersesseln vor der ockerfarbenen Wand. Ein Ventilator stotterte vermutlich seit der Gründung der Republik vor sich hin, eine geschnitzte Katze hockte erstarrt auf einem Seitentischchen.

Ich tauchte ab, öffnete die Augen im verchlorten Wasser, ließ mich mit schwachen Zügen durchs Becken treiben, und als mein Kopf wieder die Oberfläche durchstieß, hörte ich Glas splittern. Ich schwamm an den Rand, sah mich um, Sarah verließ fluchtartig die Runde, eine Heinekenflasche war am Rand des Swimmingpools zerplatzt, und Gunnar erwiderte kopfschüttelnd meinen Blick.

Sie ist zu lange hier, rief er mir zu, sie braucht mal wieder einen Mann.

Offensichtlich ahnte er noch nichts von den Plänen seiner Frau, ihn in wenigen Monaten oder Wochen oder Tagen zu verlassen, falls sie hier keinen Job finden würde, und dass sie hier nichts finden würde, war so vorhersehbar wie der nächste Autokonvoi des Präsidenten, sobald seine Fußballmannschaft wieder spielte. Es gab Tore, und es gab Tote, und am Ende stiegen wir alle zu den gefallenen Engeln auf.

Und du, Pietro Mazzani, lass mich in Ruhe mit der Wahrheitskommission, ich habe Feierabend, rief Gunnar, nahm Anlauf, Wasser spritzte mir ins Gesicht, und kurz darauf tauchte er neben mir am Beckenrand auf. Pietro nahm einen Schluck Bier.

Was ist schon Wahrheit, rief er und sprang uns hinterher in den Pool.

New York. Juni 2011

Und die Kosmopoliten? Das waren die wenigen, die sehr wenigen unter uns, die wussten, dass eine Heimat nicht festgehalten werden konnte, so wie man eine kurze Verliebtheit nicht festhalten kann oder einen Gegenstand, der Bedeutung hat, denn entweder verschwindet der Gegenstand oder die Bedeutung, oder man selbst erinnert sich nicht mehr daran, und es gibt nur eine beschlagene Scheibe, durch die hindurch wir auf etwas Zurückliegendes blicken, und manche haben Glück und sehen etwas Wunderschönes, aber sie sehen es nur, sie erleben es nicht mehr.

Die wenigen Kosmopoliten unter uns waren jene, die wussten, dass man in der Welt ohnehin nicht ist, sondern nur war oder sein wird, dass es dieses Wort nicht im Präsens gibt, die arabische Grammatik ist in dieser Hinsicht klüger als die indogermanische. Es waren jene, die wussten, dass man sich zwar hinter Hilfsverben verstecken kann, aber dass es nicht dasselbe ist, in der Welt zu sein oder in ihr zu töpfern, zu lieben, zu schlafen oder zu weinen. Die Kosmopoliten unter uns waren die sehr wenigen, die an nichts festhielten und deshalb für alles offen waren. Vielleicht hat Milan dazugehört, ich weiß es nicht, er konnte sich zumindest nach außen hin so geben. Und er glaubte wohl selbst, es zu sein, denn es hat etwas Edles, und von derlei hat er sich angezogen gefühlt, wie von den Pfauen.

All die Jahre hatte ich nicht an ihn gedacht, oder zumindest meine ich, nicht an ihn gedacht zu haben, auch wenn Wim später behauptete, ich hätte ihn in Burundi erwähnt, mindestens ein Mal, beharrte er, als wir schon längst kein Paar mehr waren, wofür wir einmütig der Entfernung die Schuld gegeben hatten, nicht uns, warum also brachte er noch Milan ins Spiel, ich bin mir ohnehin sicher, dass er sich das nur eingebildet, sich Vorzeichen zurechtgelegt hatte, die mich glauben lassen sollten, der Name wäre mir schon die ganze Zeit präsent gewesen und ich hätte insgeheim darauf gewartet, dass er Gestalt annähme.

Ich bin mir sicher, dass es nicht so war, dass ich Milan weder erwähnte noch überhaupt an ihn dachte, er war eine verloren gegangene Erinnerung aus meiner Kindheit, so wie der Name meiner Grundschullehrerin oder das Gefühl, mit Schwimmflügeln zu baden, und nichts, glaubte ich, deutete in all den Jahren auf ihn hin: weder, als ich mich an der Universität für Internationale Beziehungen einschrieb, noch, als ich in New York ankam, nicht, als ich mein erstes Büro bei den Vereinten Nationen bezog, ein kleines, eher einer Abstellkammer ähnliches Kabuff am Ende eines Gangs, so weit von der Bühne der Generalversammlung entfernt wie der Himmel von der Hölle, nicht, als ich in einem Jeep, an dem ein blaues UN-Fähnchen flatterte, über eine neugebaute Straße im Landesinneren von Burundi raste; unser Fahrer wich so knapp den Menschen am Fahrbahnrand aus, dass ich es für eine optische Täuschung hielt, als sie auch im Heckfenster noch zu sehen waren, selbst da dachte ich weder an Milan noch erinnerte ich mich an den Blick seines Vaters, der mir so viel zu verbergen und viel mehr noch zu durchschauen schien.

Meine Monate in New York hatten nicht viel gemein mit Urlaubsausflügen im Central Park, Paraden vor Macy's und Musicals am Broadway. Tagsüber bereitete ich für meinen Chef eine Reise nach Khartum vor, eine Stadt, die für mich so abstrakt blieb wie die Tortendiagramme auf den Clipboards, die Kampfhandlungen im Westen des Landes wurden aus der Ferne unserer Manhattaner Büros zerlegt in Statistiken. Nach Wochen der Vorbereitung würde sich mein Vorgesetzter nur wenige Stunden in der Stadt aufhalten, dann weiter nach Darfur reisen, um innerhalb von anderthalb Tagen alle Personen zu sprechen, die für den Friedensprozess von Belang waren, und auch wenn wir wussten, dass sich in anderthalb Tagen kein *failed state* auffangen ließ und mein Chef, wenn wir Pech hatten, nicht die Richtigen traf oder aber mit den Richtigen die falschen Gespräche führte, elektrisierte mich die Idee, seine Reise so minutiös vorbereitet zu haben, dass den Rebellen keine Gelegenheit für einen Angriff oder eine Entführung geboten wäre.

Manchmal, wenn ich das Büro verlassen hatte, dem Concierge zugenickt, ein Stück die Straße hinuntergegangen war, drehte ich mich noch einmal um, betrachtete den glänzenden Turm des UNO-Sekretariats, der hoheitsvoll und arrogant zwischen den umliegenden Gebäuden aufragte und wie die Subways, Wolkenkratzer und Gullydeckel von Manhattan vom Charme einer verfallenden Moderne gezeichnet war. Obwohl die verspiegelte Fassade von Nahem gröber und maroder wirkte als auf den Ansichtspostkarten, die Fenster meines Büros bei Sturm beinah aus den Fugen sprangen und der Asbest erst vor wenigen Jahren beseitigt worden war, gab mir das Hochhaus ein Gefühl von Sicherheit, vielleicht sogar von Sinn, wenn ich auch nicht wusste, ob es sich nur um eine Kulisse handelte, die jeden Moment umkippen konnte und mich allein in einer zynischen, überarbeiteten, künstlichen Stadt zurückließe.

Meist stieg ich erst gegen zehn oder elf Uhr am Abend in die Metro, deren glänzend silbrige Wagen mir wie ein Kommando des *Starlight Express* vorkamen, seltsam verfangen zwischen den achtziger Jahren des letzten Jahrhunderts und einer Zukunft, die doch anders ausgefallen war, als man sie sich damals vorgestellt hatte. Wenn ich übermüdet noch den Müll aus der Wohnung trug, hörte ich das wehleidige Quieken mitten in der Nacht, kleine

Signale der Rattenplage, die in den Müllschächten meines Wohn-hauses herrschte.

Mein Zimmer in Greenpoint, das ich zur Untermiete bewohn-te, war so eng, dass nur dank eines Zwischenbodens meine Hab-seligkeiten, die ich in einem einzigen Koffer hergebracht hatte, unterkamen. Das Spielzeug hatte man beiseitegeräumt, doch der Teppich mit den aufgemalten Straßen und Häusern verriet, dass es ein Kinderzimmer gewesen war, und nach einigen Tagen erfuhr ich, dass das Kind nun mit seinem Vater in einem Back-steinhaus in Südbrooklyn wohnte, und wenn es zu Besuch kam, schlief es bei seiner Mutter im Zimmer, die meine Vermieterin war und ebenso selten zu Hause wie ich (sie unterrichtete Kunst in einer Schule, in einem Museum und an drei weiteren Orten, die ich vergessen habe). Über den Zwischenboden kroch ich manchmal hinaus aufs Vordach. Ich lag dort flach auf der rauen Dachpappe und genoss die Hitze und die Größe, die alles hier hatte, die überdimensionierten Wagen, die ausladenden Bürger-steige, der dicke Mann mit dem Baseballcap eines Collegeteams, den seine Frau zum Rauchen immer auf die Straße schickte.

An einem Abend, an dem mein Chef mich nicht bis zur Schla-fenszeit arbeiten ließ, fuhr ich hinunter zum Washington Square. Auf den Stufen vor einer Kneipe in der Bleecker Street standen zwei Raucher, durch das Fenster fiel warmes Licht, und ich über-legte, jemanden anzurufen, um mit ihm ein überteuertes Bier trinken zu gehen, aber abgesehen von meinen in Ruhestand ge-gangenen Nachbarn waren alle Menschen, die ich kannte, unun-terbrochen in einen ihrer drei oder vier Jobs verstrickt. Viele Menschen kannte ich ohnehin nicht, und meine Nachbarn wa-ren, wann immer ich sie morgens beim Heraufholen der *New York Times* traf, gerade aus Miami zurück oder flogen in den nächsten Tagen dorthin, wegen des Klimas, wie sie sagten, und luden mich wieder einmal zu sich ein, zu einem Cocktail oder einem Glas Bordeaux (echt aus Frankreich), und ich sah Misses Adamowski in den Aufzug steigen, die Zeitung unter dem weiten Ärmel ihres geblümten Morgenrocks geklemmt, das Haar noch uneitel wirr, einmal sogar mit Lockenwicklern.

Ich saß noch eine Weile auf einer der Bänke des Platzes, vor mir der Mauerbogen, der eine römische Antike imitierte, an den Steintischen zogen Schachspieler ihre Figuren, Studenten eilten an mir vorbei, *waitin' for someone?*, rief mir ein junger Mann mit blonden Dreadlocks zu, sein Körper in einem Militärparka verborgen, ich schüttelte den Kopf, aber er achtete schon nicht mehr auf mich. Die erleuchteten Fenster der Bobst Library wirkten plötzlich, als schlössen sie mich von einer vertrauten Gemeinschaft aus, ich stand auf und lief die Straße hinunter, sah die belebten Bars, die Tafeln, auf denen mit Kreide Biere für sechs Dollar angeschrieben waren, sah die wenigen verbliebenen Raucher, die verloren vor den Lokalen ihre Schultern einzogen, und ich begriff, dass ich allein war, von Anfang an war ich allein gewesen in dieser Stadt, in der ich nichts hatte als ein Hochbett in einem Gästezimmer und einen Job, der mich mit seiner Hektik über das meiste hinwegtäuschte.

An diesem Abend rief ich Wim an. Ich war bis zur Christopher Street gelaufen, floh in den U-Bahn-Schacht und fuhr mit der müden, alten Subway bis zu meiner Nachbarschaft, die ich an gewöhnlichen Tagen nur durcheilte, dem dicken, rauchenden Jack zunickte, ehe ich im Inneren des Hauses verschwand. Ich saß in einer bunten Wohnsiedlung, als Wim abnahm, die Häuser waren um einen asphaltgrauen Verkehrskreisel auf den Teppich gedruckt.

Du musst diese Stadt sehen. Die Straßen und Schachspieler und die Konzerte in den Hinterzimmern der Bars, es ist alles so verrückt, so groß, es wird dir gefallen. Du wirst es lieben.

Wim war der Erste, der abnahm, dabei ist das nicht ganz richtig, es ist zumindest nicht vollständig, denn Wim war auch der Erste, von dem ich glaubte, dass er mich nicht allein lassen würde. Nach einer Woche und einer halben Stunde Verspätung der United Airlines stand er vor mir, und er blieb länger als geplant. Wir standen Hand in Hand auf der Brooklyn Bridge, mit Blick auf den sich weitenden, in den Atlantik auslaufenden East River, kleine Motorsportboote fuhren tief unter uns eine Rallye, und Sonnenlicht funkelte von ihren Frontscheiben herauf, als er seinen Rückflug verstreichen ließ.

Du weißt, sagte ein Kollege in diesen Tagen zu mir, dass manche selbst vor dem Büro des Generalsekretärs nicht das Gefühl haben, angekommen zu sein. Nicht da, wo sie hinwollten. Es gibt Leute, denen reicht das nicht, die wollen Propheten sein, aber sie haben keine Ahnung davon, wie selten die sind und zugleich wie gewöhnlich.

Propheten interessieren mich nicht, entgegnete ich.

Und wohin willst du? In den Himmel oder in den Sicherheitsrat?

Nach Genf, sagte ich so bestimmt, als hätte ich mir das Ziel über Jahre zurechtgelegt.

Genf. April 2017

Vor dem Buchladen des Palais des Nations rechnete ein deutsches Ehepaar penibel den Schweizer Postkartenpreis in Euro um. Milan stand neben der Treppe, leicht vorgebeugt lehnte er am Geländer, die Handteller zu einer Kuhle geformt, so wie er auch am Fenster des Beau-Rivage gestanden hatte, und erst, als ich schon direkt vor ihm stand, blickte er auf. Verwundert musterte er mich, als wären wir nicht verabredet an diesem Tag, als stünde er nur für sich hier, endlich ein Tourist unter Touristen, ohne Zuständigkeit und mit einem leisen Staunen darüber, wie die Flure im Inneren der Welt aussahen.

Ich kann nicht sagen, was ich erwartet hatte, als ich in seiner Nachricht las, wir sollten uns bald noch einmal sehen, in Ruhe, schrieb er, nicht im Hotel, wobei allein die Erwähnung des Hotels mich verstörte, mir weniger der Ort von Konferenzen als der von Geheimnissen zu sein schien. Vielleicht hätte ich gern geglaubt, dass er sich darauf verstand, Frauen wie einen Zufall in seinem Leben zu sehen, dass es ihm half, sich später für nichts, was geschehen war, verantwortlich zu fühlen, womit ich eigentlich nur hoffte, dass er derjenige wäre, der sich vor der Verantwortung hüten musste, nicht ich, vielleicht hätte ich ihn gerne so gesehen, ein gedankenloser Verführer, dabei war er ja nicht mehr als mein älterer Bruder, ausgeliehen für ein paar Monate, und er taxierte mich zerstreut, sonst lag nichts in seinem Blick, dachte ich oder nahm ich mir vor zu denken, nichts war von der Galanterie zu spüren, die ich im Beau-Rivage bemerkt hatte oder die nur entstanden war in meinem Kopf, während ich nicht an ihn hatte denken wollen.

Er stieß sich vom Geländer ab, ging den halben Schritt auf

mich zu, der zwischen uns noch geblieben war, doch nicht er war es, sondern ich, die ihn schließlich umarmte, meine Hände streiften nur leicht seine Schultern, ehe ich mich wieder zurückzog, und natürlich war mein Zögern ein Spiel, jene diplomatische Taktik, die sich mir so sehr eingeschrieben hatte, dass ich sie jenseits des Protokolls fortsetzte, und ich beherrschte meine Züge, weil ich mich hütete, die der anderen allzu ernst zu nehmen. Ich ging einen Schritt auf meine Gegner zu, zog mich zurück. Ich tänzelte. Ich umarmte sie, aber schwebend.

Komm mit, sagte Milan, ich will dir was zeigen.

Ich folgte ihm an der Absperrung vorbei, wir blickten hinunter in den Garten, auf dem asphaltierten Weg lagen Gerüststreben ungenutzt am Rand, weiter hinten, hinter all den Büros und Parkplätzen, außerhalb unserer Sicht, standen die japanischen Kirschen um die Glocke, die vom Grünspan so alt wirkte, als wäre sie nicht eine Nachbildung, sondern jenes Original, das vor hundertfünfzig Jahren auf der Pariser Weltausstellung verlorengegangen war.

Milan beugte sich vor, sein Finger kreiste auf dem Glas, da, flüsterte er und deutete auf einen Punkt im Garten, an dem nur aus seinem Blickwinkel etwas zu erkennen war, ich drängte meinen Kopf näher an seinen.

Von hier oben wirken die Pfauen fast ein wenig lächerlich, sagte Milan. Torkelnd. Wie eine besoffene Braut. So würden sie den Besuchern erscheinen, wenn wir nicht diese formidablen Samtkordeln hätten. Gott sei Dank, wir wissen uns zu schützen. Weißt du, wie oft ich hier stehe?

Mir ist hier noch nie jemand aufgefallen, sagte ich.

Natürlich nicht, weil du noch nie hierhergesehen hast. Niemand tut das. Du kannst hier stundenlang stehen, ohne dass dich jemand bemerkt. Die kleinen blinden Flecke der Vereinten

Nationen, sagte Milan. Und von hier aus wirkt der Garten wie das, was er für die meisten Menschen ist, eine Bühne, die man durch ein Loch im Guckkasten bestaunen kann. Ich habe mal überlegt, ein Opernglas mitzubringen, um mir dieses leere Theater anzusehen. Ich weiß nicht, sagte Milan und deutete auf die zwei Gestalten, die den Weg entlangkamen, mit einem Pappbecher in der Hand, ich glaube von hier aus einfach nicht, dass es diese Menschen tatsächlich gibt.

Ans Fenstersims gelehnt, erzählte er von den Pfauen, die er hier zum ersten Mal beobachtet hatte. Viele meinen, ihre Federschleppe würde ihnen das Fliegen unmöglich machen, das stimmt nicht ganz, sagte Milan und führte mit der Hand eine sanfte Kurve vor. Aber es ist doch seltsam, sie gelten als umso attraktiver, je gewaltiger ihre Federn sind, die sie am Boden halten. Bei der Balz, sagte Milan, lässt der Pfau sein Federrad zittern, um die Weibchen für sich zu gewinnen. Sobald eines sich ihm nähert, wendet er sich ab, zeigt ihr nur noch den Rücken, und das Spiel geht von vorne los. Er schlägt sein Rad auf, sie nähert sich, er wendet sich ab. Drei, vier Mal wiederholen sie das.

Und dann?, fragte ich.

Dann, sagte Milan belustigt, legt sich die Henne vor den Hahn und wird begattet.

Tatsächlich, sagte ich und blickte mich nach dem deutschen Paar um, das mit seiner beigen Multifunktionskleidung und den Rucksäcken aussah, als wollte es ins Gebirge oder auf einen Kirchentag.

Ich weiß nicht, wie es dir geht, aber ich halte dieses Gebäude nicht den ganzen Tag aus. Milan stand dicht hinter mir und sagte es mir leise ins Ohr, als hätten wir Geheimnisse zu besprechen. Musst du noch mal in dein Büro? Oder kann ich dich nach Hause bringen?, und ich drehte mich brüsk zu ihm um, nein, natürlich, denkst du, ich arbeite bis in die Nacht?, fuhr ich ihn an, und die Enge zwischen uns löste sich auf.

Ich habe daran gedacht, mich bei dir zu melden, sagte Milan, als er mir die Tür aufhielt, die 195 Flaggen vor uns, geordnet in je zwei Reihen links und rechts. Während seiner Jahre in Berlin sei er sicher gewesen, dass auch ich in der Stadt wohnte, sagte er und legte kurz seine Hand auf meinen Arm, ich spürte die Wärme durch den Stoff, glaubte sie zumindest zu spüren, man bildet sich die Hälfte seines Lebens ein, und die andere Hälfte geschieht, ohne dass man sie wirklich wahrnimmt.

Es wäre gut gewesen, wenn wir uns getroffen hätten, sagte Milan. Ich war so oft in schlechter Stimmung. Unter den Linden, das Reiterstandbild, der Reichstag als Schemen ganz am Ende der Straße. Manchmal lag Schnee, und die Dunkelheit war so leise, als liefe ich durch eine abgetauchte Stadt, das waren noch die besten Tage, die Touristen vorsichtig, weil sie nicht auf dem Glatteis ausrutschen wollten, alles ist so still gewesen, als hätte sich die Welt schon verabschiedet, nicht nur von mir, aber im Frühjahr ist die hysterische Ausgelassenheit unerträglich, die Leute kaufen Postkarten, Souvenirs und Museumstickets, schießen von jedem Zentimeter Fotos, als würde ihr Gesicht durch die historische Kulisse Bedeutung bekommen, während ich mit Überlegungen zur humanitären Intervention durch die Menge gegangen bin, meine Promotion war kurz vor dem Abschluss, und wenn ich mir tatsächlich eine Frage gestellt habe, dann ist es die nach der Gleichzeitigkeit. Wie es möglich ist, sich anzurempeln auf dem Gehweg mit so unterschiedlichen Gedanken im Kopf.

Milan ging konzentriert neben mir her, die Hände hinter dem Rücken verschränkt, was mir antiquiert und in der Ernsthaftigkeit anrührend vorkam. Ich hielt Abstand zu ihm, er war noch immer der ältere, unnahbare Bruder, und nur er hatte das Recht, mich mit einer Geste an sich heranzulassen.

Ich habe ja nicht resigniert, Teresa wirft es mir manchmal vor, aber das ist es nicht. Irgendwann ist die Frage keine Frage mehr, nur noch eine Feststellung: Es ist eben möglich, diese Überlagerung von Zeit, um die sich kaum jemand schert, sagte Milan. Dass etwas gleichzeitig und trotzdem ungleichzeitig ist, irritiert uns ja nicht deshalb, weil es in sich widersprüchlich wäre, sondern, weil wir nicht wissen, wie wir damit umgehen. Dabei ist der Widerspruch nichts anderes als die Augen auf dem Pfauenrad, bloß eine Täuschung.

Die Tram wartete an der Endstation am Place des Nations, dem gewaltigen Stuhl in der Mitte des Platzes fehlte noch immer ein Bein, der Himmel war blau und poliert, man sah an solchen Tagen beinah den Mont Blanc, und die Fontäne sprühte ihr funkelndes Licht über den See wie an dem Morgen, als ich zum ersten Mal durch die Altstadt gegangen war, in der ich mich, wie ich meinte, in Kreisen verlief, bis mir auffiel, dass die Altstadt eben nicht größer war als das, worein ich wieder und wieder bog.

Verzeihung, sagte Milan, dabei war es meine Hand gewesen, die sein Knie gestreift hatte, als wir uns in der Tram nebeneinandergesetzt hatten. Die Türen schlossen sich, eine Durchsage verkündete, dass Straßenmusik im Wagen nicht gestattet sei, und die Bahn drehte sich aus der Kurve, verließ fast geräuschlos das internationale Viertel.

Diese Türme, diese Geschosse, sagte Milan und nickte hinaus. So aufgeräumt. Das ist einfach nicht meine Welt.

Weil sie zu gut zu dir passt?

Er sah mich spöttisch an. Schön, dass wenigstens du mich kennst. Ich wäre gern woanders geblieben, Irak oder was weiß ich. Nicht in dieser unerträglichen Präzision eines Weltkaffs.

Und jetzt bist du hier.

Und jetzt bin ich hier, in Genf, wo ich nie hinwollte.

Wir stiegen am Cornavin aus, gingen an den mit stillgelegten Lichtgirlanden geschmückten Häusern auf der Rückseite des Bahnhofs vorbei, überquerten den Place des Grottes, dahinter der strenge Bau der Heilsarmee und die zur Hälfte verklebten Scheiben eines Minimarkts, dessen Regale bis unter die Decke gefüllt waren mit Tetra Paks, Waschpulver, Toilettenpapier, ich zog Milan in eine Seitenstraße, plötzlich eingehakt bei ihm, aschgraue Karyatiden, französische Balkone, über denen fleckige Markisen hingen, der stockige Glanz jenseits der Uferpromenade.

Vor Jahren habe ich immer davon geredet, dass ich nach Genf will, sagte ich. Der Name klingt nach so viel, findest du nicht, wie der einzig richtige Ort, fein, exquisit oder einfach liebenswert. Ich hatte ja keine Vorstellung von der Stadt.

Sonntags ist es sogar im Zentrum ausgestorben, sagte Milan. Und nach Genf, wohin gehst du als Nächstes?

Ich zuckte die Schultern. Du weißt ja, wie es ist, man bewirbt sich auf drei Länder, alles sieht gut aus, und am Ende kommt es doch anders.

Und am Ende ist es Pjöngjang.

Am Ende Pjöngjang.

Kurz blieb Milan stehen, blickte an der Fassade eines verlassen wirkenden Neubaus hinauf, in dem die Jalousien schief in den Fenstern hingen, er träume von einer Versetzung mindestens nach Jordanien, sagte er, nach Afghanistan oder Ostafrika, aber Ostafrika komme für ihn nun nicht mehr in Frage und auch nach Kabul oder Amman wolle er nicht, wegen des Kindes, oder vielmehr wünsche seine Frau es nicht, sie hätten endlos darüber gestritten, na ja, was man so Streit nennt, sagte Milan, vielleicht arbeite ich zu lange mit Diplomaten zusammen, laut werde ich nie, und ich suche auch dann noch nach einem Kompromiss, wenn eigentlich niemand mehr einen will. Aber das Ziel von Friedensverhandlungen ist es ja auch nicht, Frieden zu schaffen, das glauben nur die Leute, die nichts mit den Verhandlungen zu tun haben. Sie entwerfen Utopien in ihren salbungsvollen Artikeln oder zünden irgendwo ein paar Kerzen an, dabei haben die Konfliktparteien nichts anderes vor, als ein ständiges Provisorium aufrechtzuerhalten, eine latente Drohung für Forderungen dieser und jener Art, das wissen wir ja, aber abends bin ich zu müde und möchte selbst nur Frieden, aber so schafft man ihn natürlich nicht, nicht dadurch, dass man immer und viel zu schnell nachgibt. Und jetzt also Den Haag. Die restliche Welt ist zu gefährlich. Wenn es keine Anschläge gibt, dann erstickt man am Smog. Teresa glaubt das tatsächlich, als wüsste sie nicht selbst, dass aus der Ferne alles bedrohlich wirkt, sogar ein Ententeich, manchmal lachen wir darüber, aber es ist nicht mehr so … Entschuldige, warum erzähle ich dir das. Ich bin ja zufrieden, ich muss nur bald wieder raus, ich kann diese Enge zwischen den Schweizer Bergen auf Dauer nicht ertragen. Habe ich mir dieses Leben ausgesucht, um Protokollführer zu werden?

Sucht man sich ein Leben aus?, fragte ich. Oder lebt man es nicht eher?

Man versucht, das Ruder in der Hand zu halten, sagte Milan. Und hier fühle ich mich wie ein Oberstudienrat, der die Kommasetzung in den Aufsätzen seiner Schüler verbessert. Und Kairo wird immer eine andere Kommaregel vertreten als Tel Aviv. Frag gar nicht erst nach Riad. Sollen sie doch alle ihr eigenes Alphabet behalten. Wie soll man in diesen Tagen noch Diplomatie machen, sagte Milan. In diesen Monaten.

Jahren?

Er blickte zu Boden, ein wenig nach vorn gebeugt, als versuche er, sich klein zu machen, vielleicht sogar bescheiden zu wirken im eleganten Anzug, und ich war mir nicht sicher, ob er glaubte, dass ich darauf hereinfiele.

Da sind wir, hier wohne ich, sagte ich und zeigte auf das Schild des Heilpraktikers aus dem Erdgeschoss, als würde es mich beglaubigen.

Hier also, sagte Milan und blickte die Straße hinunter, dann sah er wieder mich an, wollte etwas sagen, schwieg aber doch.

Darius hat mir noch Karten geschickt, sagte ich. Von seinen Reisen.

Tatsächlich? Milan rieb einen Knopf an seinem Jackett, lächelte, jungenhaft und ein wenig verwundert, so wie er, zumindest glaubte ich das, fünfundzwanzig Jahre zuvor gelächelt hatte, auch wenn ich mich nicht erinnern konnte, ihn oft lächeln gesehen zu haben, allenfalls aus Höflichkeit oder Erstaunen, beim Abendessen saß er nachdenklich da, und nur wenn sein Blick Darius streifte, nahm er eine scheue Strenge an, so als wollte er besonders erwachsen wirken. Ich wechselte meine Handtasche vom einen Arm auf den anderen, wartete, ohne zu wissen worauf.

Also schön, dass du da warst, sagte er.

Ich bin noch hier.

Ja, also schön.

Verwirrt wandte ich mich ab und gab den Code ein. Als ich das Surren hörte, drückte ich die Tür auf, ohne mich noch einmal nach Milan umzusehen. Ich wartete nicht auf den Fahrstuhl, sondern eilte die Stufen hinauf, und als ich meine Wohnungstür erreichte, stand ich atemlos da, nicht wie nach einem Sprint, wenn ich ein Stechen in der Seite spürte, sondern wie an den Tagen, an denen ich die Verhandlungen im Beau-Rivage führte, erschöpft davon, etwas anzustoßen, das doch nicht in Bewegung kam.

Berlin. Juni 2012

Was suchst du eigentlich am Ende der Welt?, fragte Wim und zeigte auf die beiden Flugtickets, die ich auf dem Küchentisch liegengelassen hatte.

Vermutlich das Ende der Welt, antwortete ich, strich ihm im Vorbeigehen über den Rücken und verschwand mit einem Buch unterm Arm in sein Arbeitszimmer. Das Licht strahlte aus einer matten Energiesparlampe auf dieses winzige Archiv voller Ordner und Listen, Fragmente von Wims Promotion, zwischen denen ich, seit ich aus New York zurück war, abends Französischvokabeln lernte. Durchs Fenster sah ich in den nackten Innenhof, auf die Brandschutzmauer aus bräunlich grauen Ziegeln, die zu streichen sich nie jemand die Mühe gemacht hatte, tagsüber hörte man Bauarbeiter im Hof, doch sie reparierten nie etwas Sichtbares, ließen die Gebäude in ihrer hässlichen Fahrlässigkeit, ich wäre vermutlich verrückt geworden, hätte ich den ganzen Tag vor dieser Aussicht verbringen müssen, so wie Wim, während er an seiner Promotion schrieb. Wenn ich ihn tags störte, er von seiner Arbeit aufsah, wurde mir beklommen, so als spürte ich die Angst eines anderen, ohne aber die Bedrohung zu verstehen.

Ich hörte seine Schritte im Flur, das Klappen der Küchentür, das mir fremd war, es gehörte nicht in mein Leben oder aber mein Leben teile sich in zwei, von denen ich eines wegschloss wie Möbel in einem jener Storage Rooms, die um all die fliehenden Metropolen lagen. Wenn ich Wim angerufen hatte aus dem Café Grumpy in Greenpoint oder einer Supermarktschlange im Whole Foods Market in der Bowery, seine Stimme gehört hatte, manchmal stotternd wegen der schlechten Verbindung, wenn ich sicher gewesen war, dass er mir zuhörte, mit seinem Handy am Ohr im Tiergarten oder im Treppenhaus der Bibliothek, verstand ich auch mich wieder, meine eigene Stimme, die wie tonlos geworden war zwischen all den fremden Sätzen, Rufen, Reden, und mit jedem Dielenknarren, das ich in seiner Wohnung hörte, war ich wieder sicher, dass ich nicht völlig allein war mit den wechselnden Gesichtern, Blicken, Mündern, auch wenn mir diese Gesichter, so unbeständig und namenlos sie waren, vertrauter waren als Wim, der einfach blieb, ganz egal wie weit ich wegflog, wie groß die Welt war, die nicht dafür geschaffen ist, in ihr geborgen oder auch nur irgendwie verankert zu sein, von diesem Glauben musste man sich verabschieden, sonst würde man auf Reisen irgendwann zerbrechen.

Wie eine Erinnerung von jemand anderem kam es mir vor, wenn ich daran dachte, aber dachte ich überhaupt noch häufig daran?, dass Wim, als er im Archiv geforscht hatte, über Trotha und die Hereros, sich nachts an mich geklammert hatte, einmal so fest, dass ich mich kaum rühren konnte, nur meine Arme waren noch frei, ich strich mit der Hand über seinen Rücken, seine Hüfte, roch seine Haut zwischen Schulter und Hals, einen Geruch, den ich überall wiedererkennen, den ich zu jeder Tageszeit ins Gedächtnis rufen konnte, hörte seinen heftiger werdenden Atem, und er packte so fest meine Schulter, griff nach meinem Bein, meinen Brüsten, als könnte er über meinen Körper hinausklettern aus den Archiven, die in seinen Kopf übergegangen waren, als könne er all diesem Wahnsinn entkommen, den er zu ordnen und damit weiter zu verwalten hatte, so wie die Bürokraten des Kaisers es vor ihm getan hatten, als könne all das endlich zur Ruhe kommen, hier, zwischen uns.

Wenn wir etwas später erhitzt nebeneinanderlagen, ich mein Bein zwischen seine Knie schob, redete er noch beruhigend auf mich ein, als wollte er im Sprechen die intime Verschworenheit zurückholen, ehe jeder den anderen wieder verlor, irgendetwas, erzähl mir irgendwas, bat ich, erzähl irgendwas von dir, sagte ich, so selbstverständlich, wie es nur Verliebte können, die ihr Leben, als wäre es nie anders vorgesehen gewesen, als hätte es nicht anders kommen können, in dem des anderen einrichten und ein seltsam doppelköpfiges Wesen schaffen, eine Geschichte mit zwei Böden und zwei Herkünften, mit zwei Alltagen und irgendwann auch mit zwei Toden, und ihr vollkommenes Glück erfüllte sich darin, die Welt mit den Augen des anderen zu begreifen. Es scheint ihnen, diesen Blinden, so selbstverständlich, dass sie den anderen getroffen, dass sie einander bei sich haben, dabei kommt es meistens anders, ist dieser Moment einer der unwahrscheinlichsten, die wir uns denken können, und irgendwann in der Nacht erwachte ich aus dem Halbschlaf, sah Wim im Zwielicht, wie er sein Hemd überzog, und es schien mir jedes Mal wie eine unerwartete Zurückweisung, mag ihm auch nur kalt gewesen sein.

Ich weiß nicht, wie ich sie zuordnen soll, sagte Wim in einer dieser Nächte, während mein Kopf auf seiner Schulter lag, ich die Wärme seines Arms spürte, diese Gesichter, weißt du, selbst wenn man sie leibhaftig gekannt hätte, wären sie nicht mehr zu erkennen, das sind keine Menschen auf den Bildern, das sind nur noch Gestalten. Sie kriechen vorwärts wie Insekten, langsame Heuschrecken. Man hat sie damals katalogisiert, wie man Wüstenkäfer katalogisiert, mit Flügelbreite und Länge des Chitinpanzers. Und jetzt katalogisiere ich sie wieder wie ein Insektenforscher, die Gestalten auf den Fotografien, die Namen in den Listen, und Wim zog mich noch etwas fester an sich, ich hätte nie sagen können, wann seine Gesten beschützend waren, wann er einfach nur Halt suchte, und als wären die Stunden im Archiv nicht genug, versah Wim seinen Alltag mit weiteren Listen, neuen, um die alten nicht länger ertragen zu müssen, die wichtigste war jene, die ich ihm jedes Mal schrieb, bevor ich wieder wegfuhr, und auf der ich all das festhielt, was zu tun war, woran er denken sollte, käme ich nicht zurück.

Ich blätterte in meinem Sprachkurs, *Grammaire Avancé* mit folkloristischen Abbildungen von Lavendelfeldern und Eiffeltürmen, und in den Übungssätzen sollte ich Theaterkarten kaufen, *Les Théâtres Parisiens Associés vous proposent de nombreuses réductions sur des spectacles. Pour toute réduction, merci de joindre un justificatif,* selbst für Theaterkarten musste man sich legitimieren, und ich wusste nicht, ob ich diese beiden Sätze und die Eleganz befehlender Infinitive je beherrschen würde, vielleicht sollte ich es einfach lassen, das meiste zerstörte man ja gerade, weil man zu viel forderte oder sich zu viel versprach.

Später würde Wim behaupten, bereits in diesen Nächten Milans Namen gehört oder zumindest seine schattenhafte Anwesenheit in meinen Gedanken bemerkt zu haben, ich hätte davon gesprochen, dass ich nicht nur diese leicht bröcklige, dabei durchschnittliche Herkunft besäße, ein Leben mit Ikeamöbeln, Korkteppich und Träumen, die an die bundesdeutsche Realität gebunden waren, sondern dass ich für einige Zeit aus dieser Realität hinausgeworfen worden sei, dass ich schon einmal zur Großen Welt gehört habe. Du hattest irgendwann zwei Väter, sagte Wim. Das war das Seltsame an dir.

Ich stand vor dem Regal, zog einen der Leitzordner heraus, verstaubt, von Wim beschriftet, mit Buchstaben, die keine Bögen, sondern nur Spitzen besaßen, *Trotha 1904,* was doch eigentlich *Goethes West-östlicher Divan* oder *Ingres' Die große Odaliske* hätte heißen können, und ich fragte mich, ob Wim vielleicht nur in meiner Gegenwart so war, albern, häufiger melancholisch, ob diese ganze Schwere, die zwischen uns bestand, auch meine Schuld war und ob er, wenn nicht ein ganz anderer Mensch, doch zumindest derselbe Mensch auf leichtere Art gewesen wäre, hätte er eine andere Freundin gehabt. Und auch, wenn ich mir wünschte, ich hätte ihm seine anfängliche Unbeschwertheit bewahren können, mit der er in New York neben mir über die Brooklyn Bridge gerannt war, warf ich es doch ihm an diesem Abend vor: dass er seine Wohnung kalt werden ließ, die falschen Glühbirnen einschraubte, dass ich mich neben ihm nie der Sorglosigkeit hingeben konnte, sondern umzingelt war von Ordnern voll akribischer Todeslisten, als hätte ich in meinem Beruf nicht genügend davon.

Ich zählte die Dächer, die eigentlich *accents circonflexes* hießen und mit denen ich Tickets bestellen sollte, wie es mir die Zeichnung vorschrieb, dabei war mir eher nach einem Staatssturz zumute, das aber lernte man in dem Buch nicht, dafür musste man Rousseau im Original lesen, und ich hörte wieder Wims Schritte im Flur, er blieb vor dem Arbeitszimmer stehen.

Kann ich dich kurz sprechen, Mira?, fragte er, ohne die Tür zu öffnen.

Vielleicht hatte ich es da schon bemerkt: dass etwas ausblieb, das zaghafte Drücken der Klinke, aber vielleicht blickte ich auch nur ein letztes Mal auf die hellblauen Zeichnungen zweier theaterbegeisterter Touristinnen, denen die Aufführung laut des Übungsdialogs *extraordinaire* gut gefallen hatte, und kurz darauf saß ich im Wohnzimmer und zählte keine Dächer mehr, sondern die Perlen an der Jalousieschnur, während Wim redete, leiser als gewöhnlich, ein wenig nuschelnd, wie ich es sonst von ihm nur am Telefon kannte, ich dachte an die beiden Frauen im Übungsbuch, eine sichtlich älter als die andere, vielleicht ihre Mutter oder Tante oder doch nur eine Bekannte, man erfuhr wenig über sie, nur, dass sie die *Salomé*-Aufführung *extraordinaire* gefunden hatten, aber ich wusste ja nicht einmal, von wem sie inszeniert war, ich schlug ein Bein über das andere, strich mit der Hand über meinen knapp knielangen Rock, ich habe da einfach nichts zu tun, sagte Wim und stellte das Weinglas auf den Beistelltisch, lehnte sich auf dem Sofa zurück. Und du würdest mich auf Dauer nicht ertragen.

Denkst du das, antwortete ich ruhig, sah aus dem Fenster, so wie ich es von Daven gelernt hatte, wenn die Gespräche heikel wurden.

Es ändert doch im Grunde nichts, es ist zwischen uns wieder so wie in deiner Zeit in New York.

Natürlich, wieso bin ich überhaupt auf die Idee gekommen, dass du mitgehst nach Burundi. In New York war es ja gut, da war es *extraordinaire,* jeden Abend hatte ich meine Ruhe, *c'était magnifique.* Ich drückte mit der Schuhspitze eine Teppichwelle glatt.

Es geht eben nicht anders, Mira, mit dem Forschungsprojekt kommen wir gerade zum ersten Mal voran, wir bewegen was, ich kann da nicht aussteigen, nicht jetzt.

Warum meinen eigentlich alle, die Welt retten zu müssen? Du könntest zur Abwechslung mal mich retten, oder muss ich dafür die Staatsbürgerschaft irgendeiner verdammten Diktatur annehmen?

Ich stand auf, ging zur Tür, ohne zu wissen, was ich fühlen sollte, sah nur Wims Handschuhe auf der Ablage, die Keramikschale, handgetöpfert, in der er Haustürschlüssel, Aspirin und Taschentücher aufbewahrte, ein Geschenk seiner Mutter, wir hatten immer wieder über den ausgesuchten Kitsch gelacht, warum hatte ich sie nie in meinen Listen erwähnt, vielleicht, weil ich dachte, dass es jetzt keine Listen mehr geben würde, dass ich nicht mehr weg wäre oder er eben mit mir zusammen fort.

Mach, was du willst. Aber das Ende der Welt liegt nicht da, wo du denkst, sagte ich und warf die Tür hinter mir zu.

Bujumbura. September 2012

Die Augen schiefergrau, vielleicht waren sie geschlossen, die Schuppen gröber, als ich sie mir vorgestellt hatte, der breite Kopf lag auf dem Schaufelblatt, regte sich nicht, nicht mehr. Draußen knisterte die Magnolie im Wind, Blätter segelten in den Pool. Jean hatte noch immer nicht die zerschlagenen Fliesen repariert, über die Innenwand zog sich ein feines Muster, wie von einer Spinne gewebt, nur einmal in der Woche angelte er die Blätter aus der Pfütze am Boden. Wird er etwa nicht dafür bezahlt, hatte Gunnar gesagt, als er bei mir zu Besuch war. Seine Frau hatte die Augen gerollt und wie zur Entschuldigung nach seiner Hand gegriffen. Wie soll er das noch schaffen, hatte ich entgegnet, er hält das ganze Haus zusammen. Gunnars Frau nickte mir zu, als wären wir beide in unserer Güte verschworen, und vielleicht fragte ich mich damals schon, ob sie überhaupt einen Vornamen besaß oder uns in all den Jahren nicht mehr war als die Frau von Gunnar, sosehr sie diese Rolle auch hasste.

Es ist harmlos, sagte ich zu Wim am Telefon, wenn sie die Beifahrertür aufreißen, gib ihnen einfach nur die Tasche, sie wollen nicht mehr, das Portemonnaie wie die Fanta, die du an den Kontrollstellen als Bestechung zahlst, eine von Fanta besoffene Stadt, und am Freitag lässt der Präsident die wenigen asphaltierten Straßen absperren, die halbe Stadt in Schlaf fallen, und er reist wie ein Halbgott mit seiner Kohorte aus acht neuen Limousinen vom Regierungspalast zum Stadion, um das Spiel seines Teams anzusehen. Der Präsident wird schon deshalb an der Macht festhalten, damit der FC Halleluya niemals verliert, erklärte ich Wim am Telefon, während ich das Muster der Schlange betrachtete und mich fragte, was Jean und ich mit diesem hässlichen flossen-

losen Fisch anfangen sollten, dessen Kopf in einem grotesk ver-
drehten Winkel auf seinem Körper lag, ob er gebraten gut schme-
cken könnte und wie wir die Haut loswürden, ohne von den Er-
mittlern der Wildereibehörde gestellt zu werden, denn Jean war
nicht verschlagen genug, um mit einer Schlangenhaut durchzukommen, auch wenn sie ihm nur zugefallen war, würde er ge-
schnappt werden, den Schlangenkörper zusammengerollt in einer
Kiste auf seinem wackligen Moped durch die Stadt fahrend.

Wortlos ließ Jean die Puffotter vor dem Bücherregal auf den
Boden gleiten, der Kopf fiel auf den schmalen mauvefarbenen
Teppich, und der Leib entrollte sich bis zum Bein des Schreibtischs.
Er kam auf mich zu, nicht nah genug, um mich zu umarmen, doch
zugleich nicht genügend Distanz wahrend, eine unschlüssige Groß-
aufnahme, in der das Gesicht in zu intime Details zerfällt, die
man sonst nur von jenen kennt, die neben einem liegen, wenn
man aufschreckt aus einem unruhigen Traum, und deren Profil
langsam aus der Dunkelheit heraus erkennbar wird, sich dann
immer deutlicher hervorhebt, zur Seite geneigt, ein Kinderge-
sicht, im Schlaf werden wir alle wieder Kinder oder wünschen
es doch, das ist der eigentliche Grund unserer Müdigkeit. Zuerst
zeichnen sich nur die Konturen ab, dann die vom Zwielicht blei-
chen Wangen, die Augenbrauen, die geschlossenen Lider, dann
die vollständige Schutzlosigkeit.

Im Fluss liegt genug, da fällt eine tote Schlange nicht auf, sagte Jean und trat mit seinem Fuß gegen den leblosen Körper.

Aber wie wollen Sie die Schlange in den Fluss werfen, ohne dass
man Sie sieht?

Machen Sie sich wegen des Tiers keine Gedanken. Aber bitte,
lüften Sie nicht mehr die ganze Nacht.

Vielleicht sollte es eine Warnung sein, dieses Land nicht mit
der Schweiz und die Ottern nicht mit den kleinen Blindschlei-

chen des Tessins zu verwechseln, vielleicht war es die unausgesprochene Forderung nach mehr Gehalt, vielleicht war es seine Art, mir eine Liebeserklärung zu machen, keine romantische, aber mir jene Art von Liebe zu erklären, die man auf Italienisch mit *ti voglio bene* bekennt, ich will dir Gutes oder aber ich will dich gut oder auch ich will, dass es dir gut geht, was man sowohl zur Liebsten als auch zur Großmutter oder zum besten Freund sagen kann, und in diesem Sinn wollte er mir vielleicht wirklich Gutes, er sah, wie ich in den Monaten, in denen ich allein das Haus bewohnte, unbeholfen, aus seiner Sicht sogar leichtsinnig wurde, ich ließ Fenster offen, durch die einmal ein kleiner, dunkelgrüner Salamander ins Bad gehuscht war, es hätte auch ein Tier sein können, das sich nicht so selbstvergessen und harmlos unter dem Duschvorhang versteckte, und als ich Jean einmal in meinem Auto mitnahm, was sich zwischen uns nicht gehörte, da es die beiden Welten, in denen wir lebten, durcheinanderbrachte, bemerkte er, dass ich die Fahrertür nicht verriegelt hatte, als wir auf den zentralen Verkehrskreisel Bujumburas zufuhren, auf dem sich die Wagen, Mopeds und Karren blockierten, hupten, andere Fahrzeuge schnitten und sich damit nur tiefer ins Chaos verhedderten, das bestens geeignet war, um von einem Moped aus die Beifahrertüren aufzureißen, und weit entfernt fragte Wim, was los sei.

Nichts. Gar nichts. Ich rufe dich die Tage wieder an.

Im Bad wischte ich mir mit einem feuchten Handtuch über den Nacken. Die kargen Möbel, die kahlen Fenster, der Steinboden, der nur im Arbeitszimmer von einem Teppich bedeckt war, alles in diesem Haus hätte Kühle ausstrahlen müssen, aber es war von Hitze aufgeladen, gestaut wie unter einem Moskitonetz, und das Licht vor dem Fenster war zu hell, gegen sechs Uhr würde es abrupt wie ein fallender Vorhang in Dunkelheit umschlagen. Die

Tageszeitenwechsel in den Tropen waren, wie der Regen und die Hitze, eindeutig, verschleppten sich nicht in einer nicht enden wollenden Dämmerung, und auch, wenn wir es allmählich hinbekommen hatten, mit unserer Industrie und den Sanktionen gegen unliebsame Länder, die mit schlecht raffiniertem Benzin und anfälligen Kraftwerken mehr und mehr Gift in die Luft spuckten, die Regenfälle und Hitzeperioden auch in den gemäßigten Zonen zu verschärfen, als wanderten alle Länder allmählich Richtung Äquator, so würden doch zumindest die Wechsel von Tag und Nacht von uns unbeeindruckt bleiben.

Jeans schlurfende Schritte im Flur, das Klappern von Töpfen. Nur in den ersten Tagen hatte er an dem mit einer Gasflasche betriebenen Herd gekocht, als er noch kein Vertrauen zu mir hatte oder meinte, ich hätte keines zu ihm. Seitdem stand die gewaltige Flasche, die eher an eine Bombe oder an ein U-Boot erinnerte, nutzlos in der Küche herum, und ich wartete darauf, eines Tages von der Arbeit zurückzukommen und das Haus zertrümmert zu finden. Ich traute der Sicherheit des Gehäuses nicht und hoffte nur, dass Jean sich dann wieder mit dem defekten Swimmingpool beschäftigte und nicht im Garten direkt hinter der Küchenwand über seinen Bunsenbrenner gebeugt mein Abendessen vorbereitete.

Sie müssen auf sich achtgeben, sagte Jean, als er mir im Wohnzimmer die Töpfe und Teller fürs Mittagessen zurechtstellte. Er weigerte sich wie gewöhnlich, mit mir zu essen, seine Frau, die beiden Kinder, die gemeinsamen Mahlzeiten wären ihm das Wichtigste, selbst während der Ausschreitungen, während der gefährlichsten Tage seien sie dem Ritual treu geblieben, hatte er mir erzählt, wohl weil er meinte, ich sei noch nicht überzeugt genug, selbst da hätten sie nicht davon abgelassen, denn was hat man anderes als Rituale. Ich nickte, dabei wusste ich genau, dass er sich auf seinem Bunsenbrenner die Reste aufwärmte, ehe er nach Hause fuhr, denn um durch den infarktanfälligen Verkehr der Hauptstadt zu kommen, brauchte es Nerven und Geduld, auch Geschicklichkeit, die er niemals aufbrächte, wäre er zu hungrig.

Ich bin einfach müde, Jean, von den ganzen Gesprächen, ich habe schon morgens Kopfschmerzen davon.

Ich habe Ihnen gleich gesagt, dass Sie den falschen Leuten zuhören, sagte er, was suchen Sie im Parlament, reden Sie mit den Leuten in den Dörfern, sagen Sie mir nicht, dass die nicht reden wollen, die Parlamentarier schweigen einfach nur lauter.

Haben Sie denn gar kein Vertrauen ins Parlament? Ich meine, nicht in die Regierung, aber es gibt doch ein paar Leute dort …

Jean schüttelte den Kopf. Man bewundert nicht, was man zu gut kennt.

In der Politik?

Überall.

Und Ihre Frau? Bewundern Sie die nicht?

Jean sah verlegen zu Boden, rührte in dem Topf und häufte mir ungefragt noch etwas Fufu auf den Teller.

Ich muss meine Frau nicht bewundern, nur lieben. Ganz einfach.

Ich habe das nie einfach gefunden.

Und außerdem, ich kenne sie, aber ich kenne sie nicht zu gut. Es gibt viel, was ich an ihr nicht verstehe, das reicht für die nächsten drei Leben. Er blickte auf und lachte. Und das ist doch etwas anderes mit der Regierung, die hat Geheimnisse, aber die sind so fadenscheinig, das reicht nicht mal für die nächste Amtszeit. Sie kaufen sich Limousinen und glauben, damit ihre Herrschaft zu demonstrieren, aber vielleicht geht es ihnen auch gar nicht darum, sondern nur um die Klimaanlage in den Wagen.

Es gibt auch andere, und selbst wenn es denen um Macht geht, um Luxus meinetwegen, dann doch nicht ausschließlich, nicht einmal in erster Linie. Was wollen Sie denen raten? Ihr Land im Stich zu lassen?

Das ist nicht ihr Land, und ihr Wissen ist kein Wissen, nur eine Lüge, sagte Jean und beugte sich vor, spähte auf meinen Teller, schmeckt es Ihnen nicht?

Doch, doch, versicherte ich, wollte etwas hinzufügen, aber vielleicht rechnete ich in falschem Maß, hieß etwas gut, das noch lange nicht gut war, und sah hier alles so gnädig, wie es nur durch Herablassung möglich ist. Ich dachte an das Schild, das im Zentrum der Hauptstadt am Straßenrand aufgestellt war und über das ich jedes Mal, wenn ich daran vorbeifuhr, lachen musste:

Erinnern Sie sich an das Schlagloch! Es ist nicht mehr da, dank der Straßenbaumaßnahmen der Regierung!

Jean nickte, tat mir noch etwas vom Fisch auf, den niemand, wissen Sie, Jean, so gut zubereiten kann wie Sie.

Sie, Madame, müssen ja an die Abgeordneten glauben. Sie müssen ja glauben, dass Sie mit denen die Wahrheit finden. Aber das ganze Gerede über die Kommission hat doch wenig mit Wahrheit zu tun, nur mit dem Wunsch von ein paar Leuten, eine Amnestie zu bekommen und sich das Land zurückzuholen, und mit dem Land fängt es wieder von vorne an. Jean klopfte mit dem Löffel gegen den Pfannenrand. Es ist einmal und noch einmal vergeben worden, die Ansprüche überlagern sich, die einen haben einen Vertrag, und die anderen haben ein Besitzrecht, weil sie schon so lange da wohnen. Ich glaube, für manches gibt es keine Lösung. Aber die Menschen sind ja trotzdem da. Die sind da, sagte Jean und kratzte die Reste aus der Pfanne.

Genf. April 2015 und April 2017

Auf dem Parkweg vor dem Palais des Nations zitterten die zwanzig kahlen Zierkirschen, die der Japan Club of Geneva in das Westschweizer Klima gebracht hatte, in dem noch milden Frühlingssturm, der sich wenig später mit ganzer Wucht in den Talkessel senken würde. Ich ging nicht an den Staatsflaggen vorbei auf das Gebäude zu, sondern nahm den Nebeneingang, der etwas weiter die Straße hinauf liegt. Kaum dass ich die Sicherheitsschleuse durchquert hatte, fühlte ich mich verloren zwischen den Touristen, die für die Führungen nach Sprachen sortiert wurden, mit bunten Bändchen markiert, die ihnen um den Hals hingen. Drei buddhistische Mönche diskutierten am Empfangstresen über eine Besichtigung des Parks, der aber leider, erklärte der Mitarbeiter, aufgrund der Sicherheitsvorschriften nicht mehr für die Öffentlichkeit zugänglich sei. In der Buchhandlung waren Nippes, Postkarten und Mandela-Biografien ausgestellt, als würde dieser mit seinen geraden Flanken und gewaltigen Fenstern sich nüchtern aufplusternde Palast vor allem als Verkaufsstelle für politische Hagiografien dienen.

Ich war hier, um mich als Assistentin der Sonderbeauftragten für Zypern vorzustellen, aber vom Laden aus sah ich nur durch eine Glaswand auf den inneren Teil der Vereinten Nationen, und alle Türen, die ich versuchte, waren verschlossen. Wenn ich auch sagen konnte, in welchen Ecken von Bujumbura man sich am besten über die Stimmung in der Zivilgesellschaft umhörte und wen man über neue Rebellengruppen ausfragte, so war ich offensichtlich nicht in der Lage, den Ort eines Vorstellungsgesprächs in Genf zu finden. Als ich mich schon verlorengeben wollte, das Haus wieder verlassen, trat ein schmaler, etwas schüchtern wirkender Mann auf mich zu, der mir in langsamem Französisch erklärte, dass ich an der falschen Stelle auf ihn gewartet hatte. Es klang wie ein entschuldigendes Kompliment, und ich fühlte mich, als sei ich wieder jenes Mädchen, das sich in einem zu großen Haus am Waldrand verlaufen hatte, zwischen Namen von Städten, die ich später im Atlas suchte, weil ich nicht sicher war, ob es sie wirklich gab, und nicht jene Frau, die zwei Jahre in New York verbracht hatte, drei in einer ostafrikanischen Hauptstadt, in der unser Büro von Stacheldraht und Sicherheitszäunen eingehegt war, und mit einem Mal kamen mir all die Jahre wie eine Hochstapelei vor, ein Spiel, in dem ich eine falsche Position eingenommen hatte, und endlich glaubte ich zu verstehen, warum ich so unsagbar erschöpft war.

Wissen Sie, sagte Monsieur Boucheron und neigte seinen Kopf fast unterwürfig zu mir. Es ist gut, dass Sie sich verlaufen. Dadurch tauchen Sie an erstaunlichen Orten auf. Ihre Bewerbung, verzeihen Sie, ist ein wenig sonderbar, aber deshalb war ich neugierig auf Sie. Sie bringen die Leute zum Reden. Wie machen Sie es, dass sie Ihnen so viel anvertrauen?

Vermutlich bin ich einfach nicht die Person, die sie erwartet haben, antwortete ich.

Damit, sagte Monsieur Boucheron und öffnete mir mit einer zarten Verbeugung die Glastür, können wir arbeiten.

Ich hatte Milan nichts davon sagen wollen, aber es war, wenn ich im Beau-Rivage durch die Gänge eilte, an den erstarrten Hofnarren aus Ebenholz vorbei, die sicherlich als Sklaven gehalten worden waren, ehe man ihnen diese drolligen Mützen und Pumphosen, diese Harlekinkostüme zurechtgeschnitzt hatte, es war dort, als spielte ich eine neue Scheherazade, nur erzählte und fabulierte nicht ich um mein Leben und das Leben von so vielen anderen, sondern ließ erzählen, und wenn ich durch die Stockwerke fuhr, die alle dieselbe Aura von Luxus ausströmten, für den man die Welt bestechen möchte und alles, was man darin liebt, redeten sie, so wie wir alle reden, sobald wir merken, dass die Stille unerträglich ist, und wenn ich an eine der Zimmertüren klopfte, um die Nachrichten aus unseren Büros zu übermitteln, war es, als spielte ich *Tausendundeine Nacht* mit diesen machthabenden, zumindest an ihr teilhabenden Männern, einem Vertreter der Republik Zypern und einem der türkischen Republik Nordzypern, einem Briten, einem Griechen und einem Türken, ich saß bei ihnen, Fläschchen mit Sprudelwasser zwischen uns, was für eine alberne Angewohnheit, Wasser mit Kohlensäure, das ist doch kein Wasser mehr, hatte der Zypriot mir erklärt, wenn sie Wasser mit Wein mischen, ist das dann noch Wasser? Ich ließ sie reden um ihr Leben und das Leben von so vielen anderen, die sie – oder war es der persische König gewesen? – aus Eifersucht und gekränktem Stolz, aus Narzissmus und Herrschsucht vor die Hunde gehen lassen wollten, und am Ende war es nur gewesen, weil ihre Frau mit einem anderen geschlafen hatte, und das ertrugen sie nicht. Alle Macht, die sie hatten, fiel in sich zusammen, war nichts mehr, ein Spiel mit Murmeln am Strand, und eine Welle schäumt darüber hinweg. Es brauchte so viele Nächte, bis sie es begriffen, so viele Geschichten, und sie waren nicht alle wahr, aber vielleicht kam es darauf nicht an.

Miteinander wollten die zerstrittenen Parteien nicht sprechen, sie hatten sich ja überhaupt erst nach langem Zögern dazu bereit erklärt, in die Schweiz zu kommen und hier Vorgespräche zu führen für die Verhandlungen im Juli, und natürlich war Boucherons Vorgesetzte nicht sofort auf seinen Vorschlag eingegangen: Ich solle die vertraulichen Vorgespräche führen. Führen!, sagte er mit Nachdruck, als könne das Wort überhört worden sein, und die Sonderbeauftragte zögerte, aber das war schon viel, es war die sicherste Regung bei den Vereinten Nationen.

Unsere Arbeit bestand aus Zögern, aus Zögern in so vielen Abstufungen, dass man ihnen unterschiedliche Namen geben müsste: das entschiedene Zögern, das herausfordernde Zögern, das Zögern, weil man auf den Schachzug des Gegners wartet, das höfliche Zögern, das unentschiedene Zögern. Das Zögern, um den Preis in die Höhe zu treiben, und jenes Zögern, das den Preis in den Keller fallen lässt. Das Zögern aus Stolz und das Zögern aus Unsicherheit, das hektische und das gelassene Zögern, das Zögern einer Kobra und das kreisende Zögern eines Habichts kurz vor dem Sturzflug. Es gab das illegitime Zögern und das, was sich als legitim zumindest behauptet, und es gab das Zögern der Verliebten, das aber kam in unseren Verhandlungen selten vor.

Die Sonderbeauftragte zögerte, aber sie wusste wie wir, dass man manches genau deshalb tun musste, weil man es nicht sollte, so wie die Pfauen, die sich doch gerade dadurch bewiesen, dass sie ihre Federschleppe hinter sich hertrugen, die ihre Flugfähigkeit einschränkte, man musste überraschen, das war eine der Regeln der Diplomatie, die man in keinem der Ratgeber und Vorbereitungskurse lernte, eine der Regeln, über die man auch in der Kantine der UNO, mit Blick auf den Park, nicht sprach, und wenn das, was ich tat, nämlich wie ein geheimer Zimmerservice durch die Flure zu eilen, Suiten zu betreten, Salons, hinter denen die Schlafgemächer lagen, in denen noch der intime Geruch verbrauchter Luft hing, durch die Flure zu eilen vom frühen Abend bis nach Mitternacht, bis keine der Türen mehr geöffnet wurde, wenn das die Vorbereitung diplomatischer Verhandlungen war, und das war es, dann waren es auch jene Nächte gewesen, die Scheherazade im Schlafgemach des Königs von Persien verbracht hatte. Und sie hatte am Ende gewonnen.

Bujumbura. Oktober 2012

Der Mann neben mir auf der Rückbank des Kleinwagens wandte sich an mich, verzeihen Sie, wir müssten Ihnen die Augen verbinden, erklärte er, und ich fühlte seine Finger vorsichtig an meinem Hinterkopf einen Knoten in ein nach Kardamom riechendes Tuch ziehen, oder vielleicht stellte ich mir den Kardamom auch nur vor. Das also war nun mein Leben, und ich wollte es bestehen, ohne vor mir selbst als Feigling zu gelten, auch wenn sich die Stadt in meiner Wahrnehmung bereits verwirrte, nur noch aus Linkskurven bestand.

In meinen ersten Wochen in Bujumbura hatte ich mich vor allem mit anderen Expats besprochen, war ein paar Mal ins Parlament gefahren und hatte ein Seminar im Landesinneren abgehalten, nach zwei Tagen war ich zurück in der Hauptstadt. Im Institut français trank ich mit Antoine und seinen Bekannten Bier, zwei Journalisten, einer Übersetzerin, einem Dokumentarfilmer, was ich in meinen Berichten als *Austausch mit der Zivilgesellschaft* protokollierte, und jetzt fuhr ich blind in einer sich weitenden Spirale aus der Stadt hinaus. Manche bekommen Panik in solchen Situationen, hatte Gunnar gesagt, ich atmete nur konzentriert ein und aus. Mir passierte nichts, weil mir nie etwas passiert war, das war die Logik, an die ich mich hielt, an die wir uns alle halten, aus Mangel an Fantasie, und dann, wenn es doch einmal anders kommt, lässt die Fantasie einen nicht mehr los. Ein spanischer Kollege hatte Tage gefesselt in einem Erdloch verbracht; kam man ihm jetzt mit einem Strick oder Seil zu nahe, mit irgendetwas, womit sich ein Mensch festbinden ließ, und sei es nur ein Schlips, den man falsch hielt, den Stoff zu gespannt, dann drehte er durch.

Die meisten von uns erlebten den Krieg aber nur in ihren Unterlagen, und ich versuchte, mir nicht zu merken, wann der Wagen abbog, wie viele Sekunden wir geradeaus fuhren, ich wollte nicht wissen, wo das Versteck lag, denn Wissen kann gefährlich sein, vor allem das falsche. Ich zählte nur die Kurven, fünf, sechs, so als gäben sie mir ein wenig von der Umwelt zurück, die ich nicht sah, den Wunsch nach Orientierung wurde man schwer los. War man um einen Sinn beraubt, waren die anderen umso wacher, es mag ein natürlicher Überlebensimpuls sein, der mir in die Quere kam, und je mehr ich es mir verbat, desto genauer registrierte ich die ruckelnden Bewegungen des Wagens, die ein Muster bildeten, das trotz meiner gespannten Aufmerksamkeit glücklicherweise immer verworrener wurde. Als wir das achte Mal in Folge nach links abbogen, konnte ich nicht mehr sagen, ob die Straßen nicht doch wieder kürzer geworden, wir nicht zurück an den Ausgangspunkt gekommen waren. Das neunte Abbiegen, wie viel Zeit war vergangen? Nach der zehnten Kurve war mir alles abhanden, jedes Empfinden. Vielleicht verschwand man so.

Von meinem New Yorker Arbeitsplatz aus hatte ich nur aus der Ferne und ein paar Wochen lang in einem imaginären Sudan gearbeitet. Es hatte vier touristische Ziele gegeben, die außerhalb von Khartum bereist werden durften, sie waren in unseren Besuchsprogrammen erschienen und vor der Ankunft der Delegation wieder gestrichen worden. In den Gegenden, in denen geschossen wurde, war sie ohnehin nicht erwünscht. Ich hatte von den Tötungen gelesen, an meinem Schreibtisch Berichte darüber verfasst und nichts davon überprüfen können, niemand von uns konnte das, ich wusste weder, wie viel an den Gerüchten dran war, noch, wie neunundachtzig Tote aussahen, die in einem Haus hingerichtet worden sein sollten. Erst Tage später waren Leute aufgetaucht, die etwas darüber sagen konnten. Erst

Wochen später hatte man Leute von uns in das Gebiet reisen lassen, wir wussten und wussten zugleich nichts, und nun fuhr ich ins Nirgendwo, ohne je gelernt zu haben, wie man sich im Nirgendwo verhielt.

Mir wurde schwindelig, als ich die Finger wieder an meinem Hinterkopf, in meinem Nacken spürte, der mir verletzbarer als gewöhnlich schien, als folgte auf eine Augenbinde zwangsläufig der Schlag einer Machete oder Guillotine. Meine Stirn klebte an der Scheibe, ich hatte mein Gesicht während der Fahrt ans Fenster gelehnt, vielleicht in der Hoffnung, durch die über die Augenbinde ziehenden Flecken und Schatten etwas zurückzubekommen von der Außenwelt.

Erst Licht, dann Gusseisen, in die Form von Palmblättern gezogen. Ich blickte auf einen Zaun, davor lag eine gesichtslose Straße, bis zum zweiten Stockwerk hinauf gefliese Gebäude zu beiden Seiten.

Ein etwa vierzigjähriger Mann öffnete mir die Tür, streckte mir seine Hand entgegen, um mir aus dem Wagen zu helfen, und stellte sich, während er meinen Arm fest umschlossen hielt, als General Aimé vor. Er trug einen dunklen Anzug, darüber eine Kochschürze.

Ich stolperte ein paar Schritte vom Wagen weg, versehentlich kniff ich in den Stoff von Aimés Schürze, er fing mich auf, das Gleichgewicht kommt wieder, keine Sorge, versicherte er mir. Als ich mich umblickte, begriff ich, dass ich im Innenhof eines herrschaftlichen Hauses stand und die Gebäude jenseits des Zauns nur die Stallungen waren, Wohnungen für die Angestellten oder Leerstand, den man sich gönnte, damit niemand Fremdes Grund hatte, in diese Sackgasse einzubiegen. Die Fliesen des Pools waren türkis wie bei all meinen Bekannten. Vieles wiederholte sich, manchmal alles, und man bewegte sich selten fluchtartig aus seinem Lebensbereich hinaus. Es waren nur die Fahrten, die uns in Panik versetzten.

Ich hoffe, es hat Ihnen keine Unannehmlichkeiten bereitet, dass wir sie maskieren mussten, sagte Aimé höflich und führte mich zu einem gewaltigen Grill, der in einer Ecke des Hofes stand. Mit einem Papierfächer wedelte er den Kohlen zu und kanzelte dabei die Wahrheitskommission als hübsche Rommérunde ab, an die zu glauben man eine Person wie mich doch sicherlich nicht verführen könne. Ich musste mein Lachen unterdrücken, als er, über die Fleischspieße gebeugt, die er gerade für uns zubereitete, mit trockenem Spott von der moralischen Überlegenheit der USA sprach, die sich doch hauptsächlich auf Barbecuegrills und Rasenmäher gründete, *give me liberty, or give me death,* habe Patrick Henry am 23. März 1775 vor der Provinzversammlung von Virginia gefordert und damit schon zu Beginn des Unabhängigkeitskriegs jenen amerikanischen Hang zum Pathos bewiesen, der sich schließlich in Oscarverleihungen, Inaugurationen und der unbedingten Herbeibeorderung des Bösen immer wieder zeige, als wüssten die Amerikaner ohne ihre Feinde nicht, wer sie selbst waren, als wären auch sie keine auserwählte, überlegene Nation, sondern eben eine wie jede andere, wir alle, Mademoiselle Weidner, sagte er vertraulich und berührte beinah mein Handgelenk, ließ seine Hand dicht über meiner schweben, wir wissen ja nicht, wer wir sind, und unsere Freunde erklären uns das ungenauer als jene, die wir als unsere Feinde bezeichnen, darum hauen wir uns die Köpfe ein, weil den Gegner zu erkennen so viel leichter ist als uns selbst. Aber zumindest von den Amerikanern habe ich gehofft, dass sie es besser wüssten, sie haben Spitzenunis und das Lincoln Memorial, sie haben die Sklaverei in die Moderne gebracht, und all die Baumwollplantagenbesitzer, hatten die denn so viel damit zu tun, ihre

Neger auszupeitschen, haben die nicht eine ruhige Minute gehabt, um sich über sich selbst klar zu werden? Die USA haben die Nazis besiegt, mehr als das sind sie auch nicht, nichts anderes als die Gegner ihrer Feinde, sie brauchen heute Iran, Irak, Nordkorea, sie wüssten gar nicht, wo die Welt anfängt und wo sie aufhört, wenn sie nicht ihre Gegner hätten, die Sowjetunion, die Achsenmächte, den Joker und Lex Luthor, sie haben Barbecue und Rasenmäher und eine Hollywoodschaukel, die banalste Form des Pathos, die sie gefunden haben, nun gut. Wie gefällt es Ihnen übrigens in Bujumbura? An die Stromausfälle gewöhnt man sich mit der Zeit. Ich habe mich sogar an Patrick Henry gewöhnt, selbst das geht, ich finde es gar nicht mehr so übel, Kopf oder Zahl, aber bei Patrick Henry war es nur eine leere Drohung, wie ich später gelesen habe, er inszenierte sich durch einen angedrohten Selbstmord, aber ich, wissen Sie, habe eine ungefähre Vorstellung davon, was ein Mord ist, da faselt man nicht so einen Unsinn.

Aimés Stimme klang ruhig und tief, die Silben verschleifend, als gebe er nicht viel auf das, was er zu sagen hatte, oder auf diejenige, die ihm zuhörte, es gefiel mir, gefiel mir etwas zu gut, und als er mir den Weg zum Haus wies, die Tür vor mir aufhielt, kam er mir so nah, als sollten wir uns eigentlich mit einem Kuss begrüßen, vielleicht war auch ich es, die ihm so nahe kam.

Ich habe die Fähigkeit, binnen weniger Minuten einem Menschen zu verfallen, aber nicht wegen dieser Schwäche, sondern aus grundsätzlicheren Bedenken hatte man mich zunächst nicht fahren lassen, mir diesen Job nicht anvertrauen wollen, für den man im Auto eine Augenbinde umgebunden bekam, weil niemand, auch nicht die Vereinten Nationen, wissen durfte, wo die Treffen stattfanden, wo die Rebellen sich aufhielten, wo die Strippenzieher zu Abend aßen. Solche Jobs waren meinen männlichen

Kollegen vorbehalten, doch ich hatte nicht akzeptieren wollen, dass nur Männer die Heldengeschichten erzählen durften, die nichts mit Heldentum zu tun hatten, nur mit der Fähigkeit, nicht gleich in Panik zu geraten, und von der Dialektik der Grausamkeit zu hören, mit Milizionären auf der Ladefläche eines Ford Ranger zu lachen, mit einem Mörder am Grill zu stehen und mitten in der Nacht über die Trinität zu reden und die Schönheit der Taube in der Kirche von Sanctuaire de Mont Sion Gikungu, obwohl die wirklichen Tauben, die in der Stadt in den Regenrinnen nisteten, garstig zerfleddert und mit abstehendem Nackengefieder übereinander herfielen. Und wer, fragte Aimé, als er mir meinen Stuhl zurechtrückte und einen mit Fleisch überladenen Teller in die Mitte des Tisches stellte, wer sei eigentlich auf die Idee gekommen, ausgerechnet eine Taube zum Symbol des Friedens zu machen, als hätte man sich von Anfang an mit dem größtmöglichen Zynismus darüber lustig machen wollen, dabei, sagte er, ist die Vorstellung doch gar nicht so schlecht, Frieden, was meinen Sie?, und als ich einen Moment lang zögerte, fügte er hinzu, die Vereinten Nationen bezahlen Sie zumindest gut dafür, ich hätte mehr Elan erwartet, Sie überraschen mich jetzt zum zweiten Mal an diesem Abend, zum ersten Mal, als Sie aus dem Wagen gestiegen sind, ich hätte nicht gedacht, dass man mir so eine zierliche Person schickt, aber gut, Überraschungen gefallen mir, sonst wäre ich längst von Tauben zerhackt. Diese Biester, sie nisten überall in der Stadt, sie nisten direkt über meinem Kopf, ich werde morgens von ihrem Geraschel, von ihrem Scharren geweckt, aber in der Trinität war mir der Heilige Geist trotzdem immer der Liebste, ich weiß nicht, ist es gotteslästerlich, einen der drei zu bevorzugen?

Seine Augen waren ruhig auf mich gerichtet, ich wandte mich ab, sah zum Fenster, das auf eine Hauswand wies, was dahinter lag, durfte ich nicht erfahren. Dennoch war ich mir sicher, dass wir uns über der Stadt befanden, in einer der an den Hügel gebauten Villenanlagen, von denen aus man einen atemberaubenden Blick auf die fleckig funkelnden Lichter im Tal hatte, die das überlastete Elektrizitätswerk jeden Abend neu ausstreute.

Früher, als Kind, sagte ich, habe ich mich immer gefragt, welchen Elternteil ich mehr liebe, ich habe mich mit der Frage gequält, jeden Abend vor dem Einschlafen musste ich sie mir beantworten, und mit jeder Antwort fühlte ich mich schuldig.

Interessant, sagte Aimé nachdenklich. Wissen Sie, was eines der niederträchtigsten Verbrechen ist, von denen ich je gehört habe? Drei bewaffnete Männer dringen in ein kleines Haus ein, klein, aber doch sehr hübsch, das Sommerhaus von einflussreichen Leuten. Die Bewohner werden im Wohnzimmer zusammengepfercht, im oberen Geschoss hat ein blödsinniger Onkel noch versucht, mit einem kleinen Revolver hinter einem Metallbett verschanzt den Ausgang der Geschichte in irgendeiner Weise zu verändern, aber er hätte ebenso gut versuchen können, mit dem Teppich davonzufliegen. Jetzt steht er dort, in der Mitte seines häuslichen Lebens, neben seinem Bruder, seiner Schwägerin und deren zwei Kindern, mit Kabelbinder gefesselt, so vorsätzlich wird nicht oft getötet, das meiste ist ja, wenn Sie mich fragen, Totschlag, Adrenalinüberschuss im Blutrausch, von anderen geplant. Einer der Männer tritt einen Schritt vor, reißt dem Jungen das Klebeband vom Mund und fragt ihn: Wen soll ich umbringen, deine Mutter oder deinen Vater? Der Junge sieht ihn ausdruckslos an, als habe er die Frage nicht verstanden. Seine Schwester dagegen blickt verzweifelt, das Klebeband auf ihren Lippen wirft Falten, sie versucht, darunter ein Wort zu formen, aber es kommt nicht einmal ein stumpfes, unartikuliertes Gestammel hervor, wie es der irre Onkel die ganze Zeit von sich gibt. Heute ist dein Glückstag, sagt der Mann zu dem Jungen. Du darfst dir aussuchen, ob deine Mutter am Leben bleibt oder dein Vater. Aber der Junge zeigt keinerlei Willen, den Mund zu öffnen, überhaupt in irgendeiner Weise auf die Realität in diesem Wohnzimmer einzugehen. Wenn du dich nicht entscheiden kannst, ist es auch gut, dann bleiben wir fair und töten beide. Er geht leicht in die Knie, legt seinen Kopf schief und flüstert leise: put put put. Täubchen. Put put put. Da blinzelt der Junge und bricht ohne Vorwarnung zusammen. Liegt ohnmächtig am Boden. Das war's. Keine Antwort mehr.

Aimé lehnte sich auf seinem Stuhl weit zurück und starrte gegen die Decke.

Ich glaube, das nennt man Verbrechen gegen die Menschheit, oder nicht? Sie müssen das wissen, Sie sind hier ja schließlich als Expertin herbeordert worden, ich bin hier nur als Henker tätig und war außerdem schon immer da. Menschheit. Menschlichkeit. Irgendwo habe ich das aufgeschnappt. Verbrechen gegen die Menschheit, nicht gegen die Menschlichkeit, es geht ja nicht darum, dass man die Eltern menschlicher, also mit mehr Höflichkeit hätte umbringen sollen, oder nicht?

Hannah Arendt, Karl Jaspers, sagte ich.

Ah, genau, sehen Sie, Ihr Land ist ja für solche Fragen wirklich zu gebrauchen.

Waren Sie dabei, in dem Haus?, fragte ich.

Er blickte mich mit einem Lächeln an, das mir intim vorkam, wie das Lächeln, das sich zuwirft, wer erotische Geheimnisse miteinander teilt.

Waren Sie der Mann, der den Jungen gefragt hat?

Wissen Sie, ich bin kein Pazifist, sagte Aimé, ich bin Offizier, ich habe Menschen erschossen, aber ich habe kein Interesse daran, die Seele von jemandem zu zerstören. Man hat mir diese Geschichte erzählt. Ich weiß nicht, wie alt sie ist. Vielleicht ist sie in Ihrer Heimat passiert. Vielleicht in meiner. Vielleicht ist sie gar nicht passiert, das aber halte ich für unwahrscheinlich.

Haben Sie Menschen gefoltert?, fragte ich.

Sind Sie schon einmal gefoltert worden?, fragte er. Sehen Sie, das ist das Problem: Sie verfassen Ihre Berichte, aber Sie haben eine sehr kleine Vorstellung von der Welt. Für Sie waren die Verbrechen gegen die Menschheit das Thema Ihrer Abschlussarbeit an der Universität. Sie haben, da bin ich mir sicher, eine gute Note dafür erhalten. Sie haben die einzelnen Aspekte gut durchdacht. Sie haben sich intellektuell eingefühlt. Sie haben Hannah Arendt und Karl Jaspers gelesen. Sicherlich haben Sie auch mit Menschen gesprochen, die Sie als Betroffene qualifizieren, denn ich halte Sie für gründlich. Und jetzt sind Sie hier, um mit den Betroffenen zu sprechen, um Ihre Berichte zu schreiben, in denen Sie festlegen, wie die Welt aussehen sollte, was es für Missstände zu beklagen gibt, und ich bin sicher, dass Sie zu diesem Thema viele Berichte schreiben werden. Ich weiß ja, wie diese Gegend aussieht. Nicht in Ihren Augen, aber doch in meinen.

Warum reden Sie dann mit mir, wenn Sie es für sinnlos halten.

Ich habe nichts von Sinnlosigkeit gesagt, erwiderte er. Und nebenbei, das meiste, was wir tun, ist sinnlos. Einen Menschen im Krieg zu erschießen, ist sinnlos, aber es verfolgt einen Zweck. Sie nennen Ihre Soldaten Friedenstruppen. Das ist hübsch, das ist wie mit der Taube: Es kommt darauf an, es in den richtigen Farben darzustellen. Ich freue mich, dass wir uns heute Abend kennengelernt haben. Ich freue mich, dass Sie zu mir gekommen sind. Aber verraten Sie mir, warum sind Sie wirklich hier?

Ich sah ihn nur stumm an, griff dann, als mein Schweigen verdächtig wurde, nach der Ketchupflasche, und mir kamen die Gehälter in den Sinn, die die UN ihren Mitarbeitern zahlte, in

Regionen wie diesen musste es den Menschen, die wir nach Informationen oder einfach nur für die Statistik ausfragten, absurd vorkommen, was Leute wie ich verdienten, ich dachte an unsere Söldnertruppen mit ihrer leichten Bewaffnung, die einen Frieden erhalten sollten, den es überhaupt nicht gab, und wie viele von ihnen dienten, weil der UN-Sold verglichen mit dem Verdienst in ihrer Heimat der Frohbotschaft aus dem Neuen Testament gleichkam, ich dachte an das Hotel, in dem ich in meinen ersten zwei Wochen gewohnt hatte und nachts noch, wenn ich im Bett den Kopf nicht frei bekam, aufgestanden und hinunter zum Pool gegangen war, ich hatte mit dem Rezeptionisten einen Deal gehabt, der eigentlich nur ein Gefallen gewesen war, er schloss mir nach Mitternacht noch den Hof auf, damit ich meine Bahnen im Becken ziehen konnte, und er blieb währenddessen auf einer der Liegen sitzen, erzählte mir etwas aus seiner Kindheit in einem der vergessenen Dörfer, aber wissen Sie, Leute wie Sie können diese Dörfer gar nicht vergessen, weil Sie sie nicht kennen, sagte er, und wenn Sie sie entdecken, stellen Sie ein Schild auf, *Ce projet est financé grace à la generosité de l'ONU*, Sie verzeichnen sie in einer Liste, eher die Schilder als die Dörfer, ich weiß zwar nicht, was wir ohne Sie tun würden, aber noch weniger weiß ich, was Sie ohne uns täten, und wissen Sie, als hier in der Stadt alles eskaliert ist, haben wir als Letztes die Brauerei geschlossen, und als Ihre Friedenstruppen kamen, haben wir als Erstes die Brauerei wiedereröffnet, und auch, wenn Sie nicht gekommen wären, wir hätten das geschafft, die Brauerei zurückzugewinnen, das zumindest, und Sie, Sie werden eh wieder gehen, ich glaube, es gibt keinen Frieden, aber es gibt die Zeiten, in denen die Brauerei geöffnet hat, und das ist doch schon viel.

Ich schlug mit der Hand an die gerippten Poolfliesen, ließ meine Beine Wasser treten und sah zu dem jungen Rezeptionisten hinüber, der keine dreißig war, vielleicht gerade erst zwanzig, glauben Sie, dass wir irgendwas Gutes bringen?, fragte ich. Sie sind die Einzigen, die dieses Hotel bezahlen können, antwortete er. Ja, Sie haben recht, sagte ich und stieß mich vom Poolrand ab, zog kraulend eine weitere Bahn.

Möchten Sie vielleicht noch eine Beilage zu Ihrem Ketchup?, fragte Aimé galant und wies auf meinen Teller, auf dem sich eine gewaltige rote Pfütze ausbreitete.

Aber denken Sie nicht, verteidigte ich mich, wir wären alle nur wegen des Geldes hier, wegen der Karriere oder wegen des Status, ein paar schon, ja, natürlich, die Welt wird von Narzissten gerettet, alle anderen können es doch ertragen, dass sie keinen Einfluss auf die Geschichte haben, die sind schon heilfroh, wenn sie nicht versehentlich Mitläufer geworden sind.

Ich wollte wissen, warum Sie hier sind, nicht, weshalb Sie nicht hier sind, unterbrach Aimé mich.

Ich sah ihn konsterniert an, er erwiderte meinen Blick, indem er eine Braue in die Höhe zog, ob skeptisch oder belustigt.

Weil ich hier auch nachts noch Bahnen im Pool schwimmen kann, sagte ich. Und jemand erzählt mir dabei sein Leben.

Das ist ein Grund, sagte mein Gastgeber und legte mir ein weiteres Stück Fleisch auf den Teller.

WAHRHEIT

Genf. April 2017

Teresas Blick erwiderte ich unwillig, vielleicht sogar harsch, und fühlte mich ertappt, als hätte sie damals schon, als die Fotografie aufgenommen worden war, in einem Sommerurlaub auf Sizilien, wie Milan mir erzählte, ahnen können, dass ich hier an seinem Schreibtisch stehen würde, zu nah an den Verlässlichkeiten ihres Lebens, auf die sie vertraute seit Jahren, spätestens seit der Geburt ihres Sohns, Teresa, die er angehimmelt, die ihn abgewiesen, die er umworben hatte, die ihn weiter abgewiesen hatte, abgewiesen auch dann noch, als sie bereits ein Paar waren und in Freundeskreisen und Familien eingeführt, ja auch noch abgewiesen, als sie bereits in einer gemeinsamen Wohnung lebten und sich morgens und abends und zu den unmöglichsten Zeiten begegneten, diese Frau, die ihn nun doch bat, auch wenn sie es niemals aussprach, er möge sie nicht im Stich lassen, nicht jetzt, jetzt nicht mehr.

Er hatte mir den Besucherstuhl neben seinen gerückt, so dass ich den Winkel einnahm, aus dem heraus er jeden Tag in sein Büro sah, dort hinten die Tür, hier der Monitor, da drüben das Fenster, hier die Stifte, die Unterlagen, das Gesicht seiner Frau, und auch wenn es eigentlich eine belanglose Vertraulichkeit war, die er mir damit bewies, denn natürlich war ich nicht zu einem offiziellen Termin bei ihm bestellt, es wäre albern gewesen, ihm gegenüberzusitzen wie die Vertreterin des einen Landes dem eines anderen, war ich doch irritiert, wie nah ich in seinen Alltag geriet, dort die Tür, da drüben das Fenster, hier das Gesicht seiner Frau, als hätte er keine Geheimnisse vor mir, jedenfalls keine alltäglichen, und wir wären noch immer die seltsam für ein paar Wochen zusammengebrachten Geschwister, die diese Rolle gleichgültig und rechtschaffen übernahmen.

Ich weiß nicht, was in ihr vorgeht, sagte Milan und wies mit einem Nicken auf das Bild. Wir reden miteinander, natürlich, und ja, wir schlafen noch miteinander, nicht oft, aber auch nicht selten, was heißt das schon, wir reden über ein zweites Kind, aber da ist diese Angst, die ich nicht verstehe. Nachts wacht sie auf und weckt mich, weil sie irgendetwas beunruhigt, sie hat schlecht geträumt, und wenn sie nicht schlecht geträumt hat, dann ist es unser Schlafzimmer, das mit einem Mal zu eng ist, und alle Möbel sind die falschen. Es ist, als hätte sie nach dem ersten Jahr mit Kolja nicht mehr zum Durchschlafen zurückgefunden.

Natürlich, murmelte ich, sie wacht auf, aber es gibt keinen Grund. Milan hatte sein Gesicht abgewandt, blickte weder mich noch seine Frau an, sondern starrte auf die Karte des Nahen Ostens, die neben dem gerahmten Porträt aufgestellt war, einige Orte markiert, die ich nicht genau ausmachen konnte, einer mochte Jerusalem sein.

Vielleicht sollten wir es mit einem zweiten Kind versuchen, vielleicht beruhigt sich dann alles wieder, meinte er.

Ich nickte vor mich hin, ohne ihm Antwort zu geben, mein Stuhl stand zu nah an seinem, ein wenig zu nah nur, und mein Knie stieß an seines, es lag keine Plötzlichkeit in der Bewegung, und er zog sein Bein erst nach einer Weile zurück. Er sah mich zerstreut an, beinahe verlegen. Warum frage ich dich, du hast keine Kinder, du kannst mir ja auch nicht sagen, woran es liegt.

Ich stand auf, ging ein paar Schritte durch das Zimmer, zögerte, gerade dadurch nehmen wir uns Raum, warf einen Blick aus dem Fenster, Milans Büro ging zur Avenue de la Paix hinaus, zwischen den noch hell belaubten Bäumen schimmerten die zwei roten Kreuze auf dem Dach des gegenüberliegenden Prachtbaus mit seinen Seitenflügeln, die wie die Pranken einer Sphinx vor der Bergkulisse ruhten, zwischen die Henry Dunant zurückgekehrt war aus der Schlacht von Solferino und das Croix-Rouge gegründet hatte. In Genf war selbst die Menschenliebe mondän, und ich fragte mich, wo das dritte Kreuz war, die Flagge, die für gewöhnlich erhöht zwischen den beiden fest auf dem Dachfirst montierten Metallkreuzen flatterte.

Eigentlich ist man zufrieden, sagte Milan, sogar glücklich, warum denn nicht, kaum jemand traut sich, das zu sagen, manchmal sind wir doch sogar glücklich, und dann geschieht etwas, und man stellt alles in Frage.

Man verliebt sich, sagte ich, den Rücken noch immer zu Milan gewandt.

Nicht oft, aber ja, auch das kommt vor. Teresa hat vor allem Albträume.

Wer hat die nicht?, fragte ich etwas zu grob und dachte an meinen Gesprächspartner, dem ich in einer Stunde in einer Suite des Beau-Rivage gegenübersitzen würde, die Haut um seine Augen grau, die Luft aus der nur angelehnten Tür seines Schlafzimmers röche weder gelüftet noch nach einem tiefen Schlaf, und ich würde die Schatten um seine Augen betrachten, Begehren entsteht oft aus Überraschung, dort, wo wir es nicht erwarten, und aus Begehren entstehen die interessantesten Entscheidungen, jene, die uns nicht ein Mitarbeiter im Voraus aufgeschrieben hat, und natürlich war das nicht der Gedanke, den ich hatte, als ich mich in einen von Milans Sesseln fallen ließ, mein Bein betont langsam über das andere schlug, ihn taxierend, herausfordernd mindestens zu einer Wette, aber Wetten oder Begehren oder der Wunsch danach haben bekanntlich schon Kriege ausgelöst, ihnen zumindest einen vorgeschobenen Grund gegeben, Helena, immer wieder Helena, das schönste, unglaubwürdigste Alibi, um sie war es doch nicht eigentlich gegangen, denn wenn man Krieg will, führt man ihn, man hatte Krieg gewollt und ihn Helena genannt, und wir zumindest verhinderten in diesem Moment keinen.

Meinetwegen, die ganze Welt hat Albträume, sagte Milan, aber ich wache nur von Teresas auf.

Während er mich ansah, ein wenig verwundert, aber die Verwunderung konnte nicht anders als vorgetäuscht sein, er wusste zu genau, was wir zu spielen begannen, oder wusste er es doch nicht, unterstelle ich ihm das im Nachhinein, während er mich so ansah, erkannte ich etwas von Darius in ihm: wie er sich nur kurz, gedankenverloren, über die Brauen strich und seinen Blick auf das Innere seiner Hand richtete, ein leichtes Flattern der Lider, kaum wahrnehmbar, aber was wir nicht dingfest machen können, verfolgt uns hartnäckiger als die deutlichen Gesten, das Händeschütteln, das Lächeln vor Kameras oder in einem Gespräch, mit dem jemand einen anderen gewinnen will oder muss oder bereits unterlegen ist, weil er uns zeigt, dass er angewiesen ist auf uns.

Das hier war etwas anderes, ein Blick, der, während er einen noch taxierte, verlorenging, abschweifte.

Milan konnte, wurde mir in diesem Moment klar, ebenso wie sein Vater den Eindruck erwecken, eine größere Summe aufs Spiel zu setzen als andere Menschen und im Umkehrschluss selbst mehr wert zu sein als wir übrigen. Der Welt schenkte er nur gerade so viel Beachtung, wie er ohne Gefahr erübrigen konnte, das war es, was dieser Blick verriet, und das war es auch, was mich an Darius fasziniert hatte, obwohl ich zu jung gewesen war, um zu begreifen, was er spielte und dass es überhaupt ein Spiel war und nicht der verbissene Ernst, mit dem er durch seinen Wald, achtzehn Hektar, marschiert war, der Ernst, mit dem er schon zu Beginn seiner Karriere den Neubau des UN-Freiwilligendienstes präsentiert haben wird, ein von funktionaler Tristesse funkelndes Gebäude am Rand von Bonn, der Ernst, mit dem er auch an einem Vormittag – die Haushälterin, die mir davon erzählte, nannte ihn: den Vormittag nach Mogadischu – immer wieder dieselbe Geschichte ins Telefon erzählt haben muss, die von Soldaten handelte und von Rechnungen, in denen achtzehn Menschen mehr zählten als ein ganzes Land, und immerhin glaube ich, dass Milan seinen Vater noch weniger begriffen hat als ich, allein deshalb, weil er ihm zu nah war, um diesen flüchtigen Blick zu bemerken.

Kannst du dich noch an diesen Vormittag erinnern, begann ich, auf dem Schreibtisch vibrierte Milans Handy, er blickte auf das Display, zögerte, griff dann doch danach, entschuldige, ich muss kurz rangehen.

Während Milan von mir abgewandt ins Telefon weich und beruhigend auf jemanden einsprach, der oder wohl eher die vertraut mit ihm war auch über die Distanz, meinte ich die Stimme wiederzuerkennen, die ich als Kind ein paar Mal gehört hatte, mit Fieber unter Decken schwitzend, der Raum vor mir war verschwunden und etwas Bedrohliches an seine Stelle gerückt, und nur noch diese Stimme war da als Fluchtpunkt, Milan irgendwo versteckt in dem sich um mich schlingenden Dunkel, Milan, der leise, aber doch nicht flüsternd wiederholte, ich bin ja da, Mira, ich bin ja da.

Er lehnte an seinem Schreibtisch, die Ärmel seines Hemdes hochgeschoben, dabei war es nicht warm in seinem Büro, ich betrachtete seine trotz des nebligen Genfer Frühlings leicht gebräunten Arme, vielleicht nennt man genau diesen Blick, der zu lange verharrt, sich nicht mehr ablenken lässt, vielleicht nennt man das bereits Begehren, und sind wir nicht genau dann unschuldig, wenn wir ohne Ziel begehren, dem anderen nur Gutes wollen, mehr als uns selbst, und warum stürzten dann Türme ein, gingen Dinge zu Bruch, jemand begann einen Krieg und nannte ihn Helena.

Milan ließ das Telefon achtlos auf seinen Schreibtisch fallen. Entschuldige, ich konnte nicht sagen, dass ich Besuch habe. Ich weiß, es ist albern, Teresa erträgt es nicht, wenn eine Frau mit mir allein ist. Milan blickte mich an, doch mir schien, als sei nicht er es, der sich in diesem Moment entschuldigte, es war, als entschuldige er sich für seine Frau, die ich nicht einmal kannte.

Vielleicht erträgt sie dich nicht, erwiderte ich, wenn eine Frau mit dir allein ist.

Er lachte, aber an seinem leeren Blick merkte ich, dass er mir nicht einmal richtig zugehört hatte, wieder sah er mich kurz an, um sich dann auf einen Punkt zu konzentrieren, der irgendwo hinter oder über mir liegen musste, wie gern wäre ich in diesem Moment aufgestanden, hätte Milan an den Schultern gepackt, aber ich wusste, dass ich ihn nur nach und nach zu fassen bekäme, und ich stellte mir seine Frau vor, wie sie nachlässig ihre Tasche auf den Wohnzimmerboden fallen ließ, eine dunkelblaue Umhängetasche, nichts Elegantes, sondern gefertigt aus wasserabweisender LKW-Plane, und fragte mich, ob zumindest sie in seinen Gedanken vorkam, ob sie Einfluss auf ihn hatte, eine Lady Macbeth, die ihren Mann zur Tat anstachelt, ob sie ebenso einflussreich war in seiner Welt und besessen wie Shakespeares Königin; oder ob sie doch etwas ganz anderes war als das, was ich mir unter meiner Rivalin vorstellte, von der ich kaum mehr als dieses Bild kannte, das auf dem Schreibtisch stand vermutlich schon seit Jahren, und von der ich bis jetzt nicht einmal gedacht hatte, meine Rivalin zu sein.

Vielleicht habe ich an diesem Nachmittag im Büro bereits geahnt, dass Milan mir, so nah ich ihm auch kommen würde, in Wahrheit bis zum Ende fremd bliebe, trotz der kurzen Unterbrechungen, in denen ich meinte, seinen Atem zu hören in der Nacht, sein Haar zu riechen, wenn ich mich nur umwandte, aber dass ich trotz allem in Wahrheit doch nicht mehr war als eine achtlos ins Wohnzimmer geworfene Tasche, deren Inhalt zu sehen er begehrte, nur deshalb, weil die Tasche verschlossen war, es lag nichts für sich Bedeutsames darin, ich war nur ein unerwartet am falschen Ort aufgetauchtes Rätsel, und er war für mich das, was alles bestimmen sollte in meinen nächsten Monaten, alles, auch die schlechten Entscheidungen, auch die guten.

Ich blickte noch einmal über den Schreibtisch, nun auf die mit Samt verkleidete Rückseite des Bilderrahmens, und wenngleich ich Teresa nicht hübsch fand, war sie vielleicht eine Schönheit aus einer anderen Epoche, die ich nicht mehr verstand, dabei war alles an ihr, das weiche, dabei schmale Gesicht, die dunklen, leicht gewellten langen Haare, die großen Augen, der ebenmäßige Teint, durchaus der Mode unserer Zeit entsprechend, ich hätte Milan beglückwünschen können zu der Entscheidung, sich ein solches Bild auf den Schreibtisch zu stellen, und vermutlich war es schlicht mein Unverständnis, einem Menschen jeden Morgen seit zwölf Jahren zu begegnen und ihn noch immer auch während der Arbeit ansehen zu wollen. Mein Unverständnis, dass Vertrautheit begehrlicher machen könnte. Oder zumindest das Begehren nicht zerstörte.

Bei Bonn. März und April 1994

Das Bild, das früher über meinem Bett hing, zeigte ein Kind im Harlekinkostüm, und da ich mit vier, fünf Jahren einen ähnlichen Haarschnitt gehabt hatte und mich zu erinnern meinte, dass ein ähnliches Kostüm in meinem Kleiderschrank weit unten gelegen hatte, dachte ich lange – ich war schon nicht mehr Kind –, dass meine Eltern ein Bild von mir als Clown aufgehängt hätten, bis ich irgendwann in einem Kunstlexikon das Bild wiederfand, das, wie der Lexikoneintrag behauptete, ein Gemälde Picassos und zudem aus dem Jahr 1924 sein sollte. Es fühlte sich nicht einfach so an, als hätte ich mich selbst eines Irrtums überführt. Dieses Bild war so tief mit meiner Kindheit verbunden und mit meiner Vorstellung, was ich als Kind gewesen sein mochte, dass es war, als schöben sich zwei unterschiedliche Wirklichkeitsebenen übereinander, und es knirschte und bebte wie bei einer zu schnellen Bewegung der Kontinentalplatten.

Auch wenn es nur ein Missverständnis war, eine Verwechslung, die mir von niemandem eingeredet oder angedeutet worden war, habe ich an diesem Bild wohl zum ersten Mal begriffen, wie leicht es sein kann, mit etwas Falschem zu leben, wie gut es sich in unser Leben einfügt, es überhaupt erst schlüssig macht, und wie unsicher wir werden, wenn wir eine Lüge, einen Fehler, eine trügerische Erinnerung im Nachhinein, so viele Jahre später, zu korrigieren versuchen. Der Boden, auf dem wir stehen, bricht weg.

Manchmal denke ich, meine Kindheit habe erst begonnen oder stimme vielmehr erst seit jenem Tag mit meiner Erinnerung überein, als ich in das Haus von Milans Eltern zog. Ich machte es mir noch mit jener kindlichen Sinnlichkeit zu eigen, die alle Dinge nah an sich heranholt, unseren Köper hineinwachsen lässt in die Umgebung, während ich mir die Orte, die ich später betreten habe, vor allem als Bilder ins Gedächtnis rufe, etwas, das aus der Distanz auf uns wirkt. Die Monate von damals waren noch voller Gerüche und der Haptik von Stoffen, Wänden, Pflanzenstängeln, die durch die Innenseite meiner Hand strichen, wenn es auch nicht mehr die so nahe, verwachsene Wahrnehmung der frühen Kindheit war, in der die im Vorgarten blühenden Forsythien den Geruch von April bedeuteten und der raue Teppich meines Kinderzimmers die natürliche Oberfläche der Welt.

Ich war neun, als ich bei Milan einzog, und bewegte mich oft noch nah am Boden, kroch meinen Spielfiguren nach, bis die Jeans an den Knien durchgescheuert war. Der beige Teppich, der im ganzen Haus von Milans Eltern auslag, kam mir wie eine grenzenlose Sandwüste vor, still, ruhend, nicht einmal ein Sturm ging darüber hinweg und drohte etwas abzutragen. Nicht nur der Teppich, das Licht, die Treppen, vor allem der Geruch des Hauses war mir fremd, äußerlich, und tauschte sich nicht wie bei Urlaubsfahrten nach ein oder zwei Wochen wieder gegen das Vertraute ein.

In manchen Nächten hörte ich den Regen gegen die Fenster tröpfeln. Ich hätte erleichtert sein müssen, dass es auch hier, inmitten der beigen Sandwüste, Regen gab, aber auch der Regen war ein anderer als im Haus meiner Eltern, er hatte nichts Beruhigendes, er war nichts, was wirklich geschah, es war nur ein Geräusch ohne Bewegung, ohne Berührung. Ich lag in meinem Bett und blickte hinauf zum Fenster, dahinter wusste ich den Wald, dahinter glaubte ich Darius' Schritte zu hören, der überall, in jedem Land gewesen war, und nun zog er ein Rehkitz auf, um zu zeigen, wie liebevoll und fürsorglich er war.

Meine Eltern kamen am Wochenende, mein Vater am einen, meine Mutter am anderen. Mein Vater redete lange mit Lucia, ehe er mit mir wortlos durch den Garten ging, und meine Mutter hatte an allem etwas auszusetzen, was es im Haus von Milans Eltern gab, das Ledersofa war kalt, der Leuchter protzig, der Esstisch altmodisch, man erstickte ja an so viel Tradition! Lucias Eleganz hielt sie für aufgesetzt, Milans Schweigen für herablassend, und am schlimmsten war Darius' Fürsorge für das Reh, das sie unter keinen Umständen zu Gesicht bekommen wollte, denn sie wusste ja, dass jegliche Zuneigung zu diesem Tier nur falsch, vorgetäuscht, eine Lüge sein konnte, dass niemand sich für dieses Reh interessierte, so wenig, wie sie sich für mich interessierten, ich war nur Teil dieser Familieninszenierung, einer der ersten Familien der Region, und auch, wenn sie alles so umfassend kritisierte, mit nach Hause nehmen wollte meine Mutter mich auch nicht, und es muss wohl daran gelegen haben, dass alles so schwierig, so kompliziert war, wie sie sagte, weshalb sie immer seltener zu Besuch kam, sich an einigen Wochenenden um ein oder zwei Stunden verspätete, dann gar nicht auftauchte, ohne die Verabredung abzusagen, und ich hatte bis dahin nicht gedacht, dass Erwachsene offenbar noch hilfloser waren als Kinder, hatte nur älter, so schnell wie möglich groß werden wollen, groß, wie man noch sagt, solange man im Wachstum ist und so weit vom Erwachsensein entfernt, dass man nicht weiß, was es eigentlich meint. Ich hatte angenommen, dass ich dann endlich bestimmen konnte, wo ich war und sein wollte, dass ich nicht einfach in ein Auto gesetzt und irgendwohin gebracht würde, sondern selbst führe, dass ich selbst entschied, ob ich aus der Welt fiel oder nicht, aber dann vergaß meine Mutter wieder einen Termin, mein Vater ging wortlos neben mir durch den Garten, legte seine Hand auf meine Schulter, drückte mich kurz an sich, wusste dann aber auch nicht weiter, und später, nach der Reise im April, trafen wir manchmal auf Darius, der verloren im Wald stand, sich tatsächlich nicht mehr um das Reh kümmerte, das in die Obhut des Gärtners gegeben war, und nur noch Lucia trat entschieden aus dem Haus, könnt ihr bitte endlich reinkommen, ich warte seit einer halben Stunde, und guckt nicht so betreten, die Welt ist nicht untergegangen, es ist nur Sonntag.

Abends lag ich im Bett und hörte den Regen über mir gegen das Fenster schlagen. Ich lag in einem Kinderbett, das nicht meines war. Ich hatte einen Bruder, der nicht meiner war. Ich hatte eine Familie, in die ich nicht gehörte. Aber sie war das Einzige, von dem ich annahm, es könnte bleiben.

An einem Abend, es war Anfang April, das Wetter wechselte zwischen Frühling und Unwetter, ohne irgendwo im Garten das Gelb der Forsythien hervorzutreiben, schlich ich aus meinem Zimmer hinüber zu Milans. Die Türen im Haus schlossen geräuschlos und weich, ich lief über die beige Teppichwüste, in einem der Flurfenster zuckte ein Blitz, und Milan schien mein Eintreten nicht zu bemerken, versunken in das Klavierspiel, ein Stück, das er immer wieder an derselben Stelle abbrach. Neben ihm im Regal lief lautlos ein Fernseher und tauchte Milan in einen bläulichen Lichtschein, sein Gesicht hatte einen abwesenden Ausdruck, als wäre hinter seinen Augen nichts und davor nur das Spiel, das sein Vater ihm vorschrieb. Über dem Klavier hing der gelbe ausgeknockte Smiley von Nirvana, und im Fernseher, einem kleinen Kasten mit rotem Gehäuse, war MTV eingeschaltet.

Wie spät ist es?, fragte Milan, ohne vom Spielen aufzusehen, seine Hände suchten noch immer über die Tasten.

Kurz nach acht, sagte ich und war mir sicher, dass er mich loswerden wollte, zurückschicken in mein Bett unter dem Fenster, in dem es für immer regnete, aber bis halb neun darf ich wach sein, fügte ich schnell hinzu, und bis halb neun war es noch lang.

Schalt mal um, wies er mich an, in einem bestimmenden Ton, den ich später so oft wieder gehört habe, nicht nur von ihm. Schalt mal die Nachrichten ein.

Abzug der schweren Waffen, las ich. Kroatien war in pastellgrüner Farbe gekennzeichnet. In *Knin/ Krajina* fuhren Soldaten auf einem Lastwagen eine idyllische Straße entlang. *Hilferuf an UN-Truppen*, die Stadt Gorazde war hervorgehoben, eine UN-Schutzzone ohne Soldaten, wie ich heute weiß, was so viel wert ist wie eine Schwimmweste ohne Luft.

Milan hatte seine Hände in den Schoß gelegt und sah wie ich zum Fernseher. Auch in Hamburg regnete es, regnete auf einen Ostermarsch, *Militär löst keine Probleme, wer rüstet, rüstet für Krieg,* und im Irak war eine Journalistin erschossen worden.

Irgendwann kommt er nicht mehr wieder, das weiß ich, sagte Milan, und dann will ich wissen, was passiert ist.

Darius?, fragte ich.

Irgendwo passiert etwas, und dann kommt er nicht zurück.

Bei meinen Eltern ist nicht mal was passiert, sagte ich und fügte leise hinzu, als müsse ich mich entschuldigen, jedenfalls nichts, was im Fernsehen kam.

Milan blickte mich an, und so nah er für mich schon den Erwachsenen war, viel näher als meiner eigenen Welt, sah er in diesem Moment doch kindlich aus, unsicher, verloren, als bräuchte er mehr Schutz als ich.

Musst du nicht längst schlafen?, fragte er.

Ich schüttelte nur still den Kopf, setzte mich neben ihn und schmiegte mich an das glänzende Holz des Klaviers, während Milan wieder zu spielen begann, irgendwas von Schubert, sagte er und dass ihm diese eine Stelle noch immer nicht gelinge, seine Finger stolperten, als wäre da ein unsichtbarer Zaun, hörst du, fragte er und spielte mir ein paar Takte vor, brach ab, setzte neu an, mir gefiel diese stotternde Melodie, vielleicht kam das Vertraute, das, woran ich mich festhalten konnte, nicht so zurück, wie ich es erwartete, nicht als der Geruch, der mir abhandengekommen war, sondern als ein falsch gespieltes Lied, zerrissen und stockend, und beinah wäre ich darin eingeschlafen, behütet von Milans Versuchen, über den unsichtbaren Zaun zu kommen, schon sackte mein Blick weg, mein Atem ging langsam. Ich schreckte auf, als Darius mitten im Stück den Raum betrat und ihn, halb belustigt, halb tadelnd, zurechtwies: Wie willst du in der Welt bestehen, wenn du nicht mal Schubert spielen kannst?

Wer fragt mich später schon nach Schubert, entgegnete Milan.

Du sollst nicht darauf warten, nach deinem Wissen gefragt zu werden, sagte Darius. Wie stellst du dir das vor? Dass alles eine Klassenarbeit ist? Dass wir ein Spiel spielen? Niemand fragt dich. Aber wenn du die Pedale drücken willst, solltest du geübt haben.

Und wenn ich keine Pedale drücken will?

Darius kam näher, ich rückte unwillkürlich vom Klavier ab, drängte mich an die Wand, nahe dem Regal, in dem noch immer lautlos der Fernseher lief, und hoffte, übersehen zu werden. Er ging in die Knie, hockte neben seinem Sohn, hielt sich am Klavierrand fest.

Du kannst mit deinem Leben machen, was du willst. Aber ich wollte nie ein Mitläufer sein, und ich möchte nicht, dass du einer wirst, sagte er.

Milan murmelte halblaut etwas in seine Notenhefte.

Was hast du gesagt?

Mit Schubert in den Widerstand!, wiederholte Milan.

Man kann sich wegducken, man kann mitlaufen oder man kann gebildeter sein als die anderen. Ich würde dir das Erste nicht wünschen und fürs Zweite würde ich mich schämen. Darius erhob sich. Morgen muss ich für ein paar Tage nach Genf, vergiss nicht zu üben, wenn ich weg bin. Und lass den Fernseher nicht den ganzen Tag laufen, was soll das überhaupt, ein stumm geschalteter Nachrichtensprecher?

Wann bist du zurück?, fragte Milan.

Wir werden unser Bestes tun, uns kurz zu fassen, sagte Darius und nickte Milan zu, nicht väterlich, aber doch aufmunternd, mit einem leichten Zweifel, der sich erst verflüchtigte, als er mich sah. Aus Mira wird auch noch was, und sein Nicken in meine Richtung war milder, aber von mir erwartete er auch nichts.

Ich sah ihm nach, als er zurück in den Flur ging, rutschte wieder an Milan heran, lehnte meinen Kopf gegen sein rechtes Bein und spürte, wie er auf das Pedal trat, spürte die Wärme seiner Muskeln unter dem Jeansstoff, irgendwas von Schubert eben. Mit Schubert in den Widerstand.

New York. April 2011

Der Harlekin war meine erste Lüge, ungewollt und nur der Fantasie der frühen Kindheit geschuldet, wenn man noch glaubt, alles würde mit dem eigenen Leben in Verbindung stehen und nicht lediglich das eigene Leben mit dem ganzen Rest, wenn man in vermeintlicher Unschuld versucht, die Dinge so anzuordnen, dass sie einen Sinn ergeben in dem kleinen eigenen Reich, und nicht, wie es manche später tun, einige mehr, andere weniger, manipuliert, vortäuscht, behauptet, der eine aus besseren, die andere aus schlechteren Gründen. Damals war es nur ein Missverständnis, eine kleine Idiotie, die sich durch Zufall aufdeckte, aber vielleicht habe ich an dem Bild gelernt, wie man mit Lügen lebt, wie man gut mit ihnen lebt, nicht sie sind es, die stören, es ist nur irgendwann die Wirklichkeit, die nicht mehr dazu passt.

In New York habe ich, anders als ich es Milan gegenüber behauptet habe – weil er es sonst nicht verstanden hätte, nur deshalb –, in New York habe ich abends vor den Vereinten Nationen gestanden und hinaufgeblickt zu den noch erleuchteten Fenstern, die mir eine Welt vorstellten, die wirklicher zu sein schien als das, worin ich mich aufhielt, in einem Provisorium, einem Traum, einem ewigen Abwarten, dass eine Zukunft endlich begänne, aber sie nahm nicht einmal Gestalt an. Ich stand dort im Winter, während ein Sturm durch die Hochhausschluchten zog, es kann in Manhattan so kalt werden, dass der Wind im Gesicht schmerzt, und ich stand dennoch dort, blickte hinauf, fünf oder zehn Minuten, dann kehrte ich um, fuhr nach Brooklyn, wo ich in einer Bar aushalf, Bier für sechs Dollar in Plastikbecher zapfte und die Dollarnoten einsammelte, die die Kunden als Trinkgeld auf dem Tresen liegen ließen, von Bierlachen und meinem flüchtigen Wischen mit einem faulig blauen Lappen feucht. Sie trockneten noch, während ich saubermachte mitten in der Nacht, es war drei oder vier Uhr, wenn die silberne Subway in die Station Carroll Street einraste, und meine Müdigkeit war so groß, dass sie ein ganzes Leben hätte halten können.

Tags lernte ich Französisch.

Manchmal kam ein Kammerjäger vorbei, es war immer derselbe, Billy oder Johnny oder Mike, mit einer blassen Tätowierung, die sich über seine linke Wange zog, und er erzählte mir von den Tanzperformances im CPR, während er Gift in den Müllschlucker kippte, alle Ratten erwischte er dabei nie. Die Überlebenden erfreuten sich eines regen Sexuallebens und gewaltiger Fruchtbarkeit, und nach wenigen Wochen war der Lärm in der Nacht wieder so laut wie vor Billys oder Johnnys oder Mikes Besuch.

Manchmal meinte ich, das Fiepen unter meinem Bett zu hören, vielleicht aber war ich nur erschöpft, in einem Zustand zwischen Schlafen und Wachen, und ich habe Billy, Johnny, Mike nie danach gefragt, ob die Ratten vom Müllschlucker aus bis in meine Wohnung gelangen könnten, ich hatte Angst, dass er einfach nur nicken würde, und wollte lieber glauben, dass ich es träumte.

Überhaupt verwischten sich in meinen New Yorker Monaten die Träume mit dem wachen Alltag, in dem ich mit Filterkaffee in zu großen Bechern durch die Straßen lief, manchmal an einer Querstraße stehen blieb, wenn ein Gebäude, das ich aus meiner Kindheit kannte und das es in Wirklichkeit nicht gab, sich in meinen Blick schob. Feuerleitern in der Sonne oder das Woolworth Building oder der Torbogen am Washington Square. Jeder kennt diese Kulisse, sie stammt aus einem Film mit gelben

Taxis, Wassertanks auf flachen Hausdächern, einem in den Verkehrsfluss hineinwinkenden Menschen beim Times Square oder weiter oben, beim Central Park, ganz gleich, es ist Woody Allen oder die *Sesamstraße* oder irgendein Polizistenthriller, jeder kennt ihn, wenigstens Ausschnitte daraus, und die Bilder haben sich so tief in unser Gedächtnis eingeprägt, dass sie zu einem Stück unserer Geschichte geworden sind, zu einer Erinnerung, die sich wirklich anfühlt, nach unserem Leben, wie es gewesen ist oder sein könnte, und zumindest hierin stimmt es überein mit dem Leben von einem Angestellten in Mexiko und einem Mädchen, das am Rand von Nairobi aufwächst und das wir niemals treffen werden, aber diese Feuerleiter, die wir zum ersten Mal mit fünf oder sechs oder neun Jahren gesehen haben, die kennen wir alle drei, als hätten wir damals am selben Fleck gestanden und einander einfach nur übersehen. Dass ich nun tatsächlich vor diesen Feuerleitern stand, machte sie nicht wirklicher, es machte lediglich mich unwirklich.

Den Typen in der Kneipe hatte ich zuerst auch für einen schlecht gecasteten Schauspieler gehalten. Er saß dort in seinem zu weiten Anzug mit einer pastellbunten Krawatte, wie man sie zuletzt in den Neunzigern zu tragen gewagt hatte, las in der *New York Times*, dann in einem Bericht, den er oder jemand vor ihm mit Textmarkern gefleckt hatte, und wenn er aufsah, versuchte er ein Gespräch mit mir anzufangen, weniger ein Flirt, schien mir, als der letzte Versuch, die Verbindung zu anderen Menschen nicht völlig zu verlieren, und trotzdem wehrte ich ihn einsilbig ab. Er nestelte nervös an seiner Krawatte, bis er sich wieder in den Text vertiefte.

Ich wischte den Tresen, zapfte Bier, sammelte feuchte Dollarnoten ein und fragte mich, was ich in dieser Stadt verloren hatte und ob es überhaupt die richtige Stadt war, um etwas zu verlieren, etwas zu suchen. Es lässt sich in ihr ja nichts leichter finden, nur weil wir alle dieselben Erinnerungen an sie teilen.

Sie wirken müde, meinte der Typ.

Ich schob seine *Times* beiseite, stapelte die leeren Plastikbecher ineinander.

Ich dachte, ich hätte langsam Ruhe, aber die Ratten kommen immer wieder.

Sie haben einen schlechten Kammerjäger, sagte er.

Ich musterte ihn kurz und zuckte die Schultern.

Mit Chemikalien kenne ich mich ein wenig aus, erklärte er. Wenn Sie einen Kammerjäger rufen, vergiftet er die Tiere entweder, oder sie werden erstickt. Recht erbärmlich erstickt. Aber einige schaffen es meistens, davonzukommen. Ein guter Kammerjäger gibt ihnen keine Chance. Was man eben gut nennt. Er lachte und nestelte noch zittriger an seiner Pastellkrawatte als zuvor. Früher habe ich mich beruflich mit chemischen Waffen beschäftigt. Vor ein paar Jahren. Jetzt bin ich in einer anderen Abteilung.

Mit dem Lappen wischte ich um seinen Bierbecher, hob ihn kurz an, um auch darunter den Tresen zu säubern.

Bei den Vereinten Nationen. Ist hier ja nicht so ungewöhnlich.

Ich kann nicht mehr sagen, was ich in diesem Moment dachte, vermutlich nicht viel, ging nur an die Zapfanlage, stellte ihm ein neues Bier hin, nach dem er nicht gefragt hatte, das er aber widerstandslos trank, er rieb sich umständlich den Schaum von der Oberlippe, während er mir sein Büro beschrieb, jenes aus der Zeit der chemischen Waffen, von dem aus er auf den Donaukanal geblickt hatte, aber man werde ja melancholisch in Wien, sagte er, wenn man auf diesen Kanal schaue und den ganzen Tag Statistiken über Massenvernichtungswaffen analysiere, so eine

Enge in der Brust, er klopfte sich mit der flachen Hand auf die Knopfleiste seines Hemdes, eine Enge, als bekäme man nicht genug Atem, und ich stellte ihm noch ein Bier hin, als er mir sein jetziges Büro beschrieb und den East River, an dem ich am Abend vor meiner Schicht für eine halbe Stunde gestanden hatte im Schatten der UN zwischen der 42. und 43. Straße, und wenn man etwas weiter hinunterging, zur 38. Straße, konnte man vom Ufer aus Steine ins Wasser werfen. Wenn sie glatt und flach sind, sagte ich, und Sie werfen geschickt, gehen sie nicht gleich unter, sondern springen ein paar Mal über die Wasseroberfläche.

Und dann?, fragte er.

Dann gehen sie unter.

Er drehte seinen Plastikbecher auf dem Tresen, blickte so nachdenklich darauf, als wäre es ein echtes Glas, als säßen wir in einer eleganten Bar in Midtown Manhattan und im Hintergrund spielte ein Jazzpianist.

Sind Sie sicher, dass es dort überhaupt erlaubt ist, Steine zu werfen?, fragte er. Übrigens, ich heiße Daven, fügte er hinzu und griff wie zur Verteidigung nach seinem Füller. Manchmal verliert man das natürlich aus dem Blick, sagte er, den Fluss, die Umgebung, das, was da draußen alles möglich ist. Und nicht jeder Job bei uns ist der des Generalsekretärs. Manche haben was Besseres gefunden. Die anderen sitzen ihre Zeit im Büro ab.

Besser als das hier ist es vermutlich schon.

Er sah sich um, ein wenig überrascht, als falle ihm erst jetzt auf, dass er der Einzige war, der einen Montblanc-Füller neben seinem Plastikbierglas liegen hatte.

Ich weiß nicht, wie Ihr Trinkgeld ist, aber ich vermute, dass es nicht schlecht für Sie läuft.

Welchen Abschluss wollen Sie?

Ich bin froh über jeden, der nicht an einer Law School war.

Internationale Beziehungen, sagte ich. Ein Semester in Berlin. Den Rest … Fragen Sie einfach nicht.

Ich will ehrlich sein, wir brauchen niemanden. Aber ich dachte gerade… Wer weiß. Kommen Sie nächste Woche mal vorbei.

Und der Geizkragen legte mir tatsächlich nur seine Visitenkarte auf den Tresen, nicht einen einzigen Schein, zögerte dann doch, als er das Portemonnaie wieder in die Innentasche stecken wollte, zupfte zwei Dollarnoten hervor und zwinkerte mir zu.

Was es gab

Es gab unter uns Neuankömmlingen ein Spiel, das wir *Nilpferd* nannten und das darin bestand, in unsere Berichte und Korrespondenzen ein Wort einzuschleusen, etwa Nilpferd, das nichts mit dem zu Berichtenden zu tun hatte und doch möglichst viele Schreibtische und Ebenen passieren sollte. Wem es gelang, sein Nilpferd bis zum obersten Vorgesetzten zu bringen, der erhielt einen Punkt in dem vollkommen zweckfreien, aber uns mit dem Gefühl der Selbstermächtigung erfüllenden Spiel. Wir wollten autonom sein gegenüber den Hierarchien, wir wünschten uns ein wenig Anarchie in den bürokratischen Strukturen.

Das Nilpferd war so etwas wie der Schuh von Nikita Chruschtschow, mit dem er bei einer Rede in der Generalversammlung auf den Tisch getrommelt hatte, wie die Comicbombe Benjamin Netanjahus, die er auf einer Papptafel den verwunderten Delegierten präsentierte, oder auch wie die UNO-Charta, die Muammar al-Gaddafi zerriss: ein Ding, das an die falsche Stelle geraten war. Etwas, das sich nicht gehörte. Etwas, das nicht gehorchte. Requisiten auf einer Weltbühne, auf der die Staatenlenker ihre Hoheit zu verteidigen suchten, ihre Gebiets-, mehr aber noch ihre Deutungshoheit und immer wieder waren dazu Requisiten verwendet worden, über die zumindest wir jungen, in der Ausbildung noch verwunderten Neuankömmlinge der UNO-Familie unsere Wetten abschlossen: Wer sie erdacht hatte, wie sie funktionierten, wann sie aufgehen würden, denn wie der Revolver im bürgerlichen Theater, der irgendwann vor Ende des Stücks einen Schuss abgeben musste, um die Handlung überhaupt zu ihrem Ende zu bringen, so waren auch die Requisiten in unsere Erzählung gesetzt, deren retardierendes Moment nicht ewig würde funktionieren können: die Schuhe von Chruschtschow, die Charta von Gaddafi, die wie in einem Comic gezeichnete Bombe Netanjahus. Während allerdings die Schuhe, die Comiczeichnung, die Charta möglichst auffallen sollten, musste unser Nilpferd abtauchen. Es trieb als Spion durch die Texte und wurde selten entdeckt.

Es gab das Spiel mit den Nilpferden.

Es gab die mitreisenden Gattinnen und die trinkenden, einsamen Frauen in den Missionen und den Job bei der Unesco, der wie aus dem Nichts entstand nach einem Anruf, weil die Gattin sonst depressiv würde vom Mitreisen und Nichtstun.

Es gab die hellblaue Flagge, die Hochsicherheitsburgen der Missionen, die wie ein UFO im Nirgendwo gelandet waren, und die in ihren Astronautenanzügen durch harmlose Dörfer stapfenden UNO-Mitarbeiter, Gespött der Menge.

Es gab die Lager, die Plastikmatten in den Hütten, die Impfungen, die Kindersterblichkeit, den Kot, der das Wasser verseuchte, und die Mittel, die man gegen die Verseuchung austeilte.

Es gab die drei Britinnen, verschworene Grazien, die tags im eleganten, etwas zu strengen Kostüm in ihren Büros ein fernes Land ordneten, obwohl niemand in Sri Lanka großes Interesse daran hatte, von ihnen geordnet zu werden, von diesen steifen Bürokratinnen mit ihren Menschenrechten, die mal galten, mal diktiert wurden, mal retteten, mal einfach nur schiefliefen, man wusste nicht, wohin genau man mit diesen Rechten kam. Aber die britischen Schicksalsgöttinnen schnitten weiter ihre Fäden und wurden in das nächste Krisengebiet geschickt und nach ein paar Jahren in das nächste, dabei hatten sie nicht bemerkt, wie schnell man vierzig wird und dann fünfzig, und wieder ein Krisengebiet und wieder nur ein Container zum Leben.

Es gab den Anschlag in Bagdad, bei dem zweiundzwanzig Menschen starben. Einige von ihnen waren nach der Detonation noch durch den Raum gelaufen, lebende Tote, ihre Gliedmaßen vom Körper geschnitten, glatt und sauber abgetrennt durch die Glasscherben, die bei der Explosion in den Raum gedrückt worden waren, zu viel Glas, man hatte einfach zu viel Glas verbaut in diesem Gebäude.

Willkommen in der UNO, sagte Daven. Und weshalb genau wollten Sie noch mal hierher?

Es gab das Programm *Oil-for-Food*, in dessen Pipeline irgendwo ein Loch gewesen sein musste, denn das Essen kam nie in vollem Umfang an.

Es gab auch andere Skandale.

Es gab die Mitarbeiterin, die sich auf einer Toilette des Istanbuler Flughafens mit einem Schnürsenkel erhängte.

Es gab Blicke, so leer, dass ein ganzer Schwarm Fliegen darin unterkam.

Es gab die Melancholie der drei Britinnen, wenn die letzte Runde gezahlt war. Oder war es eine ausgemachte Depression?

Es gab die Marke Mount Swiss, deren Schnürsenkel außerordentlich strapazierfähig waren. Gemacht für Berg und Busch und Flughafentoiletten.

Es gab Castros Rede vor der Generalversammlung im September 1960, mit der das Jahrzehnt der Befreiung begann. Wir werden unser Bestes tun, uns kurz zu fassen, verkündete Castro und hörte viereinhalb Stunden nicht mehr auf zu sprechen, in seiner grünen Revolutionsjacke am Rednerpult, ein westlicher Premierminister, heißt es, habe in der Nase gebohrt, und Castro hörte nicht auf zu sprechen, er hörte einfach nicht auf.

Es gab die glamourösen Empfänge, die unfassbar reichen Despoten und Diktatoren, die ihre Gattinnen losschickten, damit sie ein paar salbungsvolle Worte über Frauenrechte im Menschen-rechtsrat sprachen.

Es gab die Berichte, die von Nairobi nach New York und von dort nach Mogadischu geschickt wurden, und niemand, wirklich niemand auf dieser Welt, der liebe Gott eingeschlossen, kann er-klären, was die Menschen in Mogadischu mit den Berichten aus New York anfangen sollten, in denen ihnen erklärt wurde, dass ihre Lage aussichtslos sei und zu gefährlich, um Mitarbeiter zu ihnen zu schicken.

Es gab die Sitzungssäle der Vereinten Nationen, die ich wegen ihrer Kühle immer gemocht habe und gefürchtet zugleich, und ich meinte in ihnen noch das Scheitern vergangener Gespräche zu spüren, nur das Scheitern, nicht das, was nach dem Scheitern kommt oder was dieses Scheitern bedeutet, oder das Gelingen, das es mitunter auch gab.

Es gab die beiden gewaltigen Olivenzweige hinter dem Red-nerpult im Saal der Generalversammlung, und es gab das Gemäl-de von Per Krohg, das die Stirnseite des Sicherheitsrats zierte, mit einem Phoenix in der Mitte, der den Kopf gesenkt hielt.

Es gab die kleineren Säle, in denen die Vertreter der Regierung und die Rebellen, Oppositionelle, Milizionäre zusammengebracht wurden, man trug die Nachrichten von einem Saal zum anderen, sie klangen zunächst wie eine Kriegserklärung, bald wie eine Geheimsprache und am Ende, aber es war doch nicht das Ende, klangen sie wie ein Friedensangebot, aber es war keines, es war nur eine Atempause.

Es gab den Diplomaten, der etwas zu schnell den Raum ver-ließ.

Es gab Sackgassen.

Es gab das Licht um drei Uhr morgens in den Sitzungssälen, blasser als jede Dämmerung. Das Licht der aussichtslosen Verhandlungen. Sie wurden in die Länge gezogen, weil wir so schlecht damit klarkamen, dass etwas ins Nichts lief. Weil wir lieber müde als ohnmächtig waren. Eine Situation nicht zu beherrschen, hielten nicht viele von uns aus, die meisten hielten es nicht für möglich.

Und Sie sind sich sicher, sagte Daven, dass Sie Ihren Vertrag verlängern wollen?

Es gab die neunziger Jahre, Ruanda und Srebrenica, Hutu-Power und Slobodan Milošević.

Es gab die Mogadischu-Linie, achtzehn tote US-Soldaten und das Versprechen Bill Clintons, sich nicht mehr in Konflikte einzumischen, in denen die USA nichts zu gewinnen hatten.

Es gab die zehn belgischen Blauhelm-Soldaten, die wenige Monate später in Kigali ermordet wurden zu Beginn des Genozids. Sie hatten die ruandische Premierministerin schützen wollen. Es war ihnen nicht geglückt. Sie wurden das belgische Mogadischu.

Es gab Tote in Ruanda, einige sagten 600 000, andere sprachen von einer Million.

Es gab das Kind, dessen Körper Feuer fing, das bereits leblos schien und doch wieder zuckte und schrie, und die Augen waren so schwarz, weil von innen alles schon verbrannt war, nur nicht die Nerven. An den Nerven entlang frass sich die Hölle weiter.

Aber es gab keine Hölle. Weil es keine gefallenen Engel gab. Nur Menschen.

Es gab die Grenze zu Zaire, zu der sich viele Hutu flüchteten, als die FRP die Macht übernahm.

Es gab das *Plus jamais ça, Never again, Nie wieder,* aus dem heraus die UNO gegründet worden war, aber es verhinderte nicht, dass es wieder geschah, die Morde, Massaker, Genozide.

Es gab die Truppen, die abgezogen wurden, und die Truppen,

die gar nicht erst stationiert gewesen waren. Man sah den Genoziden zu oder sah weg. Man vermied das Wort.

Es gab die überfüllten Flüchtlingslager an der kongolesischen, damals noch zairischen Grenze, in dem die Leichen auf der Straße lagen.

Es gab meinen ersten Einsatz in einer Mission. Ich war Davens Assistentin und sollte die Wahrheitskommission in Burundi beaufsichtigen, die Aufarbeitung der Völkermorde in den Jahren 93, 88, 72.

Es gab Erinnerungen.

Es gab Wut.

Es gab Angst.

Es gab die Lebenden und die Toten und die dazwischen.

Es gab die Bezeichnung Hutu und Tutsi, und es gab eine deutsche Vergangenheit.

Es gab die deutschen Kolonialherren, die aus den Tutsi vor über einem Jahrhundert Verbündete gemacht hatten und aus den Hutu Minderwertige.

Es gab ein Kind, das mit angesehen hatte, wie eine Tutsimiliz seinen Vater ermordete. Das Kind war jetzt Präsident von Burundi.

Es gab jene, die ihn für einen Messias hielten, jene, die einfach still blieben, und jene, die ihm ethnischen Hass nachsagten, und so jemand, meinten sie, wäre ganz sicher nicht fähig zur Versöhnung des Landes.

Es gab die untergetauchten Mörder von 93, die sich in den Grenzgebieten neu organisierten.

Es gab den Abend im Juni, als Daven und ich in Bujumbura ankamen. Antoine, ein burundischer Kollege, hatte ein Essen für uns vorbereitet, wir redeten unter einem sternenklaren Himmel über einen Panther im Jardin des Plantes, tranken kühlen

Riesling, den der örtliche DHL-Lieferant ausgesuchten Kunden beschaffte, hörten Witze über die UNO, »auf unserem Grabstein wird stehen: Hier ruht ein Volk, das das internationale Recht respektiert hat«, was einige am Tisch zum Lachen brachte, mich nicht, und Daven lachte sowieso selten, und während ich hinaufsah zum sternklaren Himmel und Antoines ruhige Stimme von Rilke sprechen hörte, öffnete sich etwas in mir, oder etwas fiel ab. Nach Tod roch es hier nicht oder aber ich konnte ihn nicht riechen, weil ich mich von oben bis unten mit Moskitoschutz eingesprüht hatte.

Es gab Sarah, die mir zur Begrüßung förmlich die Hand reichte. Ich spürte ihre kalten Finger in meinen und fragte mich, wie man in diesem Land frieren konnte. Hier nicht, sagte sie. Aber drüben, in Bukavu. Da ist es kalt wie in einer Leichenhalle.

Es gab Wahrheit. Zumindest gab es etwas, das wir in unseren Berichten so nannten.

Es gab Amnestien, aber kein Tribunal, ein Tribunal wollte die Regierung in Burundi nicht, keine Schuldsprüche.

Es gab die Palme im Hof, die auch am Mittag noch Schatten warf.

Es gab neue Pläne – und als Nächstes Bangladesch!

Es gab die schlaflosen Nächte, wenn ich allein in meinem vom Wachschutz eingekreisten Haus saß, die Fernbedienung meines Fernsehers so schnell bediente, als wollte ich ein Computerspiel gewinnen, und irgendwann trotzdem nicht mehr überhören konnte, wie still es eigentlich war, und ich fragte mich, ob solch eine Stille normal war, ob ich nicht am Leben vorbeiglitt oder, schlimmer noch, gegen seine Regeln verstieß.

Es gab Milan. Irgendwo dazwischen gab es Milan. Vielleicht habe ich das damals tatsächlich schon gewusst.

–

Oder fragte ich mich doch nur, wann es auffallen würde, dass ich mich in diesen Verein geschmuggelt hatte wie eines der Nilpferde in unsere Texte?

Aber Sie machen das ganz ausgezeichnet, sagte mir Daven.

Aber Sie machen das ganz ausgezeichnet, sagte mir später Monsieur Boucheron.

Und ich nickte.

Auch unsere falschen Nilpferde waren selten entdeckt worden.

Genf. April 2017

Ich stand vor der Tür Nummer 208, einer der unzähligen Herz-klappen des Beau-Rivage. Es war Monsieur Boucherons Idee gewe-sen, die Verhandlungen hierher zu verlegen, in die Appartements und Suiten, in den intimen Bereich unserer Gesprächspartner einzudringen, in dem sie aßen und schissen und träumten. Mira, Sie tauchen an erstaunlichen Orten auf. Wir müssen das nutzen, es bleibt uns gar keine Wahl. Wenn wir die Vereinten Nationen bewahren wollen, müssen wir neue Wege finden, und ich trat, von einem Zimmerkellner geleitet, ins Innerste vor oder vielmehr ins Vorzimmer des Innersten, in einen Raum mit hellblauen an-tiken Möbeln, Türen, die zum Bad und zum Schlafzimmer ab-gingen, und einem Mann, der mir den Rücken zuwandte, blass und unauffällig und doch so mächtig, dass das ganze Gebäude hätte wanken müssen, als er sich umdrehte, aber es wankte nicht.

Sie werden jetzt nicht erwarten, dass ich Ihnen die Hand gebe, erklärte er. Man hat mich zu spät informiert, dass Sie ... aber gut, nehmen Sie Platz, ich habe mir gerade eine Portion Pommes frites bestellt, vielleicht möchten Sie auch welche.

Ich nickte, tief und lang, so dass es auch als höfliche Verbeu-gung durchgehen mochte, und blickte hinab auf das Monument Brunswick, das draußen auf dem Platz vor dem Hotel mit seinen Türmchen und Zinnen in den Himmel ragte, von Löwen bewacht, als handelte es sich mindestens um einen Frankenkönig, viel-leicht sogar einen Papst oder Heiligen, der in einer Geschichts-klausur der achten oder neunten Klasse vorkam, aber in Wahr-heit war Brunswick nur ein Herzog aus Braunschweig gewesen, viel mehr als dieses Grabmal gab es nicht von ihm, das er der Stadt aufgedrängt hatte zusammen mit dem Grand Théâtre, um hier als Toter liegen zu dürfen, manchen Menschen ist der Tod wichtiger als das Leben, denn sie waren immer überzeugt, mehr zu sein als irgendein Herzog aus Braunschweig, und wie grenzenlos kann man wachsen, wenn man nur noch aus Stein besteht.

Es gibt eine Sackgasse, Madame, erklärte mein Gesprächspartner und wies mir einen Platz auf dem Sofa zu. Wenig später zog ich meine Pommes durch den Ketchup, hauchdünn, sogar noch mit dem Geschmack echter Kartoffeln, mir fehlte der Duft alten Frittierfetts, wie es ihn in jedem anständigen Imbiss gab, aber ich wagte nichts zu sagen, beäugte meinen Gesprächspartner von der mit Seide bezogenen Couch aus, Barockmusik drang aus einem Lautsprecher, das Cembalo zu klirrend, der Bass zu dröhnend eingestellt, und ich sah, dass mein Gegenüber die Nacht tatsächlich nicht gut geschlafen haben konnte, legte meine Fingerspitzen gelassen aneinander, und draußen, ein paar Meter unter uns lag Brunswick, die Steinmetze hatten nur mit Papier spielen wollen, das Monument wirkte von hier aus zart und so, als könne es von jedem Windhauch weggeweht werden. Nur wehte kein Wind, ich glaube, seit Brunswicks Tod wehte hier kein Wind mehr.

Sie haben gedacht, dass Sie schon im Januar nach Hause gehen mit dem Gefühl eines Erfolgs, sagte mein Gegenüber. Mit absurder Ruhe. Am Wochenende wären Sie in einen Erholungsort in den Bergen gefahren. Wunderschön. Die Leute in der Presseabteilung hätten sich nur noch über die Kommata gestritten. Und dann, was für eine Überraschung: nichts. Keine Heimfahrt. Keine Erholung.

Er blickte auf meine Hände, die ich ruhig zu halten versuchte.

Wir haben die Kommata unterschätzt, sagte ich.

Das waren keine Kommata, das war Sabotage. Es gibt Sackgassen, Madame, wiederholte er. Bei Ihnen gibt es eigentlich nur Sackgassen. Und Sie dachten, da Sie uns so erfolgreich in eine hineingeschoben haben, werden wir im Juli ohne Widerworte anreisen zu den Gesprächen in diesem, wie heißt es, Kranzmountain?

Crans-Montana.

In diese neue Sackgasse. Aber es müssen sich alle Seiten bewegen.

Manche Leute tauchen lieber ab, murmelte ich zu dem kleinen Mahagonidiener gewandt, der auf einem Bord reglos einen Palmwedel hielt.

Nennen Sie es, wie Sie wollen. Der Punkt ist: Wir sind lösungsbereit, es ist die griechische Seite, die alles blockiert. Sind es vielleicht die alten Vorurteile, die Sie das übersehen lassen? Man möchte uns als das Problem sehen. Bis heute möchte man uns als Invasoren sehen. Als unrechtmäßige Eindringlinge.

Ich wollte widersprechen, doch er hob seine Hand. Was wäre passiert, wenn die Türkei keine Truppen geschickt hätte damals nach dem Putsch, nach den Massakern 74? Die USA hatten anderes zu tun, als sich um die Menschen auf einer kleinen Insel im Mittelmeer zu kümmern, Nixon hatte Watergate und eine Verfassungskrise, und denken Sie, dass Ihre Blauhelmsoldaten alle Übergriffe verhindert hätten? Manchmal muss man parteiisch sein, um die Menschen zu schützen. So weit werden Sie nie gehen. Sie nennen es Neutralität, aber in Wahrheit wollen Sie ihre eigene Verantwortung nicht, und Sie lassen eine Geschichte erzählen, eine, die ihnen gefällt. Aber sie stimmt nur zur Hälfte, wenn überhaupt.

Er schenkte mir ein schmales Lächeln.

Es gibt Leute, die aufgeben, natürlich, sagte ich.

Es gibt Leute, die überhaupt nur zu Ihnen kommen, weil sie

an nichts mehr glauben. Aber darunter, Madame, bitte sagen Sie mir das, darunter liegt noch etwas?

Ich betrachtete ihn, seine schlaffen Wangen, man könnte sie eingefallen nennen, seine Tränensäcke, man könnte sie als geschwollen bezeichnen, er sah müder und kraftloser aus als in den Nachrichten und auf den Pressefotos, hier war er nur ein Mann, der in der großen weiten Welt nichts zu suchen hatte, nicht in den Pufferzonen der Blauhelmsoldaten, nicht in den an die Flughäfen eines Krisengebiets gebauten UN-Missionen, nicht in den überfüllten Lagern, weil allein das Flattern einer infektionsgetränkten Mücke ihn dahinraffen würde, ein Jemand, ein Niemand. Und er war alles in diesen Tagen.

Ja, ich denke, manchmal liegt noch etwas darunter, antwortete ich.

Wir werden sehen, Madame. Wir werden sehen, was noch darunter liegt. Wissen Sie, zwei Dinge machen mir zu schaffen. Das eine ist der Zynismus, den sich manche leisten, auch bei Ihnen, auch bei uns. Die Welt stirbt, und wir bleiben zurück, Sie und ich und die Vereinten Nationen, der kalte Stein im Universum, und einige lachen darüber. Das andere ist eine Karte, die mir ein alter Mann im letzten Jahr geschickt hat. Eine Karte und ein Foto, sonst nichts. Keine Nachricht. Eine Karte von Zypern, auf der er die Orte markiert hat, aus denen seine Familie vertrieben wurde. Das Foto war von der Beerdigung seines Sohnes, seinen Körper haben sie bis heute nicht bestattet, er gehört zu den Vermissten, die auch Ihr Komitee nicht findet. Der Absender war ohne Adresse, ohne Namen, nur: *Der Vater.*

Ich nickte, auch wenn ich bezweifelte, dass er je eine Karte bekommen hatte, ein Foto von einer Beerdigung, das war bloß der erste Zug, Bauer von B2 auf B4, wir kommen nur weiter, wenn wir nicht zu genau über die Wahrheit nachdenken.

Einer Familie, die solche Verluste erlebt hat, wieder ihren Frieden zu geben, ist es nicht das, worum es geht?, fragte mein Gesprächspartner. Mir zumindest geht es darum. Und trotzdem, das verspreche ich Ihnen, werden wir uns nicht alles diktieren lassen. Und Sie ... Er beugte sich vor, strich sich mit Daumen und Zeigefinger über den Schnurrbart. Wollen Sie mehr sein als dieser kalte Stein?, fragte er und reichte mir das kleine Papptellerchen mit den letzten, durchgeweichten Pommes frites.

Kennen Sie die Katzen von Nikosia?, fragte er. Man bezeichnet sie als Plage, weil sie zu zahlreich geworden sind. Weil sie dort nicht hingehören. Sie kommen vom Land, sie haben in der Stadt nichts zu suchen. Sie fleddern den Müll, sie fressen alles, und sie überqueren die Grenze ohne Kontrolle. Aber Nikosia, sagte mein Gegenüber mit wegwerfender Handbewegung. Wo liegt das schon. Und dann starrte er reglos auf meine Hände, und mir schien, er könne hier noch in Stunden sitzen, meine Hände überwachen, ob sie nicht doch zu zittern begännen, und ich hing fest unter seinem Blick, er wollte das Spiel gewinnen, jeder will das Spiel gewinnen, welches Spiel auch immer es ist, was auch immer man gewinnen kann.

Er nickte stumm. Und wissen Sie, was ein Massaker ist?, fragte er weiter, ohne sich zu regen, er starrte nur vor sich hin. An manchen Orten, in manchen Jahren weiß das jeder, jedes Kind, sagte er und ließ seine Daumen umeinanderkreisen. Ich habe mal jemanden gekannt, dem hat das keine Ruhe gelassen, was damals passiert ist auf Zypern. Nachbarn, es waren doch eigentlich Nachbarn. Er kam damit nicht klar, auch Jahrzehnte später nicht. Wie ein Offizier, der seinen König noch verteidigt, obwohl der längst mattgesetzt ist.

So jemanden habe ich auch mal gekannt.

Schach matt. Mein Gegenüber blickte auf, lächelte. Der König ist tot, aber ist er es wirklich? Hat er je gelebt?

Das Cembalo setzte von neuem ein, der Bass war noch immer zu tief, draußen lag Brunswick, Herzöge starben vielleicht, aber Könige und Kaiser waren niemals tot, *dignitas non moritur*, und ich dachte an das Gedicht, das mir Aimé beigebracht hatte, *Heut nacht' hab ich den Tod bei mir gesehen. Er saß an meinem Bett und sprach …*, an die Geschichte, die er mir bei einem unserer Treffen erzählt hatte, von den ersten Missionaren und Expeditionsreisenden, die nach Urundi gekommen waren, jene Neugierigen auf Geheiß des Kaisers, die vor lauter Wissensdrang die Ausplünderung des Kontinents vorbereiteten und denen man die falschen Könige vorgesetzt hatte. Sie betraten unter unzähligen Verneigungen und mit ebenso viel Verschlagenheit die königliche Hütte, die wie ein monströser Schildkrötenpanzer in der Hitze ruhte, sie trafen auf einen Mann, hochgewachsen und geschmückt, der ihnen als der Monarch dieses Fleckens vorgestellt wurde. Was man hier Monarch nannte. Ohne Bürokratie keine Kaiserehre. Ohne Listen keine Untertanen. Ohne Steuern keine Herrschaft.

Die Männer waren damals glücklich lachend wieder abgezogen, sie glaubten, den allgewaltigen Gottkönig der Hügel in der Hand zu haben, der so gut zu ihrem Kaiser von Gottes Gnaden passte, dabei hatten sie den Gottkönig nicht einmal zu Gesicht bekommen, nur jenen Pseudokönig, den man vorgeschickt hatte, um die Göttlichkeit nicht zu entweihen, und man sah ihnen kopfschüttelnd nach, diesen Männern mit ihren Schusswaffen und Residentursystemen und Tropenhelmen, die die Tropen wahrscheinlich nur deshalb erfunden hatten, um irgendwo Verwendung für diese Helme zu haben, denn nichts durfte ohne Bestimmung sein, und ich versuchte, im Schlafzimmer meines Gastgebers ein Rascheln oder Schritte zu hören, ein noch so leises Geräusch, das mir verriete, dass ich nicht mit dem Gottkönig sprach, sondern nur mit seinem Stellvertreter.

Sie bauten Häuser und Stationen und Schulen, und es gerieten auch Leute unter sie, die gar nicht dem Kaiser dienen wollten, nicht erobern, die nur vor den Depressionen und dem Irrsinn und dem Antisemitismus in Europa flohen, und einer von ihnen, der aus einem Ärztezimmer der Bayreuther Irrenanstalt geradewegs auf die Suche nach der Quelle des Weißen Nils gegangen war, gründete seine Station Bergfrieden auf den Hügeln bei Shangi am Kivu-See, schrieb, las, fand die Quelle des Nils, und später, als er den Ersten Weltkrieg zu tief inhaliert hatte und bereits in einem Nürnberger Spital mit Gasvergiftung lag, an der er bald sterben würde, flüsterte ihm eine sanfte Stimme sein eigenes Gedicht zu:

Heut nacht' hab ich den Tod bei mir gesehen,
Er saß an meinem Bett und sprach
Mit sanfter Stimme: willst du mit mir gehen?
Ich zeige dir die Straße – folge nach

und vielleicht war es meinem Gesprächspartner ebenso ergangen, vielleicht war er nicht deshalb so müde, weil er noch mitten in der Nacht darüber gegrübelt hatte, wie man die Vereinigung der Insel einschränken, ausbauen, er sich zumindest genügend Vorteile sichern konnte, vielleicht trug er nicht deshalb so dunkle Ringe um die Augen, weil er gemerkt hatte, dass er all das Geschütz, das er für seinen Plan brauchte, gar nicht besaß, sondern nur, weil er eine sanfte Stimme gehört hatte, die ihn nicht mehr einschlafen ließ.

Wie oft sind wir als Kinder aufgeschreckt, weil wir meinten, wir hätten einen Geist gesehen oder gar einen jener flüsternden Todesboten, er hinge über uns oder säße neben unserem Bett oder lauere darunter. Wir werden älter, sind es längst geworden, können nicht mehr aus dem Bett krabbeln und zu unseren Eltern hinüberlaufen, die uns zwischen sich bergen und alle bösen Geister vertreiben, die Geister besuchen uns noch, aber sie sind wirklich, und wir haben längst einigen Todesboten selbst die Hand geschüttelt, sie fragen uns nicht mehr, ob wir mit ihnen kommen wollen, wir müssen nur die Hand ausstrecken und ihnen weisen, wohin sie zu gehen haben, und vermutlich träumen wir nicht mehr von ihnen, weil wir selbst in so vielen Träumen auftauchen. Wir hängen unter der Zimmerdecke, sitzen am Bett oder kauern darunter, und es misslingt uns wieder und wieder, den Tod zu verscheuchen, wir setzen nur jemanden in Schach, und hinter der Bauernlinie ziehen sich die Milizen zusammen, im Radio laufen Schubert und ein paar Sätze, die jene kleine Wut in Brand setzen, bis sie zu Hass ausflammt, ein paar Worte, die den einen zum Menschen stempeln, die anderen zu Schlachtvieh, zu Ratten, zu Straßenkatzen, zu etwas, das beseitigt werden muss, damit wir zu unserem Glück zurückfinden, das es nie gab, weil der Himmel in der Welt nichts zu suchen hat, und das Glück kann nicht mehr sein als die Flure des Beau-Rivage, durch die ich kurz darauf wieder lief.

Über mir Kronleuchter und unter mir der Springbrunnen mit den vier ihn flankierenden Topfpflanzen und den um ihn drapierten Bistrotischen, den tief gepolsterten Louis-XVI-Stühlen. Die Flure verbanden sich zu Galerien, den Foyerhof mit seinem Springbrunnen umgebend, ausgelegt mit violetten Teppichen, violett wie die Taube auf den Servietten in der Bar. Ich irrte durch die Stockwerke, und im Foyer endlich blieb ich zwischen den Devotionalien von Sissi und den glänzenden Gästetoiletten stehen, in der Nähe des Rezeptionisten, der zwischen all dem Marmor wie der letzte Totenwächter eines bereits vergangenen Reichs wirkte. Sein Anzug war so geschnitten, dass der Ärmel, sobald er die Hand hob, um den Telefonhörer ans Ohr zu legen oder sich über die rechte Schulter zu streichen, die teure Uhr einer Genfer Manufaktur bloßlegte. Der Wandteppich mit seinen milden, fast mehligen Farben ließ ihn noch konturierter hervorstechen, jemand spielte Klavier, und mein Gesprächspartner hatte sich noch einmal hingelegt, schlief bereits oder lag wach in seinem Bett, was ging es mich an, ob er einen Teddybären, Unterlagen oder das zweite Buch Mose bei sich hatte, es war mir egal, und trotz aller Schnörkel war es in diesem Hotel, in seinen Treppenhäusern und Fluren zu kühl, zu akkurat, um dekadent zu sein. Nichts Rauschhaftes, nichts Ekstatisches, im Luxus des Beau-Rivage lag nur das Geld, das reine Geld, in seiner schlichten, fantasielosen Wahrheit. Es gab hier keine Träume, man schlug die Augen auf, und vor dem Fenster lag Brunswick. Der See. Die Fontäne sprühte. Das Wasser war das sauberste der Welt, und Genf wäre eine Geisterstadt, wären wenigstens die Toten hier zu Hause.

Südkivu. Oktober 2012

Der Geruch in den Lagern war der von Folie und Schlamm. Von Feuer und Plastik. Von Staub und Zucker. Von zwei Dingen, die nicht zusammengehörten. Es war der Geruch davon, dass man nicht ankommen durfte oder konnte. Dass es kein Außen gab, nur von neun bis fünf, danach begann die Ausgangssperre. Es war der Geruch davon, dass es keine Heimat gab, obwohl die Heimat irgendwo liegen musste, man kam ja von dort, aber der alte Geruch war verschwunden und mit dem Geruch das Gefühl und mit dem Gefühl die Wirklichkeit.

Lange habe ich gemeint, es wäre das Sehen oder Hören, das uns direkt trifft, aber es ist der Geruch, der so schwer wieder verschwindet, wir haben ihn noch Stunden danach bei uns, er ist nicht wie eine Erinnerung, sondern einfach da, gegenwärtig. Noch Tage später roch ich die Haut eines Liebhabers, und ein paar Tage länger noch vermisste ich den Geruch, und hätte mir jemand gesagt, dass er mich liebte, hätte ich ihn ausgelacht, denn was will man mit solchen Worten, aber ein Geruch, das ist es, worin wir Glück fassen können.

Über Glück kann man streiten, sagte Zacharie und schob sich die Sonnenbrille ins Haar, mit Unglück kann man Geld machen.

Er lebte im Schatten des Camps in einem der Wellblechhotels, das den Namen Park View trug, zockte Journalisten ab, zählte auf dem Rücksitz eines Jeeps das Geld, lief durch die Camps, aß im Café Glacier, in dem die Zutaten von frischen Eisblöcken gekühlt waren, weshalb das Fleisch, wie er mir erzählte, besser war als überall sonst im Lager, dabei war auch das Café Glacier nicht mehr als ein schrabbeliger Imbiss, wer wollte schon in einem Flüchtlingscamp als Cafégast bleiben, wer wollte hier überhaupt bleiben?

Nur Zacharie blieb, und tags führte er mich durchs Lager. Ein Kind rutschte in dem vom Regen schlammigen Boden aus, ich bückte mich zu ihm hinunter und half ihm auf, hielt es wohl etwas zu lange in meinen Armen, es sah mich verwirrt an, seine Hände drückten meine Unterarme, dann riss es sich los und lief weiter den Schlammweg hinunter zu einer Gruppe von Gleichaltrigen.

Die musst du nicht befragen, die haben nichts mit dem Konflikt hier zu tun, sagte Zacharie.

Aber sie leben hier.

Sie haben nicht getötet, und sie sind nicht getötet worden. Jedenfalls noch nicht, nicht in der Zeit, die dich interessiert.

Ich kann nicht sagen, wie gerecht ich damals gewesen bin, ich musste schnell entscheiden, mit wem ich sprach, wem ich vertraute oder vorgab zu vertrauen, im Lager musste ich noch schneller sein als in den Dörfern, sie waren voller, vollgestopft mit Menschen. Manchmal blieb ich nur einen Tag, manchmal blieb ich länger, wohnte ein paar Tage unter den blauen Flaggen des UNHCR, die vor diesem Himmel immer ein wenig zu blass wirkten mit ihrem Emblem, den beiden Händen, die um eine weiße Gestalt ein Schutzdach formten, drum herum zwei Olivenzweige. Hier waren die Hände durch Zeltplanen ersetzt, sie schützten vor Mücken und Regen und Schlamm und Hoffnung. Ich hatte die Heilige Mutter Maria dort gesehen, ihr Gewand war so blassblau wie die UN-Flagge, sie sah sich kurz zu mir um, ihr Blick flackerte, als könne er jeden Moment erlöschen, dann hob sie einen der zerbeulten Plastikkanister auf und verschwand zwischen den Hütten. Ich hatte die Abkürzungen auf den Formularen verinnerlicht für meine Zeit im Lager und in den Dörfern. Ich hielt den glasigen Augen der ehemaligen Kindersoldaten stand, die sich mit Klebstoff die Träume abtöteten, um keine Angst mehr vor dem Schlaf zu haben. Ich hörte den schweigenden Frauen zu, und in manchen Ecken des Lagers gingen die Vergewaltigungen weiter, in anderen Ecken war es ruhig, fast friedlich, es war ein Glücksspiel, wo man hingelost wurde, meistens sind es Kontinente oder Nationalstaatsgrenzen, hier waren es nur ein paar hundert Meter, die darüber entschieden, ob du deine Ruhe hattest, eine triste, aussichtslose Ruhe, aber immerhin Ruhe, und es gab Europa, es gab Afrika, und es gab die falschen hundert Meter. Die Planen sahen überall im Lager gleich aus.

Man sagt, es wären die Bodenschätze. Ein Land, das reich daran sei, mache seine Bewohner umso ärmer, triebe sie in zerstörerische Minen oder Tagebauen oder ließe sie von Kindersoldaten töten, damit die Warlords besser den Himmel und die Erde ausbeuten und ihre Waren an die europäischen, chinesischen, amerikanischen Händler liefern konnten. Das mochte hier im Kongo stimmen. Burundi hat nicht einmal Bodenschätze gebraucht. Nicht erst die Deutschen hatten das Töten zu den Hügeln gebracht, aber die Deutschen kamen trotzdem und verteilten das Recht aufs Töten, aufs gerechte Töten, sie hatten Missionare dabei, sie hatten Medikamente und Schulbücher und den Glauben an den lieben Gott dabei. Sie verloren den Krieg und traten ihre Kolonie an Belgien ab. Die Belgier betreiben bis heute eine gute Flugverbindung nach Bujumbura, nur während des Mordens im Herbst 93, während des Putsches im April 2015 und an ein paar anderen Tagen war die Flugverbindung nach Brüssel nicht ganz so gut.

Ich lernte, zwei Arten von Kindersoldaten zu unterscheiden: solche, die man getötet, und solche, die man auch begraben hatte. In manchen Ecken des Lagers sprach man nicht viel, das machte es leichter für die Jungen, die man vergessen hatte zu begraben. Es fiel nicht so sehr auf, wenn sie nicht fröhlich waren.

Sie saßen in einer schmutzigen Trainingsjacke vor einem Zelt, einer Jacke, die irgendein Jugendlicher in Deutschland oder Großbritannien im Aufbegehren all seiner Menschlichkeit gespendet hatte. Niemand wollte mit ihnen reden. Die meisten hier, sagte Zacharie, haben Angst vor ihnen, was fängt man auch mit jemandem an, der die Hemmung vorm Töten verloren hat? Hast du mal gesehen, wie ein Schwein kastriert wird? So ähnlich ist das mit denen. Man hat diesen Jungen nicht die Samenleiter entfernt, sondern die Gefühle. Ich weiß nicht, wie ihr ernsthaft glauben könnt, wir könnten sie zurück ins Leben holen oder sogar in die Gemeinschaft.

Einige kommen zurück. Sie können sich reintegrieren.

Reintegrieren? Er zog das Wort belustigt in die Länge. So einen Ausdruck benutzt auch nur ihr. Ihr macht ein Foto von ihnen, wenn ihr ins Lager kommt. Ihr redet mit ihnen. Aber das tut nur ihr. Weißt du, was ein Tabu ist?

Die glasigen Augen des Jungen genügten mir. Ich hockte mich neben ihn, bot ihm eine Zigarette an. Wir schwiegen eine Weile, Zacharie döste im Pick-up, den er ein paar Meter entfernt geparkt hatte, mitten auf der Straße, wer wollte hier schon vorbei, wer außer uns fuhr ein Auto, und ich schwieg einfach weiter, als der Junge endlich zu reden begann, es war wie ein Vakuum, in das etwas hineindrängte, um es zu füllen, wir halten die Leere und die Stille und das Schweigen nicht lange aus, und er erzählte von seinem ersten Tag im Lager, von der Packung Streichhölzer, die jemand ihm in der Nacht, als er schlief, aus der Jacke gestohlen hatte, er sprang in der Erzählung, plötzlich war es ein Morgen in einem Dorf, und die Frau, die beim Herd stand, musste seine Mutter oder Tante oder Großmutter sein, und jetzt war er zwischen anderen Jungen weit weg im Wald, er watete durch einen Sumpf, und jemand schoss, alle schossen sie mit rostigen Maschinengewehren, er schmiss sich in das brackige Wasser, tauchte unter, um nicht gesehen zu werden, aber das vertrug das Gewehr nicht, und als er wieder auftauchte, hatte er sich selbst entwaffnet, da war er wieder bei seinem ersten Tag im Lager, er hatte so viel überlebt, aber nach einer Nacht hier hatte man ihm die Streichhölzer abgenommen, und es war keine Wut, eher Scham, die in seinen langsamen Sätzen lag, Scham darüber, dass ihm so etwas passieren konnte, der doch gelernt hatte in der Truppe des Generals, des Phantoms hinter jedem Befehl, jeder Begnadigung, jeder Bevorzugung, jedem Bann, gelernt unter General Aimé.

Er hieß wie?, fragte ich.

Aimé, wiederholte der Junge.

Und wie weiter? So heißen viele.

Wir haben nur über einen geredet.

Dann sag mir, wie er aussah. Oder hast du ihn nie gesehen?

Hören Sie, er rieb sich mit dem Handballen über die Augen, ich will nichts von Ihnen. Sie wollen was von mir. Dann schreiben Sie mir nicht vor, was ich weiß.

Wie sah er denn aus?

Schreiben Sie mir nicht vor, was ich weiß.

Ich frage doch nur.

Der Junge lehnte seinen Kopf gegen die Zeltplane und schloss die Augen.

Er lügt, nicht wahr?, fragte ich Zacharie, als ich wieder zu ihm in den Pick-up stieg. Du gibst ihm Geld, damit er redet, und wenn er keine Geschichte hat, dann erfindet er eine. Er will Geld, ich habe welches, ich würde es an seiner Stelle genauso machen. Aber in Wahrheit erinnert er sich an gar nichts.

Wer erinnert sich schon genau, sagte Zacharie. Du nicht, ich nicht.

Aber er lügt doch, nicht wahr?

Ach, Lügen. Man erzählt eben Geschichten. Ihr habt den ganzen Kontinent in eine Geschichte verwandelt. In einen Nebenzweig eurer Geschichte. Und jetzt willst du nicht mal für die Lügen bezahlen.

Wenn ich an die Lager denke, habe ich den Geruch der roten Fanta in der Nase, die sie in den Propellermaschinen der UNO ausschenkten, sie teilten Ingwerkekse aus, drei Stück eingeschweißt in Plastik, Erdnüsse, zwanzig Gramm, und rote Berry-Fanta. Sie hatten auch Saft und Wasser, aber alle wollten Beerenfanta, auch ich, die ich nie zuvor dieses süßliche Zeug getrunken habe. Es war wie die letzte Gier nach sinnlosem Überfluss, die uns zusammenschweißte, den Inder, der für ein Ingenieurbüro flog, den britischen Fotografen mit der Ledertasche in der ersten Reihe, der aussah wie Cary Grant, und die beiden Blonden des belgischen Hilfswerks, und als wir ausstiegen in die feuchte Hitze des mit Mauern und Maschendraht gesicherten Flughafens, wurde ich den Geschmack der Limonade nicht los. Wir gingen auseinander, aber der Geschmack blieb, und als wir uns am Abend wiedertrafen in der Bar des Compounds, hatten die Ersten die Fanta gegen Whisky und Bier eingetauscht.

Manche hockten nächtelang unter den Leuchtstoffröhren der Bar, jahrelang, aufgetaucht aus irgendeinem Nirgendwo der westlichen Welt, mit dem sie nicht klargekommen waren, oder aber sie waren dem ersten Moment dieses Ortes erlegen, in dem es keine Richtung gab und die Zeit nicht verging, es gab nur die schroffen Gegensätze, draußen und drinnen, hell und dunkel, Licht, aber keine Dämmerung. Für Menschen wie mich hörte das Zeitempfinden an diesem Ort auf. In Europa hatte ich über die Zukunft nachgedacht, hier hatte ich keine Zukunft, niemand hatte das. Es gab bloß die Gegenwart, in der kein Tag anders war als der Tag davor, nur manchmal, selten, regnete es, schwemmte die Hütten weg, und irgendwann starb jemand, und irgendwann, sagte Zacharie, bist du es. Es gab acht Schuljahre. Keine Dämmerung. Nur die Nacht, aber die Nacht existierte für mich nicht, denn ich verließ den Compound nicht mehr, sobald es dunkel wurde. Wir saßen an den Tischen der Bar, reglos in unserer Umgebung verschwindend wie die Falterschwärme, die im Krankenhaushof alle Wände bevölkerten und die ich nie zu Ende gezählt hatte auch nur an einer einzigen.

Ich gehörte zum Compound. Zumindest für eine Weile. Eine Woche. Fünf Tage, bevor das Wochenende hereinbrach und die Besucher flohen. Der Kontakt zur Außenwelt war ein verrauschtes Skypetelefonat mit der Verlobten und eine Serie auf Netflix. Der kahle Arzt hatte eine Frau in Kampala, sie hatten geheiratet, ehe er ins Lager kam. Er blieb sieben Wochen, fuhr für zwei Wochen in die Welt zurück und kam wieder für sieben Wochen.

Weißt du, wie schnell das Leben vorbei ist, wenn du es in Neun-Wochen-Schritten zählst? Die Zeit ist hier nichts Gutes, sie ist eine Mauer, die man einreißen muss. Es ist, als würden wir die Wände einreißen, aus denen unser Leben besteht, als würden wir sie einreißen, um dranzukommen, seltsam, nicht wahr, aber so ist es hier.

Ich blieb fünf Tage und gehörte zu ihnen.

Zacharie blieb ein paar Ewigkeiten und gehörte nicht dazu.

Er war wie die struppigen Büsche vor dem Compound, etwas, das man übersah, aber das länger blieb als alles Übrige. Er zockte die anreisenden Journalisten ab, die für einen Tag herkamen mit Ledertasche und gut sitzenden Jeans, um Geschichten über ihre Begegnungen mit Flüchtlingen zu schreiben, über die verdreckten Wege, den Geruch der Planen. Niemand konnte wirklich sagen, was Zacharie mit dem Geld anfing, ich konnte mir nicht vorstellen, dass er Familie hatte, höchstens eine vor langer Zeit verlorengegangene, für die er sich nicht mehr verantwortlich fühlte und sie sich nicht für ihn. Er wirkte nicht einsam auf mich, höchstens verlassen. Er hatte Kontakte überall im Camp, und vermutlich schob er dem einen oder anderen UN-Mitarbeiter Geld zu, damit sie ihn nicht aus der Lagerstadt vertrieben, sondern ihm neue Filmteams und Journalisten zuführten, in diesen Blutkreislauf, das Einzige, was sich lebhaft bewegte im Camp.

Ihr habt so eine Angst vor der Nacht, sagte Zacharie. Wisst ihr überhaupt, was in der Nacht im Lager passiert?

Ich schüttelte den Kopf.

Jemand isst, jemand wäscht Geschirr, irgendwo schreit ein Kind, jemand geht schlafen. Vielleicht ist der Himmel klarer als an anderen Orten, aber durch die Plane sieht man ihn nicht. Es ist kein besonderer Ort, es ist bloß ein Ort, um durchzukommen. Manchmal wird eine Frau vergewaltigt, aber das geschieht auch anderswo. Es ist kein besonderer Ort. Es ist bloß ein Ort, den jemand wie du nur bei Tageslicht betritt. Und da drüben, Zacharie lehnte sich vor und streifte dabei mein Knie, liegt die Grenze, siehst du sie?

Ich schüttelte den Kopf.

Natürlich nicht, er lachte, woran willst du so was auch erkennen.

Ich erkannte sie nicht, aber es roch nach Ingwer und Kerosin. Nach Folie und Schlamm. Nach Feuer und Plastik. Es war der Geruch, der Gespenster nahe hält, denn sie sind uns nah, wir vergessen es nur meist.

Genf. April 2017

So wenig, wie man den Punkt bestimmen kann, an dem ein Land aufhört und ein anderes beginnt, dieser Strauch, jener Kiesel oder doch die über die Brache gewehte Plastiktüte, so wenig lässt sich der Augenblick ausmachen, an dem ein Mensch zu viel Raum einnimmt, über die Bedeutung anderer Menschen hinauswächst, und auch, wenn ich es später auszumachen versuchte, als könnte ich mir dadurch meine Souveränität zurückholen, kann ich nicht sagen, in welchem Moment Milan sich diesen Raum nahm, er mich an sich nicht mehr vorbeiließ oder ich nicht vorbeiwollte. Vielleicht war ich nie an ihm vorbeigekommen, sondern bisher nur durch mein Leben gefallen, durch Länder gezogen, als könnte ich mir die Welt wie eine Enzyklopädie aneignen, und war er mir gefolgt oder ich ihm an dem Tag, als wir uns zufällig vor der Cafeteria trafen, ein paar Sätze über die Rede des Hochkommissars tauschten, ich muss rüber ins Beau-Rivage, etwas in der Art werde ich zum Abschied gesagt haben, aber komm doch später dazu, es dauert nicht lang, oder hast du noch zu tun?, oder hatte doch er mich gefragt, beiläufig, wie es seine Art ist: Ich bin mit dem Auto da, kann ich dich irgendwohin mitnehmen? Vielleicht war es der Anruf meines Vorgesetzten, der mich übereilt im Hotel wünschte, oder eine Nachricht von Milans Frau, er zog sein Handy aus der Jacketttasche, schob es gleich wieder zurück, aber natürlich war es nichts davon, sondern längst beschlossen, dass wir erneut in jener Bar mit dem livrierten Kellner und den auf der Serviette festgeflatterten violetten Tauben sitzen würden, mit den elektrischen Kronleuchtern, den gepolsterten Sesseln, in diesem wohlgeordneten Labyrinth aus Plüsch und Marmor, in dem ich nur kurz mit dem Fahrstuhl hinauffuhr, um noch eine Nachricht zu überbringen, zurück die Treppe nahm und Boucheron anrief, der ein meditatives Je-nun von sich gab, Sie machen das schon, Mira, ich habe gehört, die griechische Seite bewegt sich allmählich. Sie müssen unbeteiligt bleiben, und denken Sie nicht zu viel über das Trennende nach, geben Sie den Menschen ihre Brüderlichkeit zurück.

Monsieur Boucheron, ich arbeite für die Vereinten Nationen, nicht für den Papst.

Sehen Sie es andersherum, Mira: Der Heilige Stuhl hat bei uns nur Beobachterstatus, Sie hingegen sind fest angestellt, und Sie wissen, es gibt Situationen, in denen wir über manches hinwegsehen müssen. Situationen, in denen wir einfach nicht genügend kompetente Unschuld haben, um ein Land, eine Lage oder auch nur eine Liebe anders zu schultern, sagte er, oder hatte ich bereits aufgelegt, hielt ich nur noch das Telefon am Ohr und blieb kurz im Durchgang zur Bar stehen?

Milan saß mit dem Rücken zu mir am Fenster, vollkommen ruhig, als warte er auf niemanden, und er wirkte überrascht, als ich mich neben ihn setzte. Er lehnte sich vor, griff kurz nach meiner Hand.

Du glaubst nicht, was sie von mir verlangen. Ich werfe mit Nächstenliebe um mich wie ein Funkenmariechen mit Kamelle. Aber ohne Schuld keine Erlösung, oder nicht?

Schuld, was soll das schon sein, sagte Milan lächelnd. Das ist Eitelkeit. Nichts als Eitelkeit, und er strich mit der Hand an der Tischkante entlang. Schuld, Unschuld. Wir spielen uns klare Grenzen vor. Aber jeder Versuch, ein Land mit exakten Grenzlinien zu zeichnen, hat zu nichts als Absurditäten geführt. Daran sind mehr Menschen gestorben als an Malaria. Und dann versuchen wir es auch noch in unserem Alltag, in unseren Beziehungen und sind überrascht, wenn wir genau daran scheitern, sagte er und winkte dem Kellner, der lautlos neben uns erschien, die Bestellung aufnahm mit seinem kühlen, verständnisvollen Nicken, das ich nur von den Genfer Kellnern kenne und nie ganz durchschaut habe, es ist anders als in Wien, wo die Kellner sich mit Kratzfuß als Hofmeister in ihrem Reich gebärden, und nicht wie in Deutschland, wo sie servil oder rotzig zu sein haben wie Untertanen, in Genf war es eher, als wüsste jeder von ihnen, dass sie die Könige unter den Kellnern waren, wir waren alle Könige oder mehr als das, Monarchen ohne die Fesseln des Hofs, wir saßen inmitten einer Stadt, die aus unzähligen Weltherrschern bestand, wie auch immer wir zu diesem fraglichen Ruhm gekommen waren.

Am Ende bleiben dir vielleicht ein paar Geheimnisse, sagte Milan. Das ist es doch, nicht die Grenzen. Die Geheimnisse halten Staaten zusammen. Und Mira, sagte er und strich mit der Hand von der Tischkante über mein Knie, als wäre es eine fortlaufende Linie, du musst sie schonen, sie gehen so leicht kaputt, die Geheimnisse. Und wenn du sie einmal enthüllt hast, kannst du sie nie wieder zurückbringen.

Milan warf sich ein paar Erdnüsse in den Mund. Er hatte die Krawatte abgenommen, die obersten beiden Knöpfe seines Hemdes geöffnet, ich betrachtete sein Kinn und jene Partie, wo der Schatten eines nachwachsenden Bartes überging in die verletzlichere Haut seines Halses, wir können uns ja nicht aussuchen, was wir wissen, sagte er, sondern umgekehrt bestimmt das Wissen uns, und es zerstört uns manchmal oder das, was wir lieben, während das Geheimnis nachsichtiger mit uns ist, und ich wandte den Blick ab, hinaus zu den kegelförmig zurechtgestutzten Ziersträuchern am Quai, an dem vor mehr als einem Jahrhundert, einer halben Menschheitsgeschichte Kaiserin Sissi von einem Anarchisten niedergestochen worden war, und ich könnte nicht einmal mehr mit Sicherheit behaupten, dass Milan und ich uns geküsst haben dort in der Hotelbar, in Sichtweite der anderen Gäste, Genf ist klein, niemand kennt sich, aber jeder weiß von jedem, sogar den Kellnern ist nicht zu trauen, wenngleich die Menschen in dieser Stadt allein schon aus Wortkargheit und müdem Calvinismus zur Verschwiegenheit neigen und so viel an prominenten Skandalen in den Hotelzimmern und Suiten, Restaurants und Limousinen geschieht, dass man zwischen ihnen gesichtslos wird.

Ich kann nicht mehr mit Sicherheit sagen, ob wir uns geküsst haben unten in der Bar, ehe ich ihm den Rücken zuwandte vor der Tür des Zimmers am Ende eines leeren Flurs, seine Hand auf meiner Schulter lag, von dort meinen Körper hinunterwanderte, alles einem festgeschriebenen Weg folgend, der nicht weiter überraschend ist, außer für jene, die es gerade erleben und denken, sie entdeckten die Welt, ob er sich zu mir herübergelehnt hatte oder ich zu ihm, da wir längst eine Übereinkunft getroffen hatten, ohne sie auszusprechen, manchmal reicht eine Zigarette, die man sich teilt, nicht weil man rauchen will, sondern damit sich die Lippen indirekt berühren. Wir standen auf den Stufen vor dem Hoteleingang, über uns der bewölkte Himmel, der in einer Stadt weit entfernt sternklar sein sollte, ein Angestellter wachte hinter einem Pult neben dem Eingang, und als wir wieder hineingingen, warf er uns einen spöttischen Blick zu. Wir nahmen nicht die Sessel wieder ein, sondern das Sofa unter einem Spiegel, ich hatte meinen Arm wie zufällig über die Lehne gelegt, spürte die Wärme seines Rückens durch den Stoff des Jacketts, er regte sich zunächst nicht, lehnte sich dann, anstatt auszuweichen, nur tiefer in die Umarmung hinein, wir verharrten so über Minuten, unbemerkt von den anderen, die über die Schwäne auf dem Genfer See stritten, über die steigenden Mieten in Les Pâquis, das Jazzfestival in Montreux, und kurz war es, als gäbe er sich mir ganz in die Hand, scheinbar ahnungslos, draußen zerrte eine Frau an einer Leine, versuchte ihren Collie von den Kegelbüschen abzubringen, und Milan erzählte von seinem Vorgesetzten, der jeden Morgen an exakt derselben Stelle die Straße überquere. Es ist kurios, aber es verrät mehr über die Institution, für die wir arbeiten, als über ihn. Dass so jemand eingestellt wird, dass er Karriere macht, sagte Milan und legte seine Kreditkarte dem Kellner hin, leerte sein Getränk, man muss doch ausbrechen daraus, entschied er, oder aber ich entschied es für ihn, eigentlich nur mit einem Nicken, durch das ich ihn auf die Rezeption aufmerksam machte, hinter der auf einem prächtigen Wandteppich Blumengirlanden wucherten und der Rezeptionist sich mit der linken Hand über die rechte Schulter strich.

Es gibt Dinge, die mein Vorgesetzter benennen kann, mit Namen, die er aus Formularen hat und die sich so zerlegen lassen, dass man sie wieder in Formulare eintragen kann, sagte Milan, die restliche Welt, weißt du, bleibt etwas Hypothetisches für ihn, man kann schließlich nur erkennen, was man benennt, und besser als benennen sogar katalogisieren, sagte er, als wir bereits im Fahrstuhl standen, beobachtet vom Liftboy, der uns im zweiten Stock den Weg links den Flur entlang wies. Tabellen sind für meinen Vorgesetzten die angemessenste Art des menschlichen Denkens, sagte Milan und schloss noch dichter zu mir auf. Wenn es Gott gibt, dann ist er die Linie in den Tabellen, aber vermutlich gibt es keinen Gott, nur Lineale, sagte er und stieß die Tür auf.

Ehe ich das Zimmer betrat, schon im Fahrstuhl, schon auf dem Sofa, als mein Arm um Milans Schulter lag, eine heimliche, aber mit jeder Minute verbindlicher werdende Umarmung, schon da werde ich gewusst haben, dass er sich daraus wieder befreien würde, wütend oder vielleicht doch nur aus Angst, die so oft darauf folgt, vor allem bei jenen, die nicht den Verstand verlieren wollen, aber eine Begabung dafür haben, ihn zu verlieren, sonst wären sie nicht da, wo sie sind, sonst wären wir nicht an jenem Abend in einem Zimmer des Beau-Rivage gegen den Schreibtisch getaumelt, während wir uns küssten, er mir das Kleid herunterzuzerren versuchte, meine Hand erst seine Hüfte fasste, dann drängender wurde, er zerrte noch immer an meinem Kleid, bis ich es mir über den Kopf streifte, und wer von uns hatte eigentlich die sechshundert Franken bezahlt, vielleicht, aber ich weiß es wirklich nicht mehr, sind wir sie dem Hotel bis heute schuldig geblieben.

Und alles ist da

Die Bauarbeiter tanzen um ihre Zementmischer, der graue Himmel glitzert zwischen den Karyatiden, in den Blumenkästen recken sich Tulpen, ihre Blütenkelche leicht wie Heliumballone, und kurz heben alle vom Boden ab, die Bauarbeiter, die Karyatiden, der Zeitungsverkäufer, ich, und dann der Regen, dieser Regen, der weltschönste Regen, meine Haare wellen sich in der feuchten Luft, und alles ist da: die Wolkendecke, die sich schützend um die Hausdächer legt, die Kühle, die vom See heraufsteigt, die Nachrichten in vier der sechs UNO-Sprachen, die am Kiosk aushängen, und in allen vier haben die USA keinen Krieg begonnen, es mag keinen Frieden geben, aber in dieser Nacht ist in vier UNO-Sprachen kein neuer Krieg ausgebrochen, nur die Baustelle bricht vor mir auf, zwei Männer verlegen mitten auf der Straße Kabel, jemand tritt einen Stein in den See, doch anstatt zu versinken, treibt er auf den Wellen, und noch meine ich, ich hätte es in der Hand, ich könnte den Verlauf bestimmen, wie die Bewegung des Steins, der nur deshalb auf dem Wasser treibt, weil ich es mir wünsche, ich könnte gehen jederzeit, so wie ich vor einer halben Stunde gegangen bin, Milan auslachend, weil er sich verwirrt gestellt hat, weil es ja nur ein Spiel ist, weil unser Leben kurz nur hier besteht, endlich und zum ersten Mal –

Im Ladenfenster fährt die Modelleisenbahn ein wenig schneller als sonst, hat ein paar Schleifen in ihren unendlichen Parcours eingebaut an diesem Morgen, und du meinst plötzlich, du könntest mich tatsächlich berühren, ist es nicht so, Milan?, als wärst du nicht schon durch so viele Nächte, durch genügend Länder gereist, um zu begreifen, dass du zwar die Nationen aufheben kannst, aber nicht das Befremden, wenn zwei Menschen aufeinandertreffen, und als hätte ich nicht gewusst, dass ich es noch nie in der Hand gehabt habe, aber mit Milan ist es ja anders, mit Milan ist es das erste und einzige Mal –

Wäre ich kurz stehen geblieben, hätte ich vielleicht gesehen, wohin ich lief, aber wer fragt in so einem Moment schon danach, alle Erinnerungen stimmen mit einem Mal überein, Milan, weißt du noch, dass dein Vater mir mein erstes Maschinengewehr schenkte, ein Plastikding mit pinkem Patronengürtel?, aber wir haben ja nicht Krieg gespielt –

Aus den Steinen steigen die Geister von Brunswick und den anderen auf, tanzen mit den Bauarbeitern, ich höre Schuberts Klaviersonate aus allen Fenstern der Straße zugleich –

Und die Klaviersonate habe ich erst später begriffen, ich erzähl dir davon, Milan, ich muss dir das erzählen, und frag mich nicht, was wir gerade spielen, es fühlt sich so anders an –

Aber es gibt ohnehin nur die Zeit, in der die Brauerei geöffnet hat, und dann besauf dich, solange es geht, besauf dich, bis dein Verstand einmal in den Himmel geklettert ist und wieder zurück. Manche sagen, man verlöre ihn dort, dabei findet man ihn da doch erst. Und wenn du dich jemals gefragt hast, warum es das Böse gibt, dann weißt du es jetzt, Milan: damit die Welt nicht umkippt, nicht ins Ungleichgewicht gerät in genau diesem Moment, in dem alles gut ist –

Eigentlich warst du immer neben mir. Ich hatte es nur kurz vergessen –

Und jeder weiß, dass man verschwinden muss, ehe der andere verschwunden ist, und wer zuerst die Erklärung macht und wer zuerst die Neuigkeiten im Radio sendet und wer sich zuerst zurückzieht und wer zuerst angreift –

Helena, immer nur Helena, der schönste, unglaubwürdigste Grund, einen Krieg zu führen, um sie war es doch eigentlich gegangen, denn wenn man nur Krieg will, schließt man einfach die Brauerei, aber man hatte Helena gewollt, und wir zumindest verstanden an diesem Morgen nicht, was man tun muss, wenn man Helena berührt hat, wenn man Helena ist –

Wir beide nicht. Du auch nicht, Milan. Red dich nicht raus –

Wir haben den Krieg nicht gewollt, Milan, das stimmt doch, oder? Bitte sag mir, dass das stimmt.

Denn es ist ja alles da. Nein, so: Alles ist anders.

Für den Moment.

Genf. April 2017

Im Ladenfenster drehte die Modelleisenbahn ihre Kreise, ein kleiner, minzfarbener Zug auf dunkelgrüner Rasenpappe am Boulevard Georges-Favon nahe der Brücke, genügsam wie die Mopeds im Kreisverkehr von Bujumbura, und ich fühlte Milans Hand noch in meinem Rücken, er hatte mir, wohl nur weil ich gefroren hatte, in der Nacht eine Decke über die Beine gelegt, seine Hand über meine Hüfte hinaufgleiten lassen, ohne das Zögern, das es zwischen uns gegeben hatte noch kurz zuvor, und es war, oder wünschte ich es mir nur, als verschwömmen die Körper und Minuten, das Stöhnen, die Wut, die Gier, die Enttäuschung, als könnte ich hinter alle vorangehenden Nächte zurück, und wir zählten noch einmal von vorn, eine neue Zeitrechnung, ein unscheinbarer Morgen, die Sonne über Genf matt hinter den Schleierwolken, die Temperaturen um zehn Grad, und beginnt es nicht immer so, oder sind es nur die kindlichen Verliebtheiten, die noch von keiner Wiederholung wissen und nichts von den mühseligen Zurückweisungen, Eroberungen, Gleichgültigkeiten, davon, dass der Schleier irgendwann einfach reißt, man ein profanes Gesicht sieht, gewöhnlich wie alle anderen Gesichter und doch einem so nah, wie man sonst nur Engel an sich heranlassen würde, aber es beginnt immer so, mit einer Decke, einem Mantel, einem Pullover, den man ausborgt, weil man behauptet zu frieren, nur um unter diesem Stoff verborgen den anderen zu berühren, ein Hemd, das den Geruch des anderen trägt, eine Decke, die uns vor fremden, vor unseren eigenen Blicken schützt, und Milan hatte am Morgen im Flur seinen Arm nicht um mich gelegt, er wusste ebenso wie ich, oder vielleicht spürten wir auch nur, ohne darüber nachzudenken, dass wir die verschüchterte Distanz zwischen uns, sobald wir in der Öffentlichkeit waren, aufrechterhalten mussten, sie um Himmels willen nicht zerstören durften, mit etwas so Belanglosem wie einem Kuss zum Abschied. Es wiederholt sich eben doch alles, man kann nicht zurück hinter die anderen Nächte, man muss etwas verbergen, man muss sich ein paar Lügen mehr einfallen lassen und sie zu glauben beginnen, und ich war so vertieft in das unendliche, genügsame Kreisen der Modelleisenbahn vor mir, dass ich nicht weiter darauf achtgab, als jemand neben mir stehen blieb, kurz dachte ich daran, mich umzudrehen, aber es war nur ein Reflex, den ich mir in Ländern angewöhnt hatte, vor denen die Ministerien so gerne warnten,

gerade Sie als Frau müssen vorsichtig sein!,

und ich wiederholte jedes Mal,

ja, gerade ich als Frau!,

mich fragend, ob gerade mir oder gerade mir als Frau dieser Schutzreflex empfohlen wurde, der in der Schweiz unnütz war. Hier passierte so wenig, dass ich mir manchmal ein wenig apokalyptischen Rauch wünschte, trompetenblasende Heerscharen, die über die Bergkuppen zogen, kleine Explosionen aus der Ferne, ein Tier mit zehn Hörnern, sieben Kronen, wenigstens ein paar lästerlichen Namen, aber alles, was seit jenem Anschlag auf die Kaiserin am Quai geschehen war, waren Skandale und Absonderlichkeiten und der Suizid eines deutschen Ministerpräsidenten, aber auch das war dreißig Jahre her und gehörte nicht wirklich in diese Stadt, Barschel war wie die Modelleisenbahn, wie die Nilpferde in unseren Berichten, wie Chruschtschows Schuhe in der Generalversammlung einfach hineingeraten in eine Kulisse, die falsch für ihn war, und ich fragte mich, wem in Genf der Besitzer des Modelleisenbahnladens eigentlich seine Anarchie beweisen wollte.

Ich habe auf dich im Café gewartet, sagte die Frau hinter mir, und jetzt erkannte ich sie unscharf gespiegelt im Schaufensterglas. Als ich mich zu Sarah umdrehte, wirkte sie noch blasser als im Remor, vor der dunklen Holzverkleidung, und ich fragte mich unwillkürlich, ob ihr etwas zugestoßen war oder jemandem, der ihr nahestand, ob sie vielleicht erst vor Minuten einen dieser Anrufe erhalten hatte, vor denen wir ein Leben lang Angst haben und mit denen plötzlich etwas hereinbricht wie durch eine offen stehende Tür, die wir zu lange übersehen haben.

Alles in Ordnung?, fragte ich.

Jaja, ich bin nur müde. Das ist alles.

Sie sah mich eine Weile an, unschlüssig, und ich versuchte zu erkennen, was sich an ihrem Gesicht verändert hatte, ob es nur die Blässe war, die es mir so fremd machte.

Aber bei dir, sagte sie, das ist anders …

Es ist lange her.

Das meine ich nicht.

Ich wollte mich melden, aber hier in Genf, weißt du, es war alles so viel, die Vorbereitung der Zyperngespräche und überhaupt die Stadt, die Menschen hier.

Das meine ich nicht, wiederholte sie. Die Geschichten, die ich über dich gehört habe … Die Leute wollen nichts sagen, aber bei dir tun sie es trotzdem. Ist mir das früher nicht aufgefallen? Oder ist das alles eh nur ein Gerücht?

Ich zuckte die Achseln. Zwei Jahre Wahrheitskommission. Wenn du noch in den entlegensten Dörfern die Leute um ihre Geschichte anbettelst, dann hast du irgendwann raus, wie du Menschen zum Reden bringst.

Wahrheitskommission, sagte Sarah, das war doch nur ein Name. So wie die Friedenstruppen nach Frieden benannt sind, aber wenn sie den wirklich mal brächten, dann würde ich auch

an Wunder glauben, aber daran habe ich nur ein einziges Mal geglaubt, in der Messe in Bubanza, der Ministrant hat mir eine halbe Stunde lang mit seinem Weihrauchfass ins Gesicht gewedelt.
Ich konnte oben von unten nicht mehr unterscheiden und war
kurz davor zu glauben, dass ich fliegen könnte. Nach der Messe
hat ein Laster bei der Kirche gehalten und Menschen vor dem
verlassenen Repatriierungsbüro ausgeladen. Es würde erst am
nächsten Tag wieder öffnen, das stand auf dem Schild, aber das
Büro sah eher so aus, als hätte jemand vergessen, es abzureißen.
Und die erfolgreich aus dem Kongo Heimgeführten, für die es
nur dummerweise keine Heimat mehr zu verteilen gab, schliefen irgendwo im Feld oder auf der Straße. Gut. Kommt vor.
Der UNHCR kann nicht zaubern, und ich habe das mit dem
Fliegen ja auch nicht hinbekommen.

Ich lachte, aber Sarah legte mir ihre Hand auf den Mund und
schüttelte den Kopf. Weißt du, Witze sind leicht, aber der Kongo
ist die Hölle. Ruanda, gut, das ist ein Überwachungsstaat, aber
der Kongo …

Die Hölle gibt es nicht, sagte ich.

Nicht die Hölle, du hast recht, das da drüben ist Golgota. Alle
Sünden der Welt auf einem Fleck. Wir laden unseren Dreck dort
ab und machen noch ein Geschäft damit.

Besser, du lässt Gott aus dem Spiel.

Wir kriegen es ja auch so hin. In unseren Berichten blüht ein
Land aufs Prächtigste. Wenn die Entwicklung erst da ist, kommen die Rechte von ganz allein, aber dann sind wir alle überrascht, dass es schiefgeht. Und manche haben mehr mitgeholfen
als andere, sagte Sarah, die Kälte in ihrem Ausdruck noch ste-
chender als zuvor. Ich habe ihn einmal wiedergesehen, deinen
Freund von damals, wie hieß er noch?

Ich weiß nicht, wen du meinst.

Aimé? Hieß er nicht so? Ich glaube jedenfalls, dass er es war, irgendwo bei der Universität, in der Avenue de l'Imprimerie muss es gewesen sein. Vielleicht täusche ich mich, ja, ganz sicher, wie könnte er da gestanden haben auf offener Straße. Vielleicht hat ihn die Menge geschützt, es war noch vor dem Putsch, so viele Leute gingen demonstrieren, und es gab noch keine Toten, zumindest habe ich keine Leichen in der Innenstadt gesehen. Das ist erst danach gewesen, als der Putsch niedergeschlagen war. An dem Nachmittag musste ich an dich denken, ich habe immer angenommen, dass du und er … Ihr habt euch häufiger getroffen, oder nicht?

Was weiß ich, sagte ich. Ich habe auch nicht jeden Abend mit Antoine in die Berichte geschrieben. Die einen haben die mitreisende Gattin, die anderen einen zu langen Feierabend.

Du weißt ja, dass wir ihn gesucht haben, deinen Aimé, sagte Sarah und wandte sich ab. Ich sah sie die Straße hinunterschlendern, aus der Entfernung wirkte ihr Gang unbefangen, war sie überhaupt neben mir stehen geblieben, hatten wir gerade noch miteinander gesprochen?

Vor mir drehte die Eisenbahn ihre Kreise, ein kleines minzgrünes Modell in einem Ladenfenster im Boulevard Georges-Favon, in der Scheibe spiegelte sich nur noch die leere Straße, und die Bahn drehte sich so unendlich und genügsam wie die Mopeds im Kreisverkehr von Bujumbura, Tod, Auferstehung, Tod, mühsamer Kreislauf, hatte mir Aimé zugeflüstert, sie schießen uns tot, und dann schießen wir sie tot, und dann töten sie wieder uns. Es verfolgt keinen Sinn. Es hat nichts mit Erlösung zu tun, nur mit der Unmöglichkeit, in einem ewigen Kreislauf nach links oder rechts abzubiegen. Dass die Verkehrskreisel der Mittelpunkt unserer Stadt sind, Mira, das Herz, wenn Sie so wollen, verrät Ihnen alles, die Kreisel und nicht etwa das Parlament, nicht ein-

mal die Kirche, der Kreisel ist es und in der Mitte des Kreisels
der Baum, an dem Brautpaare so gerne ihre Hochzeitsfotos schießen lassen, und gegenüber die Toyota-Filiale, die jetzt immer
mit auf das Bild muss, ja, die Zukunft!, aber wir erreichen sie
nie, weil die Gegenwart der ewige Kreisverkehr ist, den wir nicht
überqueren können. Und Sie kommen und fahren ein paar Runden mit uns im Kreis in Ihren hochgesicherten Wagen, Sie gehen
einen Burger essen drüben im Café d'Europe, zwischen Blauhelmsoldaten, die in ihrer ganzen Montur Mittagspause machen, als
könnte jeden Moment eine Bombe hochgehen, ein neuer Anschlag stattfinden gerade hier, aber niemand interessiert sich
in Wahrheit für Sie. Sie sind Helden, Märtyrer, Sie kommen
her, um die Schuld der Welt von uns zu nehmen, aber den Tod
am Kreuz müssen dann doch wir für sie sterben.

Bujumbura. Oktober 2012

Das karge Sofa meines Vorgängers, eine Sitzbank aus Metall und Schaumstoffpolstern. Sein Regal, sein Schreibtisch, sein Küchentisch mit vier Stühlen. Das wie ein Betthimmel über meine Matratze drapierte Moskitonetz hatte ich genauso übernommen wie den Rest seines Mobiliars. Jemand geht für immer, jemand kommt ohne irgendwas, der Turnus der Ausgesandten ist abgestimmt. Die Bücher auf dem Boden zumindest gehörten mir und brachten ein wenig Unordnung in die Räume.

Ich schlief unter dem Betthimmel, ohne je etwas daran zu ändern, wie konnte man monatelang unter so einem Betthimmel alleine einschlafen, nur betäubt von einem Film, den man von einer DVD abspielte, weil die Internetverbindung zu wacklig war. Wenn ich aus gewesen war, schlief ich schnell ein, mit ein paar Bieren ging es besser. Ein paar Nächte teilte ich mir den Moskitohimmel mit Wim, ich strich mit der Hand über seinen Nacken, roch seine Haut zwischen den Schulterblättern, aber schon in der zweiten Nacht seines Besuchs rückte ich von ihm ab, wegen der Hitze, murmelte ich ihm zu und hoffte, er möge gleich wieder einschlafen, denn es war nicht die Hitze, an die ich mich längst gewöhnt hatte und die in der Nacht nur noch Wärme war, ich rückte ab von seiner Ahnungslosigkeit, mit der er alles anstaunte, die Katzenaugen am Rand der Fahrbahn, die Schemen nur wenige Zentimeter von unserem Wagen entfernt, die Maschinengewehre an den Checkpoints, an denen Männer in Armeeuniform uns um Fanta baten und sich mit ein paar Francs zufriedengaben. Er war irritiert von meiner Fähigkeit, Jean zu übersehen, wenn er uns das Tor öffnete, durch den Garten streifte, das Essen servierte, von meinen Ermahnung am Morgen, wenn

ich vor dem Pool stand und die Risse in den Fliesen sah, unge-
wohnt harsch wies ich Jean zurecht, als müsste ich mich vor
Wim beweisen, sieh her, es mag ja schön sein, deine Vorstellung
von globaler Gerechtigkeit, aber wenn man hier arbeitet, gewöhnt
man sich an die Bedingungen, eine andere Chance habe ich
nicht, sonst nimmt mich keiner ernst, ich rede mit den Parlamentariern, und ich reglementiere meinen Angestellten, wie
willst du sonst durch den Tag kommen? Für Wim war es so
leicht, in seinem Arbeitszimmer mit seinen Akten, aber seine
Toten waren schon tot, er konnte keinen einzigen mehr zum Leben erwecken.

Hast du es mal versucht, wenigstens versucht?, fragte ich ihn
mitten in der Nacht, und er schreckte auf, was soll ich versucht
haben, Mira? Ach nichts, vergiss es, murmelte ich, rückte noch
weiter ab von ihm.

Nach sechs Tagen flog er zurück nach Deutschland, und ich
saß bis nach Mitternacht in der Hollywoodschaukel meines Vorgängers, sie knarrte wie ein alter, knorriger Baum im Wind, Sarah streckte ihre Beine aus, stieß uns an. Ihre Medikamente lagen
auch heute in der Tasche in meinem Kofferraum, und wieder
dachte ich kurz daran, sie herauszunehmen, in meinen Kühlschrank zu stellen, wenigstens die Kühlaggregate zu ersetzen, damit die Flüssigkeit nicht verdarb, die verhindern sollte, dass das
HI-Virus sich ins Blut der Frauen ausbreitet, die sich fünfzig Kilometer entfernt, auf der anderen Seite der Grenze, ins Mutter-
spital gerettet hatten, vielleicht kam morgen keine Frau zu ihr
oder nur eine Mutter, deren Kind Durchfall hatte oder Fieber,
sie wisse ohnehin oft nicht, ob die Frauen, denen sie die Spritzen setzte, rechtzeitig zu ihr gekommen waren. Sarah lehnte ihren Kopf an meine Schulter, irgendwann, weißt du, kann ich
nicht mehr.

Manchmal fuhr sie mit ihrem Wagen zu einer Adresse, die jemand ihr am Telefon genannt hatte und von der sie nie wusste, ob es sie tatsächlich gab, auf Straßen, von denen sie wusste, dass es sie tatsächlich nicht gab, und niemand konnte sagen, wie lange die Vergewaltigung zurücklag, aber die Frau beteuerte auf Nachfrage, es wären erst vierundzwanzig Stunden vergangen, nein, erst zwölf, wollte vermutlich selbst glauben, dass die Medikamente sie noch beschützen konnten wie ein Zauberspruch gegen einen bösen Fluch, und niemand konnte sagen, welches von beiden am Ende stärker war, man muss es nur glauben, man muss glauben, dass die vierundzwanzig Stunden noch nicht verstrichen sind, sagte Sarah, wir wissen sowieso kaum etwas, zwölf Stunden, vierundzwanzig Stunden, was bedeutet das, ich stehe im Behandlungszimmer, vor dem Krankenhaus werden Ziegen über die Serpentine getrieben und blockieren den Verkehr, nur der Hirte kann sie unterscheiden oder gibt es zumindest vor, was geht mich das alles an, flüsterte sie, und ich legte meinen Arm um sie, von ihrer Haut ging ein leichter, süßlicher Schweißgeruch aus, die Blätter der Magnolie knisterten, aber ich wusste, dass die Hitze im Kofferraum noch immer unerträglich war.

Beschützt du eigentlich die Menschen?, fragte Sarah. Oder horchst du sie aus?

Ich rede mit ihnen, das ist alles, sagte ich. Aber wer erzählt schon was?

Die Menschen, mit denen du schläfst, vielleicht, sagte Sarah. Weil wir versuchen, den anderen noch mit Sätzen festzuhalten, wenn wir nicht mehr benommen sind. Wir erzählen unser Leben, wir erzählen das Geheimste, das Intimste, als müssten wir beweisen, dass es uns tatsächlich gibt. Wir erzählen, ja, aber warum eigentlich? Weil wir einander vertrauen oder weil wir einander nicht vertrauen?

Vielleicht einfach nur, weil wir zu uns kommen, sagte ich und stoppte die Schaukel, meine Sandalen gruben zwei Schneisen in den Boden. Kurz darauf stand Sarah bereits in der Tür, ich hatte sie um die Hüfte gefasst, ein letzter zurückhaltender Moment, nur ein Aufschub, um irgendetwas zu wahren, Anstand oder Verwunderung oder Spannung, und ich hielt an der Türschwelle inne.

Die Medikamente, wie lange dürfen die ungekühlt lagern?, fragte ich, Sarah zuckte nur die Schultern, und warum auch immer ich noch so vernünftig war, ich lief zum Wagen, hievte die Tasche heraus, die aussah wie eine Strandtasche, in der Frikadellen aufbewahrt werden an feuchtsommerlichen Nachmittagen an der Nordsee, und brachte sie in die Küche, Sarah strich mit der Hand meinen Rücken hinauf, als ich abgewandt von ihr vor der Spüle stand, zwei Gläser mit Wasser füllte, die Medikamente bereits im Inneren des Kühlschranks herunterkühlten, zwischen Marmeladegläsern und einer Tüte mit abgelaufener Milch, keiner könnte mehr sagen, ob sie das HI-Virus noch besiegen würden, wenn Sarah die durchsichtige Flüssigkeit in die Venen der Frauen spritzte, einige brachten ihre zerrissenen, beschmutzten Slips mit als Beweismittel, weil sie nicht zwischen den Beinen untersucht werden wollten, wo Sarah mit ihrem Spachtel nach altem Sperma kratzte, und kurz darauf riss sie das Malarianetz herunter, und wir dachten nicht mehr an die Haltbarkeit von Medikamenten und an Straßen in Südkivu, die tags ohnehin nicht vorhanden waren.

Die weiche Linie ihrer Schulter, darunter zeichneten sich die Knochen ab. Als sie sich umdrehte, schien die Sonne bereits hell ins Zimmer. Noch immer hatte ich mich nicht an das Licht hier gewöhnt, ich meinte am Abend zu verstehen, in welchem Land ich war, aber wenn ich am Morgen aufwachte, hatte ich alles vergessen, und ich glaubte, wir hätten zu lange geschlafen, vermutlich hatten wir das auch, und so nah hatte ich ihre Haare noch nicht gesehen, strohblond, die leichte Welle, auch nach all den Stunden Schlaf. Ihre Brüste hoben sich kaum hervor, ich umrundete mit dem Finger ihren Mittelpunkt, sah, wie die Haut sich zusammenzog, härtete, küsste ihr Kinn. Reden. Ich musste jetzt reden, bevor sie etwas dachte, annahm, vermutete, vorauszusetzen begann, man redet ja in diesen Momenten, um dem anderen zuvorzukommen, ihn vom Denken abzuhalten, denn denken kann man in solchen Momenten nur etwas Falsches.

Sarah blinzelte noch gegen das Licht an, aber ich spürte ihr Knie zwischen meine Beine stoßen, weißt du, wie man eine Bodymap malt? Ihre Hand fuhr meine Wirbel entlang, bis hinab in die Kuhle, die tiefste Stelle des Rückens, an der sich beim Sex und in zu heißen Nächten der Schweiß sammelt.

Weißt du's?, fragte sie. Man malt sie gar nicht. Man teilt nur die Menschen ein. Größe, Nasenform, Hautfarbe. Du da vorne gehst nach Hause, und dich da drüben schlagen wir tot. Man hätte Landschaften vom Körper malen können, aber sie wollten Karten. Als könnte man den Körper kartografieren, sortieren. Du gehst nach Hause, dich schlagen wir tot. Und hinter der Grenze lassen wir dich eh krepieren, weil es uns nichts mehr angeht, sagte Sarah und ich zog sie an mich heran, so wie man Kinder zu sich zieht, ohne Begehren, nur mit dem Wunsch, jemanden leibhaftig bei sich zu haben, vorgeblich, um ihn zu schützen, aber in Wahrheit schützen wir dadurch nur uns selbst.

Es ging mal eine Frau eine Straße entlang, flüsterte sie, eine Straße in … ich weiß nicht mehr genau, wo es war, im Außenbezirk einer großen Stadt, nicht die Villengegend, ein heruntergekommenes Viertel, kaum beleuchtet, es ist schon Abend. Sie wird überfallen, man nimmt ihr alles ab, zieht sie aus, vergewaltigt sie, schlägt sie halbtot und lässt sie liegen.

Ich strich Sarah über die Stirn, fuhr ihre Augenbrauen mit dem Daumen nach, und wir hätten so liegen bleiben können, still, das Land draußen vergessen, vergessen, dass es uns in diesem Land gab.

Und dann?, fragte ich.

Dann kommt ein Priester dieselbe Straße entlang, aber es könnte auch ein anderer sein. Als er sie sieht, geht er vorbei. Auch ein Blauhelmsoldat geht die Straße entlang. Als er sie sieht, geht er vorbei. Er trägt noch die Uniform, aber es ist schon Feierabend, eigentlich ist er in Zivil.

Ich starrte an den Balken über uns, in dem noch die Nägel steckten, mit denen mein Vormieter das Moskitonetz befestigt hatte.

Und dann?, fragte ich.

Dann nichts.

Es kommt noch jemand.

Nein, es kommt keiner mehr. Die Straße wird gesperrt, weil der Soldat gemeldet hat, dass sie zu gefährlich ist.

Der Soldat?

Der barmherzige Samariter.

Bujumbura. Oktober 2012

In der Nacht waren fünf Leichen ans Ufer des Ruzizi gespült worden. Man fand sie am Morgen im Uferschlick, ein namenloses, raunendes, verschwommenes *Man*, niemand wollte sie als Erster gesehen haben. Niemand wollte allein bei den Leichen stehen.

Ein alter Mann hatte etwas im Farn gesehen, ein Ding, einen Schatten, ein Irgendwas, aber da hatten schon andere in der Nähe gestanden, er sei ganz sicher nicht der Erste gewesen, dem etwas aufgefallen war, gab er später zu Protokoll. Eine Frau hatte aus der Ferne die Flecken im Wasser bemerkt, die sie zuerst für Stämme, dann für Krokodile, dann für Flusspferde gehalten hatte, und sich gewundert, wie nah sie sich an diesem Morgen an die Stadt herangewagt hatten, aber die Schatten bewegten sich nicht, und kein Flusspferd tauchte auf. Jemand war schließlich über das sumpfige Gras und die zerbrochenen Schilfrohre gewatet und hatte mit einem Stock gegen eine der Leichen gestoßen. Die Haut war aufgeplatzt wie ein zum Bersten gefüllter, poröser Ballon. Jemand war zur Straße gelaufen und hatte einen Wagen herangewunken.

Irgendjemand aber musste sie zuerst gesehen haben. Die Wahl fiel auf einen etwa zehnjährigen Jungen, der vermutlich keine Adresse hatte, nicht einmal eine Familie, sondern wie viele Straßenkinder in einem Baum oder unter einem Gullydeckel schlief, die Polizisten vertrauten ihm nicht, und er war schneller wieder verschwunden, als er in der Menge entdeckt worden war. Die aufgeblähten Körper blieben, ihre Haut war zum Teil bläulich, zum Teil rot und weiß verfärbt, sie mussten bereits länger im Wasser gelegen haben, ein gutes Stück den Fluss hinuntergetrieben sein. In drei von ihnen meinte man Oppositionelle zu erkennen, ich konnte das nicht sagen, ich sah vor allem Leichenflecken und Maden.

Die Bilder lagen auf meinem Schreibtisch, ich schob sie an den Rand, fuhr mit dem Finger ihre Umrisse nach und suchte nach einer Farbe auf den Fotos, die ich beschreiben konnte, nach einem Glitzern im Wasser oder einem Schilfrohr, nach der Marke des Hemdes, das der linken Leiche bis zu den Achseln hochgeschoben worden war, ein Wort, ein Detail, das nichts von der zerfressenen Haut verriet, von den Parasitenströmen, sondern hierherpasste, unter die Klimaanlage eines japanischen Herstellers, die wir hatten bestellen müssen, weil Daven überzeugt war, Asthmaanfälle zu bekommen von der trockenen Luft, die aus Klimaanlagen ostafrikanischer und chinesischer Produktion wehte, ich strich mir den Pony aus der kalten Stirn und versuchte die Bilder zu übersetzen in einen Bericht, in dem der Zwischenfall besorgniserregend, aber in keinem Fall als grundlegendes Scheitern unserer Arbeit erscheinen durfte, unserer Bemühungen, die Opposition zur Rückkehr ins Land zu bewegen. Wir scheiterten nicht. Nicht in den Berichten. Niemals ganz.

Wenn wir ganz scheiterten, wenn wir uns aus dem Land zurückzogen, wenn wir Burundi aufgaben oder die Regierung uns, dann war noch mehr verloren, als bereits verloren war. Natürlich wollten einige nicht, dass die Opposition zurückkehrte. Natürlich waren freie Wahlen sinnlos, solange es nur eine Partei gab. Natürlich stank der Optimismus, den ich zwischen den fünf Leichen auszubreiten hatte.

Das wusste ich, aber erst, als mir das Nilpferd-Spiel wieder einfiel, in dem wir uns zu Beginn unserer Ausbildung geübt hatten, wusste ich auch, wie man unsere Berichte spielte: nicht zu präzise, aber doch präziser, als alle anderen es taten, nicht das beschreibend, was zu sehen war, sondern, was wirklich zu sehen war, nicht, was dort passiert war an jenem Morgen, sondern, was dort tatsächlich passiert war, als niemand hatte allein sein wollen mit den Leichen.

Ich schrieb von den Nilpferden, die eine Frau aus der Ferne gesehen zu haben meinte, zuerst hatte sie sie für Baumstämme, dann für Krokodile gehalten, und ich schrieb davon, dass die Tiere sich an diesem Morgen so nah an die Stadt herangewagt hatten und sich doch nicht bewegten. Nilpferde, die wie die Opposition untergetaucht waren, Nilpferde, die zu nah an die Grenze herantrieben, Nilpferde, ohne die das ökologische und politische Gleichgewicht nicht aufrechterhalten werden konnte, Nilpferde, deren Aggressivität man nicht unterschätzen durfte, sobald man sie reizte, wussten sie sich doch zu wehren.

Ich hatte das Nilpferd-Spiel lange nicht mehr gespielt, aber ich beherrschte es noch immer. Ich beherrschte es besser denn je.

Natürlich lässt sich behaupten, schrieb ich, Demokratie sei ein Fluss oder habe zumindest etwas mit einem Strom gemein, doch sollten wir den Ruzizi nicht mit dem Parlament verwechseln und die Flusspferde nicht mit der politischen Opposition. Es könnte allerdings sein, dass uns bald nichts anderes übrig bleibt, als eine Herde Flusspferde aufzustellen, schrieb ich, und es steht mir nicht zu, die Opposition länger dafür zu maßregeln, dass sie die Wahlen boykottiert oder sich ins Ausland abgesetzt hat. Alles steckt fest, und die Fortschritte, die wir zu sehen meinen, sind nur die Folie, die wir selbst über das Land legen, und wo sie nicht passt, übermalen wir die Flächen und Flecken. Am Ende kommt ein Lackmustest heraus, und jeder erkennt darin, was er will: die einen Demokratie, die anderen Leichen, die dritten ein paar Flusspferde. Gott schütze unsere Blicke.

Ich schickte den Bericht unter der Überschrift *Vereinzelte Rückkehr von Oppositionspolitikern in die Hauptstadt. Aktuelle Ent-*

wicklungen auf dem Weg zur Präsidentschaftswahl an Daven und bekam von ihm weder einen Anruf am nächsten noch am übernächsten Tag, er schickte auch keine Nachricht, er hatte den Bericht weitergeleitet an seinen Vorgesetzten und der hatte ihn weitergeleitet an seinen Vorgesetzten, so ging es mit unseren Nilpferden, sie schwammen durch die Abteilungen, sie trieben zwischen den Ländern, und hätten wir das Spiel unter uns Neuankömmlingen von damals noch aufrechterhalten, ich stünde weit oben in der Rangliste.

Burundi liegt im Herzen Afrikas. Es ist rd. 2000 km vom Atlantischen und rd. 1200 km vom Indischen Ozean entfernt. So steht es im Heft des Statistischen Bundesamtes aus dem Jahr 1966, erstellt vier Jahre nach der Unabhängigkeit des Landes, wenige Monate bevor es durch einen Putsch zur Republik werden würde, ich hatte die Broschüre am Ausgang einer Berliner Stadtteilbibliothek gefunden, in einer Pappschachtel für auszumusterndes Inventar, und nun lag es auf Aimés Esstisch in einem verborgenen Haus irgendwo am Rand oder doch in der Mitte von Bujumbura, und ich schob es ihm hinüber als Antwort auf seine Frage, was man in unserem Land über seines dachte, falls überhaupt noch etwas, nachdem man den Ersten Weltkrieg begonnen und verloren und die Kolonie an die Belgier abgetreten hatte und den Zweiten Weltkrieg begonnen und verloren und die Erinnerung an die Kolonien den Belgiern noch hinterhergeschickt hatte, und er durchblätterte das Heft, sah mich belustigt an.

Sie lieben Statistiken, nicht wahr? Ihr ganzes Land ist verrückt nach Statistiken und Listen und Nummern, Aimé schenkte mir Wein nach, ich wusste, dass ich keinen Schluck mehr trinken sollte, ich war bereits in dem wolkigen Rausch, von dem jeder Kollege mir abraten würde, säßen wir nicht gerade am Pool bei irgendeiner Abschiedsfeier, doch Aimé war kein Kollege und wir saßen auch nicht auf einer Abschiedsfeier in einem Botschaftsanwesen, ich nahm einen tiefen Schluck, schmeckte den Pfälzer Riesling, und was steht hier, fragte Aimé, übersetzen Sie mir das, und ich las ihm vor: *Die Bevölkerung setzt sich aus den Volksgruppen der Hutus (Landarbeiter, rd. 86 %), der Tutsis (Viehzüchter, rd. 13 %) und der Twas (Pygmäen, die von der Jagd leben, rd. 1 %) zusammen*, und brach, noch während ich die letzte Prozentzahl las, in Lachen aus, Sie haben recht, Sie haben so recht, Aimé, die Deutschen sind verrückt nach Zahlen, als hätten sie das Einmaleins erfunden. Sie versuchen die Welt zu beherrschen, indem sie sie nummerieren.

Und kommen Sie so der Wahrheit näher?, fragte Aimé und stieß ein weiteres Mal mit mir an.

Ich weiß nicht, was das sein soll. Aber das hier, ich tippte auf das Heft mit seinem eingeprägten Bundesadler auf dem Umschlag, das ist Blödsinn.

Aimé lächelte und sog seine Lippen ein, er wusste um seine Eleganz, er war kein Ausgestoßener, sondern das Zentrum, ihm hatten die Massaker nichts anhaben können oder allenfalls eine gewisse Patina verliehen, und vielleicht hatte er gar nicht so viele Menschen getötet, wie man zumindest bei uns in der Mission sagte. Das Gefühl von fremdem Blut auf der eigenen Haut, das seine Temperatur verliert – aber das sagte er mir erst später –, ist entsetzlich, es ist, als würde alles Belebte sich zurückziehen und die Kaltheit der Dinge klebe am eigenen Körper.

Wie wollen Sie im Übrigen eine Demokratie führen, wenn es keine Opposition gibt?, fragte er. Das ist ein bisschen wie bei Adam und Eva, nicht? Wenn niemand anderes zur Wahl steht, dann nimmt man eben den einen, der da ist. Kommen Sie mir nicht mit Lilith, das ist apokrypher Kitsch. Interessanter ist doch, dass in der Bibel nie gefragt worden ist, ob sich die beiden eigentlich mochten. Ich glaube, sie konnten sich nicht ausstehen. Eva wollte Adam den Apfel unterjubeln, um ihn für immer aus dem Paradies zu vertreiben, sie hatte doch nicht vor, mit ihm mitzugehen. Unser Unglück, Mira, liegt nicht in der Hölle begründet, sondern im Paradies, auch wenn Sie mich jetzt für einen Häretiker halten, aber das tun Sie gar nicht, oder? Sie sind überhaupt nicht gläubig, das sehe ich Ihnen an.

Als ich widersprechen wollte, legte Aimé kurz seinen Finger auf die Lippen und fuhr dann fort. Ins Paradies, Mira, gehören die Menschen einfach nicht. Es musste schiefgehen. Und wenn Sie die Opposition nicht dazu bewegen, zurückzukommen, ja, Sie, ich rede von Ihnen, Mira, dann können Sie unser Land in Ihren Statistiken nennen, wie Sie wollen, Sie können die Ärzte und Krankenschwestern und Schafe zählen, es gibt hier nicht viele davon, Ziegen machen sich besser auf dem Boden, aber Sie werden eine Ein-Parteien-Demokratie am Leben erhalten.

Das mit der Opposition ist nicht so einfach.

Wegen der Toten im Fluss?

Nicht nur, Aimé, es ist …

Natürlich sind nicht alle Kandidaten einwandfrei. Weder in der jetzigen Regierung noch in der Exilopposition. Aber Sie müssen sich entscheiden. Wollen Sie aus diesem Land eine Demokratie machen oder ein Genozidmuseum? Wollen Sie Politik oder wollen Sie Pädagogik?, fragte er und ging so langsam zu seinem Schreibtisch hinüber, als wünschte er, ich möge ihn zurückhalten, ich aber blickte nur der grasgrün gewandeten Prozessionsfigur in die Augen, die neben einem Strauß Rosen auf dem Schreibtisch zwei Finger hob. Eine Schublade klappte auf und zu, Aimé blätterte in Papieren.

Die politischen Gefangenen, beschuldigt der Massaker im Oktober 1993,

las er

Betreff: Richtigstellung

... die vom Volk Gewählten massakriert ... Seit dem Morgen des schwarzen Donnerstags, angesichts der Provokationen, Drohungen und der Veröffentlichung der von Tutsi vorbereiteten Listen mit den Wählern von Präsident Ndadaye Melchior (Hutu), die exekutiert werden sollten wie er und seine engsten Mitarbeiter ... Volkswiderstand gebildet ... animalischer Überlebenstrieb ... Tote und Verletzte sowohl unter den Hutu als auch unter den Tutsi ... Tausende politische Gegner ... in Gefängnissen wie Konzentrationslagern ... andere hingerichtet ...

Monsieur le Président der FRODEBU,

trotz der unmenschlichen Torturen, die wir erlitten, haben wir uns aufgeopfert und uns geweigert, die Geheimnisse des Volkswiderstands vom Oktober 1993 preiszugeben.

Wir werden mehr als zehn Jahre unter unbeschreiblichen Leiden in den Todeszellen verbringen, und sogar da bewahren wir immer »l'IBANGA« (das Geheimnis) in uns ... Märtyrer der Demokratie, die wir sind,

und so weiter. Das Schreiben kennen Sie natürlich, nicht wahr, Mira. Die politischen Gefangenen von damals. Ich hätte ihn anders formuliert, den Brief. Sie reden von Geheimnis, sie reden auch von Demokratie, vom politischen Konzept, vom Strafrecht, aber es gibt im Moment keine Konzepte, kein Recht, keine Demokratie, es gibt nur Deals und den Präsidenten. Entschuldigen Sie, vielleicht rede ich zu schlecht von den Männern aus Mpimba, von diesen Märtyrern, wie sie sich selbst nennen, dabei sitzen sie die Jahre ab, die mir gegolten hätten, und würden sie mich auf der Straße sehen, würden sie mir an die Gurgel gehen.

Ich kann das verstehen. Was damals passiert ist, 93 … Natürlich wollten Sie, Mira, und Ihr Verein, dass es kein rassistisch motiviertes Morden war. Dass es nicht darum ging, eine Ethnie ganz auszulöschen. Verzeihung, natürlich nicht Sie persönlich, aber jemand in Ihrem Apparat, wahrscheinlich eine ganze Kommission hat viel darangesetzt, es nicht wie einen Genozid aussehen zu lassen, was im Oktober vor einem Vierteljahrhundert hier passiert ist. Damit es zumindest nicht so genannt wird. Nehmen Sie mich als Laien, wirklich, ich bin kein Experte für Ihr Land, ich habe zwei Semester in der Schweiz studiert, ein paar Mal bin ich nach Deutschland gefahren, das ist alles, aber von außen betrachtet hat mich immer wieder der Eindruck beschlichen, dass Sie einfach die Besten sein wollen. Die besten Schraubenproduzenten und die besten Moralisten und der beste Mephisto und die besten Kaiser und das beste Volk, und wenn es mit dem besten Volk schon nicht klappt, dann die besten Völkermörder. Sie wollen sogar im Bösen noch die Besten sein, aber Sie dürfen nicht übersehen, dass auch anderswo Menschen andere Menschen umbringen aus Hass, aus Abscheu, aus Wut, weil sie quälen wollen, weil sie meinen, sie hätten mehr Recht auf Leben als andere. Das müssen Sie akzeptieren, Mira, Sie können nicht alles Böse für sich behalten. Sie können uns nicht immer weiter wie Menschen zweiter Klasse behandeln. Sie haben uns erst unsere Menschlichkeit, dann unseren Verstand, dann unsere Unabhängigkeit abgesprochen, und am Ende trauen sie uns nicht mal unseren Genozid zu. Und ja, erst hat der Kolonialismus dieses Land zerstört und dann die Dekolonisierung, die man überstürzt angegangen ist, und ich glaube, es war zuerst Kalkül, dann Resignation, aber am Ende lag auch ein wenig teuflische Lust darin, alles nur tiefer ins Chaos zu treiben. Man wollte sehen, wie die Welt hier an sich selbst zugrunde geht. Wie sie ohne die Gewalt der Schutzmacht nicht zurechtkommt. Ohne die Missionare, die den Menschen den Heiligen Geist eintreiben, dabei waren die mit ihren eigenen Geistern bisher ganz zufrieden. Es gibt Hass, Mira, und Aimé legte seine Hand auf meinen Arm. Natürlich, Sie wollen glauben, dass alles Ihre Schuld ist, dass der Hass Ihnen allein gehört. Dass Sie damals, als Sie, also nicht Sie persönlich, aber doch Sie in unser Königreich eingefallen sind, den Ursprung gesetzt haben für das Morden einhundert Jahre später. Für alles Große in der Geschichte. Die Schulbildung und die Massaker, das, woran man sich erinnert. Sie wollten ja damals alles verwalten, das liegt Ihnen halt. Also haben Sie durchgezählt. Und die mit zwölf oder weniger Ziegen auf die eine Seite gestellt und Hutus genannt und die mit mehr Ziegen auf die andere und Tutsis genannt. Und dann haben Sie noch ein paar Nasen vermessen, Hutunasen, Tutsinasen, Sie sind durch die Dörfer gezogen, so wie Sie es auch jetzt gerade machen für Ihre, wie sagen Sie noch?, Wahrheitskommission. Sie sind in die Wälder gegangen, und wenn Sie dort noch eine Nase gefunden haben, wurde die natürlich auch vermessen, die nannten Sie dann Twas oder Pygmäen, ach Mira, wenn die Welt so einfach wäre. Haben Sie übrigens den Film *Tootsie* gesehen, mit diesem verkleideten Kindermädchen, das eigentlich der Vater ist und nur in der Nähe seiner Kinder sein möchte? Ich fand das ganz rührend und gleichzeitig abscheulich, aus einem Rosenkrieg sollte man die Kinder raushalten, sagte er und legte die Papiere neben sich auf den Tisch.

Das war *Mrs. Doubtfire*, berichtigte ich ihn und lehnte mich zurück, spürte das Gusseisen an meinem Hinterkopf, die Ranken, mit denen das Fenster gesichert war, ich atmete ruhig ein und aus, als wollte ich mich in den Schlaf bringen. Ich reiste Dorf um Dorf ab, und am Abend wusste ich noch, wie sie hießen, wer mit mir gesprochen hatte, einige Gesichter blieben in Erinnerung, aber nach einer Woche, einem Monat wusste nicht einmal mehr ich, was das sein sollte, diese Wahrheitskommission. Für welches Land ich überhaupt sprach. Für welche Regierung.

Das ist alles nicht so leicht, Aimé, sagte ich, man versucht die große Welt intakt zu halten, aber die eigene Welt ist plötzlich zu weit weg.

Aimé strich mit dem Finger über den Adler auf dem Informationsheft, die Federn, oder waren es doch Rippen, formten in akkuratem Abstand zueinander seinen Körper, früher war das ein aufgeplusterter Vogel mit einer Kaiserkrone, nicht wahr? Dann hat er ein Hakenkreuz in den Klauen getragen, und jetzt ist er abgemagert zu diesem Knochenadler, das ist alles, ein neues Haustier haben Sie sich nie ausgesucht.

Es gibt die Bezeichnung der mitreisenden Gattin, haben Sie die schon mal gehört?, fragte ich und wandte meinen Kopf zum Fenster, die Ranken verdeckten den Himmel nur ungenügend, aber anstelle einer Stadt sah ich nur die weiße Mauer, die mir keine Richtung verriet.

Natürlich, das sind die traurigen Damen, die irgendwann mal hübsch gewesen sein sollen. Aber wie die wollen Sie doch nicht sein! Sie sind nicht auf Reisen, sagte er und schob Glas und Teller vor sich zurecht. Bilden Sie sich nur nicht zu viel auf Ihre Besuche in den Dörfern und Hügeln ein. Bilden Sie sich nicht ein, Sie könnten die Regierung zu einem Tribunal überreden. Glauben Sie wirklich, dass man dort ausgerechnet auf das hört, was Ihnen die Leute auf dem Land sagen? Dass sie, wenn nur genügend Bauern meinen, es müsse eine Bestrafung der Täter von damals geben, alle freiwillig und händchenhaltend ins Gefängnis spazieren? Diese Leute hatten früher Macht, sie haben jetzt Macht, sie werden sich die Macht nicht nehmen lassen. Und ich, fügte er hinzu und tupfte sich mit der Serviette die Lippen ab, ich auch nicht.

Er hob sein Glas, nicht mehr heiter wie zu Beginn, sondern als wolle er mich einschwören in einen Kreis, der nur aus ihm und mir bestand. Würden Sie einen Freund verraten?, fragte er. Wenn es für die Geschichte nötig wäre?

Welche Geschichte meinen Sie?, fragte ich und erwiderte seinen Blick, ohne eine Miene zu verziehen, man kann in einem Spiel, in dem der andere die Regeln setzt, nicht gewinnen, man kann nur schweigen, den Weg zum Treffpunkt vergessen, Überlegenheit durch Stille simulieren, Stärke behaupten, ohne sich zu fragen, ob man sie wirklich besitzt, das war es, was ich gelernt hatte, man musste als Sieger hervorgehen, ganz gleich, ob man es de facto war, damit man nicht verschwand, nicht unterging, und vielleicht war es einfach so, dass ich selbst nie stark gewesen war, sondern ein Mädchen, das man in einem Wald ausgesetzt hatte und das noch immer verloren durchs Unterholz irrte, nicht wissend, wo es hingehörte. Ich spielte eine Größe vor, der jeder ansehen konnte, dass sie nur das Zittern dünner Federn war, die uns, wenn wir lange genug darauf starren, etwas glauben lassen, von dem wir doch eigentlich ahnen, dass es nur ein Trick ist, aber außer Aimé wollte das niemand erkennen. Denn so geordnet unsere Berichte auch sind, so nüchtern die Statistiken, so trocken die Nachrichten unserer Vorgesetzten, wünschen wir uns doch manchmal in ein Denken, das anderen Zusammenhängen folgt, wie das Denken der Kinder mit seiner göttlichen Macht, etwas Unbelebtes mit Seele und Geschichte zu füllen und zugleich mit der Ohnmacht, von etwas abhängig zu sein, auf das wir keinen Einfluss haben, und ich fuhr mit der Gabel über den Teller, umrundete die Grillspieße, beobachtete, wie die Zinken Schlieren zogen, doch das Blut war nur eine dünne Farbe, die sich ins Bratfett mischte und kaum noch zu sehen war.

Hinter Aachen, Mai 2012, und bei Bonn, April 1994

Ich habe erst später erfahren, dass es die Klaviersonate 21 war, die Milan an jenem Abend, als Darius sich verabschiedete, übte und in der er hängen blieb, immer an derselben Stelle. Ich saß neben Wim in einem alten Peugeot, der nach dem zu süßen Parfum seiner Mutter roch, auf einer Autofahrt irgendwo zwischen Aachen und der Bretagne, als ich das Stück im Radio hörte, dabei war es Milans Stück, war es ein Abend im April 94 und kein verregneter Nachmittag hinter der deutschen Grenze, sei kurz still, bat ich Wim, der von seiner Promotion erzählte, die er in einer Plastiktüte im Kofferraum zwischen das Urlaubsgepäck geschmuggelt hatte, Listen und Karten, *Distrikt Warmbad, Distrikt Bethanien, Abteilung von Estorff (3 Komp., 4 Geschütze, vier Maschinengewehre, 1 Funkenstation, eine Bastardabt.)*, Schutz- und Freundschaftsverträge, Berichte vom Waterberg, wo Herero festsaßen *in einer Gesamtmasse von etwa 50 000 Köpfen, einschliesslich Frauen und Kinder, ... an die Erbeutung von Vieh darf während des Gefechts nicht gedacht werden; alle Kräfte sind zur Vernichtung des kämpfenden Feindes einzusetzen,* das schreibt dieser Doktor Külz, erzählte Wim, und sitzt bei seinem Bericht im flachen Bückeburger Land, da oben im Norden, wo die alten Frauen sich bis heute noch mit Dutt und Tracht von einem Hof zum nächsten schleppen, und dieser Külz sitzt da an seinem Schreibtisch, sagen wir mal: mittelgroßbürgerlich, mit Blick auf eine Kirche, schwärmt von der Überlegenheit des Deutschtums, *der Hererofeldzug ist beendet, das Volk der Herero als solches vernichtet.* –

Sei bitte kurz ruhig, wiederholte ich und drehte das Radio lauter: Da war die Stelle, an der Milans Finger gestolpert waren, und so ging die Melodie in Wirklichkeit weiter, und Wim lenkte den Wagen nach rechts auf einen Autobahnrastplatz.

Wieso halten wir? Wir waren doch gerade erst an der Tankstelle.

Wim starrte vor sich aufs Amaturenbrett, sagte nichts, sagte noch immer nichts, schlug mit der Faust auf das Lenkrad, es ist nichts, Mira, es ist nichts, murmelte er, es ist nur manchmal, als würdest du dich für überhaupt nichts interessieren, und ich hörte auf die blechernen Klavierklänge aus dem Radio, aber die Stelle, an der Milan gestolpert war, wiederholte sich nicht, vielleicht, sagte ich, interessiere ich mich einfach nicht für deinen Doktor Külz, ich kurbelte das Fenster herunter, *der Hererofeldzug beendet, das Volk der Herero als solches vernichtet –*. Ich blickte hinaus, an einem Mädchen vorbei, das sich mit der Spitze des rechten Stoffschuhs über die linke Wade rieb, und von einem französischsprachigen Moderator erfuhr ich, dass es die Klaviersonate 21 war, die wir soeben gehört hatten.

Natürlich werde ich an Milan gedacht haben auf dieser Fahrt zwischen grauen Lärmschutzwänden in grauem Wetter, beim Halt auf der verlorenen Autobahnausfahrt, vor einer ebenso grauen Mülltonne aus Metall, das Mädchen stand allein am Rand des Parkplatzes, stand da in gelben Shorts, rieb sich mit der Spitze des rechten Stoffschuhs über die linke Wade, ich konnte es keinem einzigen der wartenden Wagen zuordnen, und ich meine wieder das abgestandene Parfum in dem von Wims Mutter geliehenen Wagen einzuatmen, sehe die aufgerissene Nusspackung im Handschuhfach, ein paar verstreute Kaugummis, und ich muss damals an Milan gedacht haben, daran, wie ich meinen Kopf an sein Bein legte, die Muskeln sich anspannen fühlte, als er das Pedal trat, was er nur Darius zuliebe tat, aber ich kann nicht mehr sagen, ob ich seinen Namen erwähnte oder lediglich unwirsch wurde, Wim wegen irgendeiner Nebensächlichkeit zurechtwies, weil er an der Raststätte die falsche Schokolade gekauft hatte oder überhaupt Schokolade, wozu brauchen wir Schokolade, oder die Schokolade vergessen, und er sah mich nur ruhig an und fragte: Willst du eigentlich mit mir in Urlaub fahren oder lieber mit einem anderen?

Ich suchte eines der verlorenen Kaugummis aus dem Handschuhfach, steckte es mir in den Mund. Entschuldige, ich bin nur müde von der Fahrt, wir sollten weiter, es wird schon dunkel.

Aber das Stück begriffen habe ich doch erst später, vielmehr begriffen, weshalb Milan es zu lernen hatte, oder war es doch nur Zufall, natürlich, es muss Zufall gewesen sein, dass mit diesem Stück der Putsch in Burundi verkündet worden war, 1966, dem noch so viele folgten, einige Putsche und einige klassische Stücke, die in jedem Radio des Landes klangen, als könnte man die Macht harmonisieren, als wäre Herrschaft nur eine Notenfolge, und was geschah, was geschehen war, draußen die Schreie, die Schüsse, war nicht mehr als der Sprung in eine andere Tonart.

Es liefen Nachrichten, in meiner Erinnerung laufen immer Nachrichten im Haus von Milans Eltern, auch wenn das nicht stimmen kann, an den Wochenenden wird es Kriminalfilme gegeben haben, eine Hollywoodromanze, vielleicht einen Western, wie überall, ich kann mich bloß nicht daran erinnern, und zu Weihnachten den kleinen Lord, nur habe ich Weihnachten nie mit ihnen verbracht, aber ich weiß oder meine zumindest zu wissen, dass noch Schnee lag Anfang April, an den Kirschbäumen zeigten sich keine Knospen, und Lucia war sich sicher, dass die Bäume in diesem Jahr nicht blühen würden. Darius war gefahren, der Schnee war wiedergekommen, alles im Haus lief gedämpft, seit der Winter noch einmal verspätet hereingebrochen war, als wären unsere Bewegungen verborgen unter einer weißen, schützenden Decke, dabei lag der Schnee in der Einfahrt nur millimeterdünn und schmolz schon am Morgen zu schmutzigem Wasser, die Kirschen konnten bei der Kälte nicht blühen, das kam erst später, als Darius wieder zurück war und es noch stiller geworden war im Haus, aber die Stille bilde ich mir vielleicht nur ein, im Nachhinein meint man alles klarer zu erkennen, dabei sieht man nur ein Bild, das nichts mit einem zu tun hat, ein Gemälde, das uns als Kind zeigt, das jedes Kind sein könnte, eine Verwechslung, wie wir sie begehen, wenn wir noch meinen, die Welt bezöge sich auf uns, dabei sind nur wir es, die beständig um sie buhlen, und ich war mit Fieber aufgewacht, obwohl ich mich nicht erinnern konnte, mich draußen verkühlt zu haben.

Das Fieber hielt sich den Tag über, es stieg nicht über achtunddreißig Grad, ließ auch nicht nach, und ich hätte längst schlafen sollen, aber weder Lucia noch Milan achteten auf mich. Im Fernsehen begann mit einem Gongschlag die *Tagesschau*, ich schmiegte meine Wange an die lederne Armlehne des Sofas, die sich kühl anfühlte, abweisend und fremd. Zweihundertachtzig französische Soldaten waren in der Nacht in Kigali gelandet, las der Nachrichtensprecher von seinem Blatt, sie hatten die Kontrolle über den Flughafen übernommen, würden mit der Evakuierung ihrer Landsleute beginnen, und das Leder des Sofas wärmte sich langsam unter meiner fiebrigen Haut. Die Unruhen hatten sich erst entspannt, waren dann wieder heftiger geworden, in Burundi standen amerikanische Soldaten bereit. Milan saß an dem großen nussbraunen Esstisch, mit einem Referat beschäftigt, sah aber immer wieder auf. Ein riesiges graues Militärflugzeug rollte hinter einer Wand aus Birken entlang, beschleunigte, hob ab, ein in Camouflage gekleideter Soldat sprang aus einem Lastwagen, *ins blutige Chaos der Hauptstadt*, kommentierte eine Stimme aus dem Off, und Lucias Gesicht war erstarrt, nicht wie sonst, wenn sie ihre elegante Ruhe trug. Ihre ganze enthobene Schönheit war verschwunden, ihre Miene wirkte wie etwas Totes, und ich sah schnell wieder zum Fernseher. Soldaten liefen mit blauen Baskenmützen auf die Kamera zu, ich hörte das Wort *Himmelfahrtskommando*, und als ich wieder zu Lucia blickte, bemerkte ich, dass ihre Wangen feucht waren, was mich ein wenig beruhigte, denn Tote können nicht weinen.

Milan hatte seinen Stift neben sein Heft gelegt, blickte auf die vorbeilaufenden Soldaten, und heute bin ich mir sicher, dass auch er damals wusste, wo Darius an jenem Abend war, nicht in Genf, wie er beim Abschied verkündet hatte und wie es immer wieder, in den Wochen danach, behauptet wurde, beim Essen, beim Kaffee am Sonntag, der Kirschbaum wurde roséfarben, wurde weiß, Genf, immer wieder Genf, und als einmal das Wort Kigali fiel, ging Lucia darüber hinweg, schnell, wie man über eine Peinlichkeit hinweggeht, die einen nichts angeht.

Zwei Tage vor diesem 9. April, an dem die Europäer evakuiert wurden, war bereits in der *Tagesschau* von Unruhen in Ruanda berichtet worden, wie ich heute weiß, nachdem ich mir die Aufnahmen noch einmal angesehen habe, die erste Aprilwoche vor einem Vierteljahrhundert auf meinem Computerbildschirm ablief, das jedenfalls, was in den deutschen Nachrichten die erste Aprilwoche war, und von den Unruhen in Ruanda wurde zunächst nur knapp und gegen Ende der Sendung berichtet, nach einem Brand und einer Rückholaktion von Babynahrung, wer interessierte sich schon für dieses kleine Land, das neben einem anderen kleinen Land lag irgendwo weit weit unterhalb der italienischen Schuhspitze, und ich kann nicht mehr sagen, ob es einer von uns damals beachtet hat, Lucia oder Milan oder sogar ich mit meiner kindlichen Neugier, oder ob wir es erst wahrnahmen, als es hieß, die Europäer würden ausgeflogen, als niemand mehr zu beantworten wagte, ob es gutgehen oder schieflaufen würde, ob die Europäer es noch hinausschafften aus dem unbekannten Land, in dem die Unruhen eskalierten, die Maschinen landeten auf dem von belgischen und französischen Truppen gesicherten Flughafen, Darius schloss zwei Nächte später die Haustür auf, am nächsten Morgen sahen wir seine von der Sonne gerötete Stirn, die sich so schwer mit einem April in Genf vereinbaren ließ, einem mitteleuropäischen Frühling, der vor wenigen Tagen noch in Schnee versunken war.

Milan räumte seine Hefte zusammen und ging ans Fenster, er stand dort eine Weile reglos, in den Nachrichten forderte der UN-Generalsekretär die Blauhelmsoldaten auf, die Serben mit allen Mitteln zum Rückzug zu zwingen, das Ratschen der Gardinenösen in der Schiene riss Lucia aus ihrer Trance, sie blickte ihn fragend an, da ist doch niemand, Milan, nur Wald.

Nur weil bei uns niemand reinsehen kann, will ich nicht die ganze Zeit rausstarren müssen. Er nahm seine Hefte und stand schon in der Tür. Kurt Cobain hat sich umgebracht, und ich spiele Schubert, sagte er, und ich hörte seine Schritte auf der Treppe, das Zuschlagen einer Zimmertür im oberen Stock.

Lucia strich sich über ihre glatten, wie stets perfekt frisierten Haare, ihre Hand bewegte sich auf und ab, als streichelte sie sich selbst beruhigend über den Kopf, er hat morgen eine Klausur, weißt du, sagte sie, und ich wollte ihr sagen, dass niemand an einem Sonntag in den Osterferien Klausuren schreiben muss, nicht einmal Milan, aber ich war mir nicht sicher, ob sie mit mir oder nur zu sich selbst gesprochen hatte, und als sie sich neben mich auf das Sofa setzte, ihren Arm um mich legte, drückte ich nur meinen Kopf an ihre Schulter. Du hast ja noch immer Fieber, sagte sie leise.

Die Zahl der Toten wurde an dem Abend nicht genannt. Später, im Juli, würden sie Bilder aus Goma zeigen, einer Stadt nahe der ruandischen Grenze in jenem Land, das damals noch Zaire hieß und sich heute Demokratische Republik Kongo nennt, eine Cholera-Epidemie war ausgebrochen, ein Teil des Lagers gesperrt, man wickelte die Leichen in Tücher, schleppte sie an den Straßenrand, es mangele an Wasser, berichtete ein in Pastellmuster gekleideter deutscher Journalist, der mit einem Mikrofon in der Hand vor den Menschenmassen stand, die zu einer bizarren Kulisse wurden.

Aber noch war es April, die Kirschen im Garten kahl, der Schnee würde auch am nächsten Morgen fallen, in den ersten Stunden zwischen dem Kopfsteinpflaster versickern, und Lucia wickelte mir am Abend, nach den Nachrichten, feuchte Handtücher um die Beine, die das Fieber mildern sollten, kurz muss ich weggenickt sein zwischen Frieren und Schwitzen, bald lag ich wieder wach, Lucia war fort, das Zimmer leer, alles weit weg, und ich schwitzte unter Decken, alles zog sich um mich zusammen, der Raum war verschwunden, etwas Bedrohliches an seine Stelle getreten, ich hörte das tiefe Dröhnen der Militärmaschinen, den Lärm in der Nacht, Schüsse, Schreie, und ich wusste, Darius kam nicht zurück, auch er würde einfach verschwinden, wie alles in meinem Leben verschwand, was mich schützen sollte, und mit einem Mal verstummten die Schreie, ich hörte keine Schüsse mehr, nur noch diese Stimme war da als Fluchtpunkt in der Hitze, Milan irgendwo versteckt in dem um mich wachsenden Dunkel, Milan, der leise, aber nicht flüsternd wiederholte, ich bin ja da, Mira, ich bin ja da.

Genf. April 2017

Ich hatte mir vorgenommen, nicht zusammenzuzucken, wenn ich den Schlüssel im Schloss hören würde, nicht zum Flur zu blicken, wenn die Wohnungstür zufiele, mir nichts anmerken zu lassen, denn was war es schon mehr als das Alltäglichste, eine Frau kommt aus dem Büro nach Hause, ein Paar findet sich nach dem Arbeitstag wieder im gemeinsamen Zuhause, eine Familie bewohnt zusammen drei Zimmer, Küche, Bad, ein Kind hängt seinen Ranzen auf, und vielleicht zuckte ich doch kurz zusammen, als die Tür zufiel, Milan unterbrach nicht einmal seine Erzählung, führte sie vielleicht gerade deshalb weiter, weil er die Schritte im Flur nicht hören wollte, die fest und zugleich sanft waren, halbhohe Absätze, nahm ich an, daneben das eilige Tapsen eines Kindes, das etwas in mauligem, müdem Ton sagte, und Milan sprach weiter, natürlich, wir zweifeln doch alle ab und zu, jetzt sitzt du eben ein paar Monate am Schreibtisch, und wofür, für drei Adjektive und ein Komma, das geändert wird, das kommt dir wie nichts vor, aber weißt du was, Grenzen sind auch nur ein paar Steine, die man erst später da hingesetzt hat, es wäre doch absurd, wenn gerade die am längsten blieben, und Teresa stand schon auf der Türschwelle, ließ die Tasche nachlässig gegen das Sideboard fallen, da sah Milan auf.

Ihr Blick streifte mich nur kurz. Entschuldige, wir sind spät, sagte sie, Kolja hat wieder in der Umkleide getrödelt, du weißt ja, und erst als Milan auf mich wies, das ist Mira, eine Freundin von früher, blickte sie länger zu mir herüber, in ihrer Miene lag nichts von der Eifersucht, die Milan vor zwei Wochen noch in seinem Büro behauptet hatte, ich war eine Freundin, eine Bekannte von früher, ich war bloß ein Zufall an diesem frühen

Abend, an dem ihr Sohn in der Umkleide getrödelt hatte, und sie würden in ein paar Tagen nicht einmal mehr darüber reden, dass ich hier gewesen war, und wenn doch, dann so beiläufig, wie man erwähnt, dass wieder eine Einladung zu diesem Empfang gekommen sei, den man wie jedes Jahr absagt, dass wieder Stau gewesen sei auf der Voie Centrale, es war nichts, zumindest nichts von Bedeutung, sie ging zwei Schritte auf mich zu, nur zwei, nicht nah genug, um mich wirklich zu begrüßen, sie musste sich leicht nach vorn beugen, damit ihre Hand meine erreichte, wie nett, sagte sie und stand zu weit entfernt, als dass ich hätte sagen können, ob der weiche Geruch ein Parfum war oder allein von ihr ausging.

Wenn du Kolja morgen zur Schule bringst, sagte sie nun wieder zu Milan und zog ein wenig ruppig an ihren Jackettärmeln, denk bitte dran, er soll Geld für eine Spendensammlung mitbringen, er wusste nicht mehr, wofür genau. Ach, und im Büro haben sie wieder angerufen, der kleine Diktator und seine Freunde, du weißt ja.

Teresa ließ sich auf den Stuhl am Esstisch sinken, jenen Platz im Wohnzimmer, der am weitesten vom Sofa entfernt war, auf dem ich saß, was nur Zufall gewesen sein mag, denn ich war ja nur eine Bekannte, manche Leute halten mich für hübsch, aber doch nicht für so schön, um sofort Verdacht auf mich zu lenken, es war bloß Zufall, dass sie mich in ihrer Erzählung ausschloss – du weißt ja –, allein mit Milan sprach, der eingeweiht war in ihr Leben, während ich nur Vermutungen anstellen konnte, von welchem Diktator sie sprach, oder mich, wie es wohl angebracht war, besser aus allem heraushielt. Sie stützte die Stirn in die Hand, ob aus Müdigkeit oder nur, um sie vorzutäuschen, der eingespielte Dialog ihrer Gesten, die Milan verrieten, ob er sie nun besser für eine Weile in Ruhe ließ oder ihr, ohne dass sie etwas sagen musste, einen Tee oder ein Glas Wein brachte, du weißt ja – dieser kurze Einwurf –, wie das Tasten nach der Hand des anderen, als wollte sie sich jener Vertrautheit versichern, aus der ich ausgeschlossen war, aus all den vergangenen Gesprächen über alles und nichts, über wichtige und unwichtige Dinge, und gerade das Unwichtige, das sie voneinander wussten, hielt sie noch enger zusammen, die Details und Nichtigkeiten, die man sich bei keinem anderen merken würde außer bei demjenigen, mit dem man sein Leben zu verbringen beschlossen hat oder es bereits mit ihm verbringt. Man tastet nach der Hand des anderen, nur um zu spüren, dass er noch da ist, obwohl man ihn ja neben sich sieht, dass er aber tatsächlich da ist und einen hält, noch einmal jenes Zugeständnis erneuert, dass diese Hand einem die Stirn fühlen wird, wenn man Fieber hat, einem beruhigend über die Schulter streicht, wenn man sich erschrocken hat oder Sorgen einen umtreiben, dass diese Hand zwischen den Schenkeln hinauffährt und erst dann zu spielen aufhört, wenn der Atem heftig und unverschämt geworden ist, dass sie die Wange umgreift und, ohne dass man etwas sagen müsste, den Kopf an die Schulter des anderen schmiegt, weil man müde ist, weil man zu müde oder zu stolz oder zu erwachsen ist, um zu sagen, dass man sich anlehnen muss.

Sie haben Probleme mit einem Sportmoderator, sagte Teresa. Erst der Skilift, weißt du noch?

Den sie im Herbst nicht in Gang gekriegt haben?

Dann die Aalzucht, in der nichts schlüpfen wollte, und jetzt das, sagte sie lachend. Ich bin vermutlich die einzige Person in der imperialistischen Welt, die überhaupt noch ans Telefon geht, wenn diese Nummer auf dem Display erscheint, aber woher weiß ich, wie man Aale züchtet? *Miss, we have a problem*, ja, natürlich, jeder weiß, dass sie Probleme haben, nicht nur eins. Sie haben den Sozialismus, die rhythmische Sportgymnastik und eine Aalzucht, in der nichts schlüpfen will, da können sie nicht auch noch den einzigen Sportmoderator Nordkoreas an Krebs sterben lassen. Er hat noch ein paar Wochen, er kann schon jetzt nicht mehr sprechen, wie wollen sie …, und sie unterbrach sich, als Kolja ins Zimmer gerannt kam. Er blieb mitten im Raum stehen, zarter, als ich ihn mir vorgestellt hatte, aber vielleicht hatte ich einfach keine Ahnung, wie klein ein Kind mit sechs Jahren noch ist.

Hast du dir die Zähne geputzt?, fragte Teresa, und erst jetzt bemerkte ich Milans Blick – du verrätst mich nicht, oder auch: ich weiß, dass du uns nicht verrätst –, vielleicht hatte er mich schon die ganze Zeit über so angesehen, und ich nickte ihm zu, mein Mund fast lächelnd, ich nickte, um unsere Abmachung zu bekräftigen, die noch keiner von uns ausgesprochen hatte, was solltest du von mir zu befürchten haben, ich bin es, die Angst hat, ich bin ja nur aus Angst mitgekommen.

Als wir uns vorhin vor der Haustür verabschiedet hatten mit einer kurzen Umarmung, drei Wangenküssen, links, rechts, links, er mich gefragt hatte, magst du noch kurz mit raufkommen, oder vielmehr aufgefordert, komm doch noch kurz mit rauf, hatte ich erst den Kopf geschüttelt, mich schon halb abgewandt und war dann doch mitgegangen, weil mich diese ängstliche Neugier gehalten hatte, eine Unruhe, von der ich wusste, dass sie, wäre ich kurz darauf allein in meiner Wohnung gewesen, nur größer geworden wäre. Ich hatte Angst davor, zu sehen, wie Milan war in seinem Leben, zu dem ich nicht gehörte, aus dem er mit mir nur ein Mal ausgeschert war, ich hatte Angst zu sehen, wie die Frau sein würde, die er, anders als mich, einmal geliebt hatte oder noch immer liebte, aber nicht mehr wusste, welches Wort dazu passte, ich hatte Angst zu begreifen, dass es nicht bloß jenen Milan gab, der allein auf einer Bank im Palais des Nations saß und darauf wartete ... auf irgendetwas wartete, von dem er selbst nicht wusste, was es sein mochte und wohin es ihn brächte, wovon er überhaupt wegwollte, denn er war ja glücklich, wie er mir mehrfach versichert hatte, er war doch glücklich mit seinem Leben und damit, wie alles gekommen war.

Wir haben eine Freundin zu Besuch, sagte Milan. Eine Kollegin von mir. Sie arbeitet zu Zypern, weißt du, wo das liegt?

Kolja legte den Kopf schräg, musterte mich, trippelte von einem Fuß auf den anderen, die in Hausschuhen mit weißen Hasenohren steckten. Bist du schon mal in der Wüste gewesen?, fragte er. Ich versuchte mir sein schmales Gesicht in der Unwirklichkeit einer Dünenlandschaft vorzustellen, überall Sand und Himmel und Helligkeit, seinen ernsten, fast erwachsenen Blick, der seinen Körper noch zarter erscheinen ließ, und es gelang mir nicht, er verschwand einfach in der unermesslichen Hitze.

Mich interessieren Wälder, antwortete ich kühl, dabei wollte ich ihn nicht zurückweisen, wollte ihn nur vor der Wüste beschützen, die eindeutig zu groß war für ein Kind wie ihn.

Wälder?, fragte er skeptisch, wandte sich dann zu Milan um, der ihm zunickte, ihn auf seine Knie zog.

Wir waren eine ganze Woche in der Wüste, erklärte Kolja, sich aus der Umarmung von Milan windend, und weißt du, wenn man da aufwacht, sieht man ... und dann vergaß er, was man dort sah, ging zum Esstisch, auf dem noch meine Tasse mit Lippenstiftspuren stand, Kolja nahm sie in die Hand und wollte von seinem Vater wissen, ob es noch Fotos gab von ihrem Hotel, einem Hotel mitten in der Wüste, verlor aber auch daran das Interesse, drehte sich zu mir und streckte mir die Arme entgegen, ich hob ihn auf meinen Schoß, ein Reflex, ich hatte nicht darüber nachgedacht, ob es sich gehörte, ob das der eine Schritt war, den ich zu weit in Milans Leben hineintrat, der eine Schritt, den Teresa bei der Begrüßung ausgelassen hatte, hörte sie nur in den Flur gehen, eiliger als vorhin, und Kolja legte seinen Kopf gegen meine Brust.

Ich fing Milans Blick, ein wenig skeptisch, er galt dem Kind, nicht mir, dem Kind und seiner geordneten Welt, in der ich mit einem Mal aufgetaucht war, höchstens eine kleine Irritation der Ruhe, die in dieser Ehe lag, nur eine Freundin, eine bessere Bekannte, die im Wohnzimmer auf dem Sofa saß, so platonisch und harmlos, dass nichts zu verheimlichen war, sie sogar das Kind auf dem Schoß hielt, aber als im Flur eine Tür zuschlug, stand Milan plötzlich auf und hob Kolja hoch. Er legte seine Hand um Koljas Hinterkopf, schützend, zugleich bestimmend, und dirigierte ihn aus dem Wohnzimmer.

Im Flur hörte ich Milan leise mit Teresa reden, kein Ton des Streits, aber auch keiner des Begehrens oder der Aufgeregtheit, was hatte ich erwartet, sie lebten seit Jahren zusammen, es waren die Verlässlichkeiten, nicht die Überraschungen, die sie aneinanderbanden, all das, was funktionierte, und hätten sie einen Skilift in ihrer Wohnung und eine Aalzucht im Bad gehabt, hätten auch die funktioniert, und sosehr Teresa auf die Anrufe des Diktators und seiner Freunde schimpfte, war sie vermutlich froh über dieses Schattenchaos von draußen, dem sie nur ein Stirnrunzeln entgegenbringen musste und gegen das ihre Welt noch ein wenig zureichender wirkte, hier in ihrer Welt gelangen die Dinge, und natürlich war das der Grund gewesen, weswegen Milan mich so leichtfertig eingeladen hatte nach der Arbeit, denn auch, wenn ich ein wenig Unruhe in die zu stille Ordnung bringen sollte, so war es für ihn doch ein Spiel ohne Risiko, und was hatte ich dort unten vor der Haustür geglaubt? Dass Teresa verreist war, ihr Sohn bei den Großeltern, bei Darius womöglich, hatte ich das wirklich angenommen, hatte ich erwartet, dass Milan in seiner eigenen Wohnung wieder jene Nähe zu mir suchen würde, die es kurz, aber es war ja nur ein Moment gewesen, zwischen uns gegeben hatte? Und nur, weil der Genfer See, der vor dem Fenster unseres Hotelzimmers lag, schon von Cäsar erwähnt worden war, machte es unsere Begegnung nicht haltbarer, in zweitausend Jahren würde niemand mehr über diese Begegnung sprechen, nicht einmal wir, nicht einmal in zwei Tagen, jeder von uns war ja wieder in sein Leben zurückgekehrt, er mehr als ich, weil er mehr Leben hatte oder ein Leben von größerem Gewicht, während ich zwischen Möbeln und Erinnerungen lebte, die nicht mir gehörten und die so unerträglich weiß waren, dass niemand außer mir diese Wohnung westlich des Bahnhofs hatte mieten wollen, dass niemand außer mir noch an das Frühjahr 1994 dachte, in dem Kurt Cobain gestorben war und einige andere auch, und vielleicht war ich doch nicht bloß aus Angst mitgekommen, sondern weil ich es ihm nicht verzieh, diesen Leichtsinn, meine Gegenwart in sein Leben zu holen, denn ich wusste sehr wohl, im Gegensatz zu ihm, der ahnungslos tat, dass, wenn ich nur erst einmal Platz genommen hätte an seinem Esstisch, auf seinem Sofa, alles in diesem Zimmer, in dieser Wohnung, in diesen drei Leben bereit war zu zerbrechen.

GERECHTIGKEIT

Den Haag. Mai 2017

Das Meer sah von hier weit aus, dabei reichte es nur bis England. Ein paar hundert Meter Richtung Süden, eine vierspurige Straße entlang, lag das Gefängnis von Scheveningen, ein rotbrauner Bau mit Zinnen und Türmchen, in dem seit einem späten Junitag vor fast zwanzig Jahren Slobodan Milošević durch ein Fenster gesehen hatte, aber das Wasser, sagte Milan, habe nicht mehr in seiner Sicht gelegen, und er starb vor dem Urteil, ließ die Anklage allein mit den Akten, Plädoyers, das Meer zog sich zurück und kehrte wieder, wie es auf der Tafel neben dem Rotkreuzcontainer verzeichnet war, und es wäre so einfach gewesen, Momente gingen vorbei, man musste nur abwarten, und Milan war nach Den Haag gefahren, um eine Wohnung zu suchen für Teresa, Kolja und sich.

Wasser schoss um meine Füße, floss zurück, nur noch ein dünner Film, der den Strand im Morgenlicht kurz aufleuchten ließ, ehe alles im Boden versickerte, bloß die weiße Gischt blieb und

Muschelkitt, Algen, eine zerriebene Plastiktüte. Milan war bis zu den Knien ins Meer gewatet, warf die Hände in die Luft, und ich lachte, lachte ein wenig zu laut, wo sind wir was tun wir wozu?, aber wer sah uns hier schon neben den ordentlich gestapelten Strandliegen, das Riesenrad stand noch still, vom Turm würde sich erst in ein paar Stunden jemand an einem Seil hinunterstürzen, wieder hinauffedern, die Liegen wurden irgendwann an diesem Morgen über die Fläche verteilt, einige zum Wasser gerichtet, andere abgewandt, eine Liege nach der anderen, wenn die ersten Besucher den Strand in Beschlag nahmen, und nur in der Ferne taumelten einige Punkte in den Wellen, Frühschwimmer oder Jugendliche, die von einer nächtlichen Feier übrig geblieben waren.

Auf dem Dünenweg hatte ich ein paar Steine gesammelt, glatt und flach, sie versanken alle in den Wellen, wurden einfach von ihnen geschluckt, und ich hätte nur abwarten müssen, Milan wäre wieder aus meinem Leben verschwunden, Genf hätte sich über mir geschlossen wie die Wasseroberfläche über einem Stein, alles wäre wieder im gewohnten Takt verlaufen in dieser internationalen Provinz, die Gäste, die sich auf keinen anderen Ort der Welt einigen konnten, wären weiterhin angereist, die Flaggen vor dem Palais des Nations hätten sich im leichten Wind gebauscht, meine Wohnung wäre noch so reinweiß gewesen wie bei meinem Einzug, ich hätte nur abwarten müssen, aber ich wartete nicht, dabei war alles nur ein Spaß gewesen,

das Meer, du musst dieses Meer sehen, Mira,

eine Probe vielleicht, etwas, das man so dahinsagt,

komm doch her, Mira, du musst das Meer von hier aus sehen,

und wenn er ehrlicher gewesen wäre, aber das trauten wir uns nicht, man versteht schließlich, wie weit man aus der Rolle hinauskann, auf die man sich eingelassen hat, für die man Verantwortung trägt, und es sind schon Staatschefs dadurch gestürzt oder haben andere stürzen lassen, ohne es zu wollen, allein weil ihre Rolle es ihnen vorgab, der Läufer kann auch nicht plötzlich geradeaus ziehen, und der König in seinem gravitätischen Ernst wird nie mehr als einen Schritt machen, aber wenn Milan ehrlich gewesen wäre, und wann sind wir das schon, hätte er gesagt:

Ich möchte dir das Meer zeigen, das Licht über dem Meer um halb sechs am Morgen, ich bin eigentlich nur für dich aufgestanden so früh oder weil ich nicht schlafen konnte.

Und jetzt fällt es auch mir ein, Milan, ich habe lange nicht daran gedacht, aber die silberne Subway, die sich um drei Uhr morgens in die Station Carroll Street schiebt, wollte ich dir zeigen, und die Steine, die über den East River gesprungen sind auf der Höhe der 38. Straße, das Mädchen auf einem Rastplatz hinter Aachen, das sich mit einem weißen Stoffschuh über die linke Wade rieb, den klaren Himmel über Bujumbura, die Lichter, die man vom Restaurant Belvédère aus sieht und die niemals die ganze Stadt beschreiben, denn immer ist irgendwo ein Stromausfall, und immer habe ich gewusst, dass ich es jemandem zeigen will, denn wenn man etwas allein sieht, ist es doch noch lange nicht wahr, und man vergisst es, schreibt die Erinnerung um, und wenn niemand da ist, dann verschwinden die Lichter und Schuhe und Steine, und niemand fragt mehr, was aus ihnen geworden ist, aus dem Mädchen auf dem Rastplatz, und zu welchem Wagen es eigentlich gehörte.

Ich hatte gedacht, er würde gleich darauf lachen, aber er lachte nicht, da war nur eine Pause, die an der schlechten Verbindung liegen musste, auch wenn die Verbindung nicht schlecht war, das war nur Holland, ein paar hundert Kilometer nördlich meines Büros, nicht Teheran, Mosul, Kigali, und ich fragte beiläufig, wie es sonst Milans Art war, willst du wirklich, dass ich dich besuche?, starrte dabei auf den kleinen roten Ball auf dem Schreibtisch, den mein Vorgänger oder die Vorgängerin des Vorgängers oder auch nur ein Gast hiergelassen hatte, einen dieser Bälle, die man drückt, um Stress abzubauen, sie hatten das Büro verlassen, ohne den Ball mitzunehmen, ich habe gerade nichts zu tun in Genf, hörte ich mich sagen, wenn du willst …, ich muss hier mal raus, aber ich will dir nicht zur Last fallen, ich kann auch ans Mittelmeer fahren. Nein, nein, sagte er schnell, du fällst mir nicht zur Last, im Gegenteil, etwas Ablenkung, du kennst das ja, diese Orte, die sich nach der großen Welt anhören, sind am Abend öde, weil man nicht rauskann, und kann man raus, ist da nichts, nur das Restaurant, in dem die Juristen nach Feierabend noch einmal ihre Fälle durchgehen, aber eigentlich sagen sie nichts, weil sie Angst haben, dass jemand mithört, komm bitte, ich gehe ein vor Langeweile, und als ich aufgelegt hatte, wusste ich nicht einmal mehr, warum wir telefoniert hatten, was hatte er mir erzählt, von diesem Licht, nicht mehr, nur von diesem Licht morgens am Strand.

Meine Zehen gruben sich in den Sand, ich fühlte die winzigen, zerschellten Muschelscherben, roch den Seetang, Salz und Dreck, Milan strich mir über die Schulter, nur eine kurze, fast scheue Geste, komm mit, komm hier rüber, drei der Strandliegen waren vergessen worden, zwei davon ragten schräg aus dem Boden, als sollten sie Wind und Blicke abwehren, Milan zog mich dahinter, die offene Seite ging zu den Dünen, die mit Stacheldraht vor Spaziergängern geschützt waren, und später am Tag würden in den Strandtaschen hier nur Limonadeflaschen und Frikadellen liegen, eingewickelt in Alufolie, keine Medikamente, die ich wieder zu lange in der Hitze vergaß, ich lehnte mich kurz vor, sah den Strand hinunter, der Wind warf mir Sand in die Augen, ich lachte, Milan zog mich zurück und wischte mir die Tränen aus dem Gesicht, von den brennenden Lidern, zog mich zu sich, zog mich auf sich, meine Beine drängten sich an seine, und wenn man vom Unendlichen ein paar Zahlen abzieht, dann bleibt immer noch mehr, als man begreift.

Hinter uns lag das Kurhaus, in dem vor einhundertfünfzig Jahren die adligen Gäste sich in Wannen gesetzt hatten wie einst die Irren in den Leprastationen, um wieder zu Verstand zu kommen, aber was hätten wir damit gewollt, mit dem ganzen Verstand, der ganzen Vernunft, im Kurhaus kurierte eine Gräfin ihr Rückenleiden, ein Herzog milderte sein Rheuma mit Meerwasser, das ein zurückhaltender Stranddiener aufbereitet hatte, in jener Welt, die bestanden hatte, ehe die erste Mole gebaut und im Weltkrieg wieder zerstört worden war, ehe die Zimmer kleiner wurden, weil die Bürgerlichen kamen, die so viel Platz nicht bezahlen konnten, dafür aber Shows wollten, Unterhaltung, Cabaret, nicht nur das Wasser, das gemächlich am Festland fraß, und die Wannen, in denen ihre adligen Vorgänger in einem kleinen Stück Meer gesessen hatten, weil das richtige Meer zu schwer zu kontrollieren war, und ich griff Milans Hand, schob sie tiefer, seine Finger suchend, tastend, und ich dachte, ich würde schon alles zurückdrehen können, ich könnte den Blick schweifen lassen, und was ich sah, würde ich so leicht wieder vergessen wie das Schiff dort hinten, das mich nichts anging und bald am Horizont verschwand, an dieser so klaren Grenze, dabei waren ja auch die Grenzen oft nur willkürlich gezogen. Wer hatte auf der Kongokonferenz schon gewusst, wie der Fluss durch den Äquatorialwald floss, man zeichnete die Linien wie die Konturen eines Gesichts, das noch nie jemand gesehen hatte, und so entsteht Wirklichkeit, und so geht sie verloren, und wenn ich auch wusste, dass dort drüben die Nordsee begann, wenn man mir auch schon als Kind erzählt hatte, dass es gefährlich war, bei Ebbe zu weit hinauszugehen, denn allmählich kam das Wasser zurück, man bemerkte es zunächst nicht, und dann war es da, ein grauer Film erst, das leise, ferne Rauschen, wie Wind in Birkenkronen, man wüsste dann nicht mehr, in welcher Richtung das Land lag und was man dort überhaupt sollte, mein Becken an Milans gedrängt, meine Zunge an seiner, und natürlich wusste ich, hatte es auch vorher schon gewusst, dass es einen Schritt zu viel gab, einen zu weit, mein Körper fächerte sich auf, das Innere schoss herauf, und auch viele, die zu weit trugen, und es war immer besser, sich zurückzuhalten, herauszuhalten, aber wenn wir uns heraushielten aus allem, was uns nichts anging, nur berührte, wenn uns das Licht so früh am Morgen nicht mehr anzog und wir nicht mehr hereinfielen auf die trügerische Ruhe des Watts, woher wussten wir dann, dass es all das gab?

Das Licht so früh, wenn die Stadt noch geschlossen ist, ihre Läden und Büros und Institutionen, nur ein Bus fährt vorbei, und alles ist nebensächlich mit einem Mal, denn dieses Licht, das Meer da vorne, es existiert nur in diesen Momenten, an diesem Morgen, und wieso sollte es schlecht sein, wenn ich weiß, wie sich dein Haar anfühlt in der Salzluft, wenn ich weiß, wie dein Atem schneller wird, schnell und gepresst, nah an meinem Ohr, meine Finger sich in deinen Arm drücken, und wie du wieder ruhig bist später, ruhig und verwirrt, wie deine Stimme klingt so früh am Morgen, wenn du mir alles glaubst, was ich von hier aus sehe?

Dieses Licht, du musst dieses Licht sehen, es gibt dieses Licht doch eigentlich nicht, wenn ich es dir nicht zeigen kann,

und natürlich geht man danach, man geht einfach, zieht die Kleidung noch glatt, aber vielleicht hat man es auch zu eilig, nicht wegen der Termine, die Termine haben wir nur, damit es einen Grund für die Eile gibt, und wir sehen dem anderen nicht noch einmal ins Gesicht, aber natürlich begegnen wir ihm wieder auf dem Gang vor dem Salle des Pas Perdus oder in der Cafeteria, nicken uns über die Tische hinweg zu, tauschen uns auf dem Gang kurz über die Rede des Generalsekretärs aus, die Hände berühren sich dabei nicht, aber sie haben sich einmal, es muss wohl zufällig gewesen sein, genau hier berührt während eines Gesprächs über die Rede des Generalsekretärs, und am Samstag grüßen wir uns in der Altstadt, auf dem Markt, *mais je prend la même chose que Madame,* eine verspätete Aufmerksamkeit, eine Erinnerung an etwas, das keine Rolle gespielt hat, und nun bekommt er Aprikosen, die er nicht mag, aber so nah bin ich Milan nie gekommen, so vertraut waren wir uns nicht, dass ich seinen Obstgeschmack kennen würde, seine gewöhnlichen Abende. Ich kann ihn mir in den Sitzungssälen vorstellen, in einer Bar, ich weiß, wie seine Haut sich anfühlt, wenn wir erschöpft nebeneinanderliegen auf dem imprägnierten Stoff einer Strandliege, wenn der Schweiß seinen Körper weicher macht, ich kenne seinen Geruch, der intensiver wird, wenn sich mein Mund vom Inneren seiner Hand zu seiner Armbeuge sucht, aber ich habe keine Ahnung, wie er am Abend in der Küche Aprikosen schneidet, wie seine Frau ihm dabei zusieht oder er seiner Frau, und keiner von beiden mag dieses Obst, warum hast du es überhaupt gekauft?, wird sie ihn fragen, aber ich habe keine Ahnung, wie er eigentlich ist, ich weiß ja nur, wie er ist, wenn er aus allem ausbricht, wenn wir uns am Strand hinter zwei Liegen verstecken, aber wie wirklich ist das hier schon, man wartet in Zinkwannen darauf, dass sich das Rheuma im Salzwasser auflöst, man flaniert über die Terrasse des Kurhauses, geht bis zur Spitze der Mole und blickt hinüber nach England, das dort drüben noch liegen muss, denn es ist ja nicht, wie die Mole, im Krieg vollständig zerstört worden, ich legte den Kopf zurück, sah die weißen Bäuche der Seemöwen,

aber es war zu schön, um dich nicht anzurufen, Mira,

und als sich die Rückenleiden mit Schmerzmitteln besser behandeln ließen als mit Salzwasser, erfand man den Frieden, eine dieser Institutionen, die neue Hotelgäste in die Stadt bringen sollten, und von hier aus glaubte man gern an ihn, so wie der Idee, dass Meerwasser das Rheuma aus dem Körper zieht. Dort hinten, es ging ein Stück die Straße hinauf, hatten sie Milošević untergebracht, aber bis zum Strand reichte sein Blick nicht, nicht zu den nachgebauten Türmchen und Zinnen und dem Hund, der im Sand wühlte, obwohl Hunde hier nicht erlaubt waren, der aber dennoch über eine der Burgen sprang, die vom Vortag noch stand,

und es ist nicht nur, dass ich mir das Licht mit jemandem ansehe, das hier ist etwas anderes, es ist, als könnte alles eine andere Geschichte erzählen,

und jemand stahl die Muscheln von der Burg vom Vortag, um eine neue zu bauen und wieder eine neue, bis die Saison vorbei war, die Kurgäste nach Hause fuhren, immer reisen sie irgendwann ab, zurück zu den Namensschildern an der Tür, den Schuhen neben der Fußmatte, den beiden Schlüsseln, die vom Vermieter ausgehändigt wurden vor Jahren, und zu den beiden Telefonnummern, die die Putzhilfe kennt, sie wird niemals die dritte Nummer erfahren, die Nummer der Geliebten, des Liebhabers, es sind die Grenzen, die Einteilungen, die uns beruhigen, die Aufteilung in Schlafen und Wachsein, in Wahrheit und Lüge, in heimlich und legitim, und auch wenn die Grenzen willkürlich gezogen wurden, glauben wir ihnen doch. Am Sonntag hängen die Kinder ein Vogelhäuschen ans Fenster, füttern ein paar Körner an Tauben, Rotkehlchen, den Heiligen Geist, wie die weißen Missionarinnen, die 1580 und 1910 ein paar Kreuze ins Kongogebiet brachten, um den lieben Gott über die Dörfer zu sprenkeln, wir legten die Grenzen durch unseren Alltag, auch hier am

Meer war es so, es täuschte uns nur manchmal, wirkte weit, aber in Wahrheit reichte es nur bis England, und um halb sieben, so stand es auf der Tafel neben dem Rotkreuzcontainer, zöge sich das Wasser zurück, um zwei herrschte Ebbe.

Kannst du eigentlich noch Schubert spielen?, flüsterte ich.

Konnte ich nie, sagte Milan und legte seinen Kopf an meine Schulter.

Bei Bonn. April 1994

Die kahlen Kirschbäume standen wie Ziersoldaten in der Mitte des Parks, den Jahreszeiten enthoben, die Büsche aber wucherten bereits tiefgrün, und an den Ästen der Kastanien waren die Knospen so weit aufgebrochen, dass die Blätter wie weicher Farn unter meiner Hand entlangglitten, hier oben, wo sich der Stamm des Baumes gabelte, ein Hochsitz, auf den ich mich gezogen hatte, einen Fuß in ein Astloch gestemmt, meine Hose fleckig von frischer Rinde. An den Ästen vorbei sah ich Darius vor den verwilderten Himbeersträuchern, er stand dort, ohne mit Journalisten zu sprechen, ohne sich um das Reh zu kümmern, ohne überhaupt etwas zu tun. Es war, als wollte er in dem Grün der Büsche einfach verschwinden, aber sicherlich denke ich das erst heute, damals kam es mir wohl nur seltsam vor, dass ein Erwachsener dort am Rand des Unterholzes stand, durch das ich, wenn mich der Gärtner nicht zurückrief, kroch, kletterte und floh, auch jetzt war ich auf der Flucht vor ein paar Feinden, die es nur in meiner Fantasie gab, aber dort gab es sie wirklich, und ich entkam ihnen jedes Mal. Manchmal stellte ich ihnen etwas hin, die Reste meines Schulbrots oder eine Sandwichecke vom Nachmittagstee, um sie zu besänftigen, sie würden irgendwann kommen, sie kamen ja bereits, nur war ich schnell genug und geschickt, aber würden das auch die anderen sein, die nicht einmal von ihnen ahnten?

Am Morgen hatten wir Darius' Mantel an der Garderobe gesehen, die Unordnung in seinem Arbeitszimmer, die er noch in der Nacht angerichtet haben musste, ein offener Aktenkoffer, Papiere über die ansonsten pingelig geordnete Schreibtischfläche verteilt, Lucia hatte uns vom Erdgeschoss aus zugerufen, wir sollten uns beeilen, unter dem Schreibtisch lag zerbrochen eine Pfauenfeder, dort, wo ich mich manchmal versteckte mit einem Laken über der Platte, wenn Darius verreist war, ich weiß nicht, wie oft er fort war während meiner Monate in Milans Haus, vier, fünf Mal werden es gewesen sein, in all diesen fremden großen Namen, man konnte tatsächlich Namen bewohnen, aber warum auch nicht, wenn man schon das Verschwinden bewohnen konnte, diese Orte waren nicht mehr als eine Anhäufung von Klang und Buchstaben, sie hatten keine Menschen und keine Geschichte, keine Häuser, nur Postkarten, und einige dieser Orte nicht einmal das, ich wollte in die Knie gehen, die Feder aufheben, hineinkriechen in die Höhle, die ich mir später, unter den Netzen in meinem Haus in Bujumbura, wieder bauen würde, und es ist, als hätte ich es über all die Jahre vergessen, fünfundzwanzig Jahre lang, dass ich dort im Arbeitszimmer von Darius geborgen war, ich fühlte Milans Hand in meiner, er zog mich aus dem Raum, warf einen Blick zur Treppe, als könnte Lucia geräuschlos hinaufgeschwebt sein, er legte seinen Finger auf die Lippen, Lucia rief erneut, nun ungehalten, ihre Schritte auf den Stufen, und Milan und ich eilten den Flur hinunter.

Am Nachmittag hörten wir Darius' Stimme, die mit jemandem am Telefon verhandelte, dann die Klaviermusik, die er aufdrehte, und Milan drehte Kurt Cobain auf, *who knows, not me, we never lost control,* Lucia lief mit den Händen auf den Ohren durch den Flur, und es war der direkteste Weg zurück in den Alltag, die Fragen übergehend, die, wenn sie auch nicht gestellt werden, uns doch so leicht an den Blicken abzulesen sind.

Ich kletterte weiter hinauf in die verwachsene Baumkrone, Darius rief meinen Namen, ich rutschte mit dem Schuh ab, aber hielt mich mit den Händen an einen der Äste geklammert, zog mich hoch, die Gummisohlen gegen den Stamm gedrückt, Schritt um Schritt hinauf. Das Grün um mich schwankte, hier oben waren die Äste so dünn, dass sie sich sogar unter meinem Gewicht bogen, man hielt mich für zu klein, zu schmächtig, ich glaube, das sagen sie allen Mädchen, damit sie nicht auf Bäume klettern.

Mira, nicht zu hoch, pass auf.

Er beugte seinen Kopf in die Höhle, die ein ganzer Wald war, das Unterholz jenseits der geharkten Wege und des sauberen Stalls, in dem das Reh längst kein Kitz mehr war, und ich spürte, wie der Ast weiter nachgab, blickte auf die Narbe am Stamm, wandte mich wieder zu Darius, zu schnell, sah das Fächern von Blättern und Farnen, wie schwindelig alles war, nicht ich, sondern alles um mich herum.

Und ich weiß nicht, ob ich gefallen oder geklettert bin, ich möchte gerne glauben, dass ich es allein geschafft habe, aber allein habe ich es wohl nicht geschafft, denn am Ende hielt mich Darius im Arm, ein Arm unter meinem Rücken, einer unter meinen Kniekehlen, er hielt mich einen Moment ganz ruhig, ließ dann meine Beine hinabgleiten, meine Füße tasteten unsicher nach der Erde unter dem Laub.

Du musst vorsichtig sein, Mira.

Darius setzte sich auf einen vermoosten Baumstamm, achtete nicht darauf, dass sein Anzug schmutzig wurde, die Arme auf die Knie gestützt, formten seine Hände eine Kuhle, als hielte er Brotkrumen darin, und ich wusste jetzt, dass es sie gab, die unsichtbaren Wesen hier im Unterholz, die man füttern musste, damit sie sich nicht gegen uns erhoben, dass auch er von ihnen wusste. Eine Weile saß er nur so da, sagte nichts, ich kratzte mich mit dem rechten Fuß an der linken Wade, um irgendetwas zu tun, ich traute mich nicht, wieder hinaufzuklettern oder ins Haus zu gehen, und erst jetzt fällt mir auf, dass Darius mich ansah damals, dass ein Lächeln um seinen Mund lag, nur um seinen Mund, sein Blick war trüb.

Wir müssen das auswaschen, Mira, sonst entzündet es sich, sagte er, wies auf mein aufgeschlagenes Knie, und dann war seine Miene wieder abwesend, seine Augen bewegten sich schnell, als suche er das Unterholz ab.

Ist alles in Ordnung?, fragte ich.

Ja, natürlich, es ist nur … Man passt nicht genug auf. Man denkt einfach nicht, dass es einen angeht. Wenn man so weit weg ist.

In Genf?

Darius sah mich ausdruckslos an, dann nickte er, ja, natürlich, in Genf. Zehn tote belgische Soldaten in Genf. Und niemand hat geglaubt, dass es da passieren kann. Dass es da passiert. Aber alle wissen es.

Ich bin auch nicht gerne weg von zu Hause, sagte ich.

Und was ist anders?, fragte er.

Ich zuckte die Schultern, scharrte mit meinen Schuhen im Laub.

Der Regen, sagte ich und riss ein paar Blätter von einem Zweig. Der Regen hört sich anders an.

Darius griff nach meiner Hand, lass das, wies er mich zurecht, und ich starrte auf den Boden. Vielleicht habe ich ihm noch das Bild beschrieben, das früher über meinem Bett gehangen hatte, aber ich glaube, er sprach wieder von den Soldaten, und ich hatte gewiss noch keine Vorstellung davon, wo Genf liegt oder Belgien, ich kannte Frankreich, Italien, Dänemark, auch England, aber ich dachte, es sei das Wort für alles, was hinter dem Watt beginnt.

Ist es schon Sommer in Genf?, fragte ich und tippte ihm auf seine gerötete Hand, er strich mir durchs Haar, schüttelte den Kopf.

Für was du dich alles interessierst, murmelte er. Manchmal weißt du einfach nicht mehr, wo du bist.

Ich nickte.

Und wer du in alldem bist.

Ich nickte weiter, es war nur noch eine Bewegung meines Kopfes, wie zur Beruhigung, Blut sickerte aus meinem aufgeschlagenen Knie, ich beugte mich hinab, drückte meine Hand auf die Haut, die Wunde muss gebrannt haben, denke ich jetzt, und ich habe ganz sicher geweint, auch wenn ich es zu unterdrücken versuchte, das war es ja, was einen groß machte, das Blut floss bereits mein Schienbein hinunter.

Weil du nicht mehr weißt, ob die Welt dir abhandengekommen ist, sagte Darius und zog ein Taschentuch aus seiner Jacketttasche, oder ob du selbst es bist, der abhandengekommen ist, fügte er hinzu, wischte mit dem Tuch erst das Blut von meinem Bein, dann, er hatte den Stoff einmal gefaltet, meine Wangen trocken, und ich dachte an Lucia, die geweint hatte, obwohl Erwachsene es nicht tun, jedenfalls die meisten, jedenfalls ich wollte zu denen gehören, die es nicht mehr taten, aber sie hat auch geweint, sagte ich entschuldigend, als Darius mir noch einmal mit dem Taschentuch unter der Nase entlangfuhr.

Wer?

Lucia. Abends, beim Fernsehen.

Das ist gut, sagte er, das ist gut. Du weißt nicht, zu was Menschen fähig sind, wenn sie gerade nicht weinen.

Bujumbura. November 2012

Erinnern Sie sich an das Schlagloch? Es ist nicht mehr da, dank der Straßenbaumaßnahmen der Regierung.

Als Erstes ist es die Hitze, nein, davor ist es die Müdigkeit: Der Flug mit Umstieg in Brüssel und Nairobi oder Entebbe, die Malariamittel, die viele sich verschreiben lassen und die jeder irgendwann absetzt, dann kommt man an, man kommt auf diese oder jene Art an.

Es gab die einen, die zuerst alles Vertraute sahen, Jenny's Café mit den biologischen Kaffeesorten und den Freelancern an ihren Laptops, das Heineken-Bier, das Volleyballnetz vor Geny's Beach, die Strandbar des BoraBora, den handgeschnitzten Kitsch in den kleinen Geschäften, Krokodile, Nilpferde, auch Giraffen, obwohl es in Burundi keine Giraffen gibt, die Büros mit Epson-Druckern und Leitzordnern, das Jackett des Kollegen, das er vor zwei Jahren bei Peek & Cloppenburg im Schlussverkauf erworben hatte, und vor lauter Vertrautheit verloren sie den Sinn für das Land, und es gab jene, die zuerst das Fremde bemerkten, die unbeleuchtete Zubringerstraße vom Flughafen in die Hauptstadt, dann die Checkpoints, an denen man für eine Fanta zahlte, eine Art Almosen, denn die Gehälter der Polizisten wurden allenfalls zufällig ausgezahlt, und jeder wusste, dass diese Männer, die mit Maschinengewehren an den Straßenposten standen, mit ihrem Gehalt nicht über die Runden kamen, man zahlte, um passieren zu dürfen, so hielt sich das System am Leben, in dem sich immer neue Nebenarme bildeten, kleine Siele, auf denen ein paar Francs von hier nach dort flossen, mit denen die Männer ihren Lebensunterhalt bestritten und deshalb die große Rebellion unterließen, und für jene, die mit diesem Blick ankamen, war das Land vor allem korrupt und musste geändert werden, und die einen sahen zuerst die Schönheit der grünen Hügel, die anderen den Konvoi mit den Flüchtlingen, die zurückgeführt wurden, und keine Meldestelle hatte offen, sie wurden einfach von der Laderampe ins Nichts entlassen, und das Nichts war ebenfalls grün, und das Grün war schön, man möchte mit der Hand über die Hügel streichen, so schön sind sie, wie über die Wange eines Geliebten, wenn der Anblick nicht mehr genügt, wenn man sich vergewissern will, und ich habe vielleicht nie eine so ruhig berauschende Landschaft gesehen, die glänzenden, harten Blätter der Kaffeebäume, das Glitzern des endlos erscheinenden Tanganjikasees, die geruhsam auf ihm schaukelnden Barken, die weichgrünen Wälder im Delta der Schluchten, die sich wie Schenkel nach oben hin öffneten, so hoch, dass Wolken sich an ihnen verfingen, der Blick hinüber nach Tansania, ein sich in der Ferne bläulich verlierendes Land, der Gebirgsbach, der plötzlich abstürzte an einer Felswand, weiß und adrig, es war großartig, und es war zu klein, dieses Land. Die Flecken, von denen die einen geflohen waren, waren längst an andere vergeben, die einen kamen zurück, und die anderen blieben, aber ich habe selten jemanden klagen gehört. Es war ein höfliches, ein stilles Land, und die einen sahen die *jeunesse dorée*, die sich im BoraBora auf den Strandliegen fotografierte, und die Studierenden vor dem Institut français, in dem *L'Intouchables* gezeigt wurde, und die anderen sahen die kleinen Jungen mit zerrissenen T-Shirts und Klebstoffflaschen, wir standen vor der Fensterfront im Belvédère, und die einen sahen von diesem Platz aus die in der Niederung leuchtende Stadt, die anderen sahen auf die Viertel, in denen der Strom wieder ausgefallen war, aber verstanden – verstanden haben wir alle zum ersten Mal etwas von diesem Land, als die Regierung dieses Schild im Zentrum der Hauptstadt aufstellte, ein einziges

Schild gegen die vielen Holztafeln, auf denen die Geberländer und Organisationen, auf denen die Welt sich in diese Hügel einschrieb und nicht nur die Straßen und Brunnen und Schulen für sich reklamierte, sondern die Dankbarkeit für all das, alles war *grace à l'Union Européenne, à la Belgique, à la Chine, à l'Organisation des Nations Unies*, aber ein Schlagloch in der Mitte der Innenstadt hatte sich die Regierung zurückerobert, *grace à la brigade de pavage de la SETEMU*, und ich weiß nicht, an was sich die Menschen hier alles erinnerten, was sie vergessen hatten oder versuchten zu vergessen oder zu erzählen oder auf Distanz zu bringen, aber an das Schlagloch, das es nicht mehr gab, das es vielleicht nie gegeben hatte an dieser Stelle, an das erinnerten sie sich nun jedes Mal, wenn sie hier hielten, man glaubt, was einem oft genug erzählt wird, und das Schlagloch war verschwunden, also war es einmal hier gewesen.

Im Verschwindenlassen, aber das wusste ich damals noch nicht, würde die Regierung noch besser werden, immer besser, erst war es das Schlagloch, in dem Sommer, in dem wir alle noch glaubten, das Schild wäre ein gutes Zeichen, in unseren Berichten lobten und beschworen wir die Erfolge des Arusha-Abkommens, die Stabilität des Landes, die Fortschritte des Demokratieaufbaus. Unsere Berichte waren Beschwörungen, Sätze, die eine Wirklichkeit weniger darstellen als eine Zukunft hervorbringen sollten, aber die entscheidenden Leute glaubten nicht an Zauberei, das übersahen wir damals.

Erinnern Sie sich an das Schlagloch? Es existiert nicht mehr.

Ich lenkte den Wagen an den Straßenrand, ließ meinen Kopf auf das Lenkrad sinken, ein Stechen hinter der Stirn, Malaria, eines der Versprechen, die man mir gegeben hatte, oder doch nur die Luft im Parlamentsgebäude, die von einem Ventilator schlapp aufgewirbelt worden war, ich sah Baptiste wieder vor mir, einen der Abgeordneten, denen ich abnahm, dass sie genügend Distanz zum Präsidenten wahrten, auch wenn Jean darüber den Kopf schütteln mochte. Baptiste legte seine Hände ineinander, natürlich muss die Kommission unabhängig sein, hörte ich ihn noch einmal sagen, natürlich glaube ich noch daran, aber Mira, denken Sie, dass Sie diese Kommission besser als wir besetzen werden, Sie von der UN?

Und das Tribunal? Es ist im Friedensabkommen festgelegt, sagte ich und versuchte, überzeugt zu klingen, dabei wusste ich an diesem Vormittag nicht einmal, wie ich in den klobigen Sesseln richtig saß, ich beugte mich vor, lehnte mich wieder zurück, fühlte mich gänzlich versinken im tiefen Sitz, auf dem Tisch, in unendlicher Ferne, standen Wasserflaschen, und ich hörte Baptiste erzählen von den drei Parlamentariern, zu denen er geredet hatte, kein Minister?, fragte ich, nein, aber vielleicht ist es auch besser, Sie schicken den Bürgermeister doch auch bald wieder weg, wenn Sie Ihre Seminare in den Dörfern geben, es ist nicht immer gut, wenn jemand von höherer Stelle zuhört, das wissen Sie natürlich, in diesem Land kennt jeder jeden, das macht es nicht leichter, und das Tribunal, sagte Baptiste, ist an der Grenze von Tansania hängengeblieben, wahrscheinlich waren die Papiere nicht in Ordnung.

Er wand seine Hände umeinander, als wasche er sie in der Luft. Von den Regalen aus belauerten uns Ebenholzkatzen, ich starrte ihnen ein paar Sekunden in die Augen, sah dann hinaus und wollte mit einem Mal das Fensterkreuz berühren, fühlen, ob es heiß war oder durch den Lack vor der Hitze geschützt, es ist ja nicht so, sagte Baptiste, dass es hier für immer so bleiben muss, aber manchmal muss man Kompromisse akzeptieren, und manchmal verändern sich die Dinge auch zum Schlechteren, einige Leute bereichern sich an diesem Land, einige tun es über Gebühr, und trotzdem muss ich mit ihnen zusammenarbeiten, ich nehme meine Möglichkeiten wahr, und ich weiß, Mira, dass wir, Sie und ich, an derselben Sache arbeiten. Ich möchte das zumindest glauben.

Ich nickte, der Ventilator an der Decke bewegte die Luft kaum, draußen sprengte jemand den Rasen, ich sah nur sein blaues Basecap und musste an meinen dicken Nachbarn in New York denken, der zum Rauchen immer auf die Straße gegangen war, an den Kammerjäger, der so gern die Performances im CPR gesehen hatte, an die Lehrerin in Rutana, die meine Hand länger hielt als ich ihre und mich fragte: Aber es wird ein Urteil geben?, und ich blickte auf die roten Blütenkelche vor dem Fenster, hörte Antoine, der mir sagte, du hast recht, du musst den Leuten sagen, mit einer Wahrheit kommen wir nicht weiter, aber vergiss nicht, zu viele Wahrheiten machen es irgendwann lächerlich, das weißt du, klar.

Und klar, ich wusste es, wusste es doch, und hörte erst jetzt das Hupen hinter mir, ich drehte mich um, ein Mann in einem schwarzen Prado-Wagen machte mir Zeichen, ich fuhr wieder an, es war schon nach eins, seit zehn Minuten wartete Pietro auf mich, und natürlich wusste ich, woher dieser Widerwille in Wirklichkeit kam, die Kopfschmerzen, die Müdigkeit, aber ich hatte lieber nur die Hitze in Verdacht, die ich stärker fühlte als sonst, und den Staub und die Abgase des rostigen Mofas, das neben mir herfuhr, dicht, zu dicht. Manchmal ist einem alles zu dicht, dabei ist es unsagbar weit entfernt.

Das Summen der Fliegen unter dem Holzdach der Veranda, in der Ferne klackerten Pferdehufe. Das Haus wirkte so unschuldig wie in einer skandinavischen Feriensiedlung, nur dass hier Palmen im Vorgarten wuchsen, die Wände nicht rot gestrichen waren, wie es sich für schwedische Paradiese gehörte, und obwohl ich den Kopf schüttelte, wiederholte Pietro: Du weißt, wo er sich aufhält. Du hast gute Beziehungen zu ihm.

Eine Autofahrt, wenn man nichts sieht, die Kurven zählen, während man versucht, sie nicht zu zählen, während man versucht, so ahnungslos wie möglich zu bleiben, so unschuldig, wie es nur geht.

Du bist nicht die Einzige, die hier unter Stress steht, sagte er.

Es ist kein Stress. Es ist nur, dass ich nicht weiß, wo er ist.

Du hast deine Rolle vergessen. Weil du Sympathien hast. Das ist das Gefährlichste.

Es ist das Menschlichste.

Die skandinavische Veranda, die Hitze. Der Weg zur Pferderennbahn hatte in immer zugewuchertere Nebenpfade geführt, bis ich auf einem mit Limousinen beparkten Rondell gehalten hatte, nichts passte hier wirklich zusammen, oder wollte ich das nur denken, wollte ich denken, dass ich nicht wirklich hier saß.

Sie sehen nicht, wer er war, Mira. Wer er ist, sprang der ehemalige Minister Pietro bei, seine Finger tanzten auf der Lehne auf und ab, alles an ihm wirkte höflich, sogar seine Unruhe.

Haben Sie ihn jemals getroffen?, fragte ich. Denken Sie wirklich, seine Hand sei kälter als die von anderen?

Sie kennen das Schulhaus am Rand von Rutare?, fragte der Minister. Von dort die Straße runter, ein Stück den Hügel hinauf, da hinten, sagte er, war die Station der Médecins Sans Frontières. Sie sind 93 gekommen, plötzlich waren sie da, nicht viele, zehn, zwölf Leute vielleicht. Wir haben sie in Ruhe gelassen, jeder hat das getan. Es war mitten im Genozid, aber sie haben ihr Krankenhaus dort geführt, ein Raum bloß, aber sie haben gut arbeiten können, wir haben ihnen die Verwundeten gebracht, und einige sind ihnen unter den Händen weggestorben, aber andere nicht. Niemand hat sie bedroht. Heute wären sie die Ersten, die man entführt, um an Lösegeld zu kommen. Es ist ein zu gutes Geschäft geworden. Wenn der Tourismus ausbleibt, muss das Geld trotzdem verdient werden.

Der Tourismus hat hier noch nie gut funktioniert.

Mira, darum geht es nicht, wies Pietro mich zurecht. Er hat gesehen, was passiert ist. Er war hier. Wer war das schon. Er hat gesehen, was noch übrig war von der Kirche, die sie niedergebrannt haben.

Die Kirche, wiederholte der Minister und rieb sich mit der Hand über die Wange, und wollte er mir mit seinem Blick bedeuten: Sie wissen, wovon ich spreche, wollte er mir damit sagen: Sie verstehen mich?, aber ich verstand ihn ja nicht, wollte ihn nicht verstehen, ich wusste auch nicht, wo das Haus in Rutare lag mit den zwölf oder auch nur zehn Ärzten, ich hatte schon seiner Wegbeschreibung nicht folgen können, und nun kam mir sogar mein Französisch abhanden, nur einzelne Wörter hörte ich heraus, Tor, Mauer, meinte ich zu verstehen, Feuer und Schuh, ich setzte sie mir zusammen zu seiner Flucht damals, als das Flugzeug mit dem burundischen und dem ruandischen Präsidenten abgestürzt oder heruntergeschossen worden war, ich konnte nicht ausmachen, wo der Minister sich damals befunden hatte. Wollte er mir sagen, dass er sich in der Nähe aufgehalten, dass er etwas gesehen hatte?

Alles, was ich verstand, war, dass es eine Mauer gegeben haben musste, über die er sich zu retten versucht hatte, und immerhin saß er vor mir, irgendetwas war ihm geglückt, aber vielleicht erzählte er von etwas völlig anderem, von einer Kirche in der Provinz, deren Mauer er noch einmal erwähnte, er hatte die sanfte Stimme eines Geschichtenerzählers, dem Kinder vor dem Einschlafen gerne zuhören, ein Pferd wurde hinter ihm entlanggeführt, ich sah seine sanften, schwarzen Augen, nickte, notierte in mein Heft, damit weder Pietro noch der Minister bemerkten, dass ich nicht folgen konnte an diesem Nachmittag, an dem die Kopfschmerzen so stark waren, und ich wartete auf das Wort *réconciliation*, Versöhnung, aber es kam nur das Wort *pierre*, und ich wusste nicht, erzählte er von einem Stein, der aus der Mauer gebrochen war, oder spielte er auf den Präsidenten an, beschuldigte er ihn sogar, *c'est la Pierre qui ne fonctionne pas*, der weibliche Artikel verwirrte mich, wieder wurde hinter ihm ein Pferd geduldig von einem Jockey an den Zügeln zur Koppel geführt, der Minister reichte mir eine Flasche Wasser, mit jedem Schluck ließ der Schmerz in meinem Kopf ein wenig nach, der Singsang seiner Stimme zerfiel in einzelne Sätze, und nun begriff ich, dass er nichts von Pierre erzählte, nur das Wort *pitié* auf eigenwillige Art aussprach, Mitleid, das mit dem Mitleid funktioniert nicht, sagte er, und Pietro schraubte an seiner Wasserflasche.

Würden Sie gerne aus Mitleid geliebt werden?, fragte der Minister und blickte an mir vorbei, als suche er etwas in der Ferne, und dann sah er wieder ganz ruhig auf mich, ließ seine Hände gelassen von der Stuhllehne hängen. Erheben Sie das Mitleid niemals zu einer politischen Tugend, das bringt nur Terror, sagte er, und die Täter kommen mit Straffreiheit davon. Das passiert, wenn Sie jemanden decken. Es ist eine Begnadigung, sagte er, und Gnade ist eine Anmaßung. Wer sind Sie, dass Sie die austeilen, Jesus Christus, die Heilige Jungfrau Maria?

Aber ich, flüsterte ich, ich weiß wirklich nichts.

Nicht wahr, in Kirchen sucht man Schutz, ganz egal, ob Sie an Gott glauben, sagte der Minister, oder an die Kirche oder an nichts, und da sind die Menschen reingelaufen, das hätten Sie genauso gemacht, die Türen standen ja offen, die Kinder haben sie vorgeschickt, wenigstens die sollten es schaffen, wenn es schon kaum jemand schafft, und dann wurden die Türen geschlossen. Sie haben Feuer gelegt, draußen. Die ganze Kirche ist niedergebrannt, erst das trockene Gras, die Holzbalken, dann das Tor, es ist nach innen gekippt, brennend, ich kam erst später, da hat niemand mehr gerufen, gegen die verschlossenen Fenster geschlagen, das werden sie am Anfang noch getan haben, Mira, denken Sie nicht? Da waren nur noch die Ruinen übrig. In einer Ecke lag ein verkohlter Schuh. Eine geschmolzene Gummisohle. Rechts, sie gehörte zu einem rechten Fuß. Und ich weiß, wer die Befehle gegeben hat, in diesem Ort, vor der Kirche. Und Sie, Mira, wissen es auch.

Aber das Licht, man muss dieses Licht sehen: die Baumkronen durchscheinend, weich und klar ihre Konturen auf den Fotos, und um uns eine Stille, als wären alle Vögel aus dem Gebiet vertrieben. Keine Besucher. Niemand interessierte sich für diesen Waldabschnitt, obwohl er idyllisch war, vermutlich gab es um die Stadt herum viele idyllische Waldabschnitte, zu denen man vom Zentrum aus weniger als dreißig Minuten fuhr. Keine Schulklassen, keine Touristen, die sich hier fotografierten, es hatte sich vielleicht noch nicht herumgesprochen, seit Jahren nicht.

Und hier, sagte Herr Blackburn und zeigte auf eine Karte, hier hat es stattgefunden. Sein Finger umrundete ein Stück Grün, Milan beugte sich über den Schreibtisch, sein Gesicht ernst und älter, als ich es erinnerte.

Ich war hier nur eine Kollegin, so hatte Milan mich vorgestellt im Innenhof des Strafgerichtshofs, Möwen taumelten friedlich über dem Wasserbassin, und der Mitarbeiter hatte kurz gezögert. Sie hatten sich nicht zu zweit angekündigt, sagte er tadelnd zu mir, wandte sich dann wieder Milan zu, unsicher, wem von uns der Tadel gebührte und ob er den Besuch abbrechen, uns wieder zurückschicken sollte, Milan nickte ihm zu, doch, natürlich, bei einer Kollegin von Ihnen, mir ist ihr Name entfallen. Tatsächlich?, fragte er, tatsächlich, wiederholte Milan, und Herr Blackburn, anstatt zu antworten, führte uns ins Foyer, an dem Foto eines toten Jungen vorbei, der wie ein Hundekadaver in der Wüste lag, daneben die Flaggen der Mitgliedsländer, flach und dicht gedrängt, und wie sehr auch immer diese Institutionen nicht genügten, wie sehr sie auch immer wieder versagten, die Vereinten Nationen, die internationalen Gerichte, glaubte ich ihnen doch, wann immer ich sie sah, dem Farbrausch aus so vielen Flaggen hinter einem Pult oder Tisch oder Buffet, der uns daran erinnert, dass wir einmal zuversichtlich gewesen sind.

Wir fuhren zwei Stockwerke höher, gingen einen langen, gläsernen Flur entlang, in dem uns zwei seiner Kollegen entgegenkamen, die korrekt und optimistisch grüßten, alles war freundlich, steril und hell, dabei hatte ich mir vorgestellt, die Architektur dieses Ortes, an dem man Kriegsverbrechen, Völkermord und Verbrechen gegen die Menschlichkeit verhandelte, müsse schwer und ein wenig düster sein, wie der majestätisch aufragende Friedenspalast, mit goldenen Ranken im Tor, zu viel Marmor im Inneren und einem Weltkrieg im zweiten Jahr des Bestehens.

Die Gebäudequader des Strafgerichtshofs wirkten kühl und sachlich, in einigen der Eisenrechtecke, die den Hauptbau des Gerichts umschlossen, wuchs Grün, noch wie Flecken auf einer Fassade, aber es würde weiterwuchern, bis es mit den Jahren, Jahrzehnten die ganze Front einnahm, dann die Seiten, langsam, es ging eben langsam. In der Jackentasche hielt ich einen Tannenzapfen, der vom Wind heruntergerissen worden war schon jetzt im Frühling, ein Schneckenhaus hatte daneben gelegen auf dem Weg bei der Parkbucht, seine Kalkwindung eingeschlagen. Ich ging die Flure des Gerichts entlang, die so gewöhnlich waren wie in jeder Behörde, wie ich sie aus New York, Berlin und Genf kannte, nur ein wenig neuer, ein wenig schicker, der Boden noch glatt und glänzend, die Glastüren noch nicht stumpf, und die Hoffnung noch da, zumindest ein wenig Zuversicht, dass es diesmal gutgehen würde. Herr Blackburn öffnete die Tür zu seinem Büro, wies uns Plätze an einem runden Tisch zu, auf dem einige Akten und Unterlagen ausgebreitet waren.

Milans Blick ruhte kurz auf mir, fast ein wenig streng, und nur die Andeutung eines Lächelns aber du weißt, was ich meine, oder vielmehr: du weißt, ich kann dir nicht zeigen, was ich meine, die verstohlenen Blicke, wenn man etwas teilt, das vor den anderen zu verbergen ist, und es sind die Geheimnisse, die uns zusammenbleiben lassen, schon deshalb, weil wir sie erzählen wollen, bewahren, wieder hervorholen, und vielleicht ist ihre eigentliche Bedeutung, dass sie uns einteilen in Eingeweihte und Ausgeschlossene, dass sie uns die Welt, mit der wir so wenig klarkommen, auf Abstand halten, wir schließen eine Tür, bilden einen wenn auch nur flüchtigen Geheimbund; aber plötzlich erinnert man sich, dass es so schon einmal gewesen ist, dass auch der andere schon einmal jemanden so angesehen haben wird, wieder ansehen wird, dass es sich wiederholen lässt, kurz versuchen wir noch, uns selbst zu belügen, genau so wird der Blick nicht gewesen sein, ähnlich, trotzdem anders, aber die Tür geht auf, sie war gar nicht da, wir stehen wieder mitten in der Welt, gleichgültig unter Gleichgültigen.

Und dort drüben, sagte Herr Blackburn, sein Finger tippte auf ein Kreuz am Rand der grünen Fläche, da wurden die Leichen geschichtet.

Eine Grube, ausgehoben im Waldboden. Wir nickten, näherten uns ein Stück, unten das alte, ja mittelalterlich wirkende Gerät, mit dem die Toten zu einer Pyramide zusammengeschoben worden waren, ich warf einen Seitenblick auf Milan, sah ihn wieder bei mir, so dicht, dass seine Konturen zerfielen in Einzelheiten, warum war ich hier, sah auf den Grasrand, der im inneren Ring der Grube gewachsen war?

Milan notierte etwas auf einem Zettel, kein Blick mehr zu mir, vielleicht wusste er, ich würde zu lächeln beginnen. Schilder wiesen die übrigen Gruben aus, dort war geschossen worden und jene Grube früher ausgehoben als die anderen, und da ist noch ein Krater, sagte Herr Blackburn, in dem hat man die Leichen nur verräumt, geschossen wurde da nicht, geschossen wurde drüben, man ist gründlich vorgegangen, sagte er, zumindest bei den unteren Diensträngen geht man gründlich vor und mit gebotener Eile.

Die Birken waren sehr hoch gewachsen, ich legte den Kopf in den Nacken, um ihre Kronen zu sehen, die im Wind schwankten.

Aber diejenigen, die Sie da sehen, sagte er und tippte auf den mit Gras überwucherten Rand der Grube, die kommen natürlich nicht zu uns. Wir haben genug zu tun mit denen, die in der Hierarchie ganz oben stehen.

Und wer weit genug oben steht, sagte Milan, der kennt die Hintertüren.

Herr Blackburn verschränkte die Arme vor der Brust. Unser Gericht hat die großen Männer entzaubert, das war politisch gewollt. Es hat den Raum der Straffreiheit verengt, auch das war politisch gewollt. Aber es ist nicht machbar, belehren Sie mich eines Besseren, es ist nicht machbar, gewöhnliche Menschen vor das Tribunal zu bringen, auch wenn wir es versuchen. Vielleicht wäre das sogar unser eigentliches Ziel. Nur lesen die Beobachter alles Mögliche in ihre Mienen hinein, sie beschreiben Gesichtsausdrücke, die die Angeklagten nie gezeigt haben, die bloß so gut zur Geschichte passen, besser als die Angeklagten selbst, und es stehen wieder keine Menschen vor diesem Gericht, sondern Bestien oder Helden oder Irre.

Wissen Sie, woran man das Verstreichen der Zeit bei den Prozessen am besten erkennt?, fragte Milan.

Der Mitarbeiter zuckte mit den Schultern.

An den Dolmetscherkopfhörern der Angeklagten, es sind immer neue Modelle. Nürnberg, Jerusalem, Arusha, Den Haag, *plus jamais ça*, aber immer mit neuen Modellen. Eichmanns Metallgestell mit den dicken Kabeln. Der schmale Bügel, den Ferdinand Nahimana sich in den Nacken geschoben hat. Milošević trug gar keinen Kopfhörer, er hat nur die Rückseite der Lenovo-Computer angestarrt, und Mladić beschimpfte das Gericht. Einige sind verurteilt worden, und andere haben bestimmt, was in ihrem Leben Gültigkeit hat. Die Anklage gegen Kenyatta hat man zurückgezogen aus Mangel an belastbaren Beweisen, Milošević hat sich dem Urteil durch Versterben entzogen und General Praljak hat eine kleine Flasche zwischen seine Lippen gepresst, den Kopf zurückgeworfen und das Gift gekippt, aber nicht, ohne zuvor der Weltöffentlichkeit erklärt zu haben, dass er kein Kriegsverbrecher sei, und sie alle wollen sich noch einmal erklären, aber sie erklären nicht, wie und warum es sich wiederholt, *de nouveau ça, ça sans arrêt.* Haben Sie nicht auch mal gedacht, hier würden Sie irgendetwas davon verstehen?, fragte Milan. Warum es weitergeht?

Wir klären, das ist alles, sagte Herr Blackburn.

Natürlich, sagte Milan.

Es ist ein Verwaltungsvorgang. Hier sind die übrigen Fotos. Die dünne Schicht der Zivilisation.

Grasboden, eine leichte Erhebung, fast ein Laubengang, der sich unter den wohl durch einen Sturm herabgesenkten Ästen einer der Birken gebildet hatte, das Unterholz roch bereits nach verfallenem Laub, dabei war es noch Frühling, und der Weg, der die Mulden miteinander verband, war später angelegt worden, wie ich an dem helleren Gras zu erkennen meinte. Milans Gesicht war verschlossen, und ich wusste, dass er, während er eine Grube bei Srebrenica, Rutare, Kabarondo notierte, meine Gegenwart spürte.

Hier, drei der Täter von Srebrenica. Fällt Ihnen etwas auf?, fragte Herr Blackburn. Milan schüttelte den Kopf.

Sie sehen aus wie wir, bemerkte Herr Blackburn. Das war das

Problem mit Jugoslawien. Nicht die Nähe, eine Flugstunde, nicht, dass es Europa war. Nein, einfach nur, dass sie weiß waren, das wollte hier niemand sehen.

Sind sie verurteilt worden?

Das Tribunal war schon mit den Generälen überlastet. Den Rest mussten wir gehen lassen.

Überlastung kann auch politisch gewollt sein, sagte Milan.

Es ist leicht, davonzukommen, wenn Sie die richtigen Kontakte haben, wies Herr Blackburn ihn zurück. Das wissen Sie, und ich suche keine Gerechtigkeit, ich verfolge nur ein Ziel. Damit noch etwas Bedeutung hat in diesem Schmodder. Damit noch etwas da ist, trotz allem.

Ich blickte noch einmal auf die Fotos: So also sah es aus, nein, so sah es nicht aus, es war nur das Licht in den Baumkronen.

Die Fenster hier gehen nach Südosten, ein Schmuckstück, so eine helle Wohnung in dieser Gegend, sagte die Maklerin, ihre Lider flatterten unter dem strengen Lidstrich. Heute ist es leider etwas trüb draußen.

Der Stuck an der Decke musste mehrmals übermalt worden sein, ein Blumendekor, das keiner tatsächlichen Blüte mehr entsprach, aber mir gefiel es, diese schützende Schicht. Durch Flügeltüren waren die drei Räume miteinander verbunden, das Parkett war im Exposé zu einem feudalen Fischgrät geadelt worden, in der Sprache von Maklern wurde selbst noch ein Kellerfenster zum Panoramablick.

Und das hier drüben, sagte die Maklerin, eignet sich wunderbar als Kinderzimmer. Wie alt ist denn Ihr Sohn?

Sechs, antwortete ich.

Herrlich. Dann passt das herrlich. Und Sie möchten noch ein zweites Kind?, fragte sie und taxierte mich.

Wir haben es nicht ausgeschlossen, sprang Milan mir bei.

In dem Fall können Sie natürlich das dritte Zimmer hier abteilen, die Flügeltüren schließen ausgezeichnet, und wenn Ihnen das nicht genügt, können Sie den Durchgang auch ganz schließen lassen, das haben die Nachbarn im zweiten Stock gemacht. Sie haben einen Blick ins Grüne, und die Aussicht ist unverbaubar, schauen Sie, da drüben ist ein Spielplatz.

Eine kahle Fläche mit Sandkasten, Klettergerüst und ein paar Seilen, zwei Möwen hockten auf der Strebe, unter der eine Schaukel leer und reglos hing, links und rechts zogen sich die Hausreihen gleichmäßig zweistöckig in die Höhe. Milan trat neben mich, seine Schulter stieß gegen meine.

Eine Rutsche gibt es nicht?, fragte er.

Bei den Kindern ist die Seilbrücke sehr beliebt, erklärte die Maklerin.

Kolja mag Rutschen, sagte Milan und strich mir mit der Hand über den Rücken, eine weitere Möwe machte sich über den Mülleimer am Rand des Spielplatzes her, fetzte mit ihrem Schnabel eine Plastiktüte auseinander, Gemüsereste fielen in den Sand, sie sprang hinterher, da segelten auch die anderen beiden von ihrer Aussichtsplattform herunter, sie hackten nach den Schalen, die Möwen waren die eigentlichen Besitzer dieser Stadt, sie waren überall, zwischen den Muschelkliffen am Strand, im Garten des Friedenspalastes, auf den Dächern über der Restaurantterrasse, auf der Milan und ich nach dem Besuch im Strafgerichtshof gesessen hatten, die Kellnerin stellte einen Brotkorb zwischen uns, und ehe ich noch danach gegriffen hatte, war eine Möwe zwischen uns gelandet, ihr fetter, weißer Körper nahm den Tisch ein, sie reckte ihren Kopf nach beiden Seiten, schnellte vor, schnappte sich eine der Brotscheiben, ich lachte Milan zu, aber er versuchte nur, sie zu vertreiben, wedelte mit der Hand nach ihr, sie kümmerte es kaum, gemächlich breitete sie ihre Flügel aus, schlug in die Luft und hob vom Tisch ab. Auf der Traufe des Daches lauerten bereits weitere, der nächste Angriff, sie fledderten jetzt zu dritt unsere Schale. Der rote Fleck auf ihren Schnäbeln. Die kalten Augen. Die Flügel schlugen ineinander.

Milans Hand glitt meinen Rücken hinunter. Mir gefällt es, sagte er. Keine Rutsche, aber mit gefällt der Grundriss. Er küsste mich auf die Schläfe, flüchtig, als wäre es Gewohnheit. Ich schüttelte seine Hand ab und wandte mich zur Maklerin.

Sagen Sie, das Haus da drüben, ich habe gehört, da sind einige Bewohner verschwunden.

Verschwunden?

Während der Besatzung. Anfang der Vierziger. Denken Sie, dass es immer so ruhig war wie jetzt? Mit diesem, ich klopfte gegen die Scheibe, mit diesem Schulhof.

Es ist ein Kindergarten, korrigierte mich die Maklerin. Und das Haus da drüben gibt es erst seit sechzig Jahren.

Sind Sie sicher?, fragte ich.

Sie sah mich lächelnd an, ihre Lider flatterten erneut unter dem Lidstrich.

Dann ist da drüben vermutlich nur eine Möwe gegens Fenster geflogen. Ich drehte mich zu Milan um, der die Türen des Küchenschranks öffnete und wieder schloss. Die Spüle. Die Arbeitsfläche. Das Licht aus drei Halogenstrahlern. Man wird Aprikosen schneiden an irgendeinem Abend, vermutlich im Juli oder August, keiner mag Aprikosen, aber einer hat sie auf dem Markt gekauft. Das wird alles sein.

Rutana. Dezember 2012

Aber es gibt nicht nur die eine Wahrheit, natürlich nicht, wiederholte ich, während ich den Frauen und Männern, den Jungen und den Alten im Schulhaus die Hand schüttelte, ihre Finger länger von meinen umschlossen hielt, als wir es für gewöhnlich tun, verbindlich, du musst verbindlich sein, flüsterte ich Antoine zu, und den anderen sagte ich, denken Sie bitte daran, wir sind nicht hier, um die eine Wahrheit festzustellen, denn die gibt es nicht.

Es war das zwanzigste Jahr nach Arusha, und vor siebzehn Jahren hatte man das Tribunal gegen die Haupttäter von Ruanda eröffnet, das im Friedensvertrag festgelegt war, aber das Tribunal zu Burundi war nicht mehr als ein Punkt in Artikel 6 des zweiten Abkommens, das ins dreizehnte Jahr ging. In der tansanischen Kleinstadt am Fuß des Kilimandscharo war man schon dabei, die ersten Bänke fortzuräumen, die meisten Verfahren gegen die *génocidaire* von Ruanda, gegen einige von ihnen, gegen Ferdinand Nahimana, Hassan Ngeze, Jean-Bosco Barayagwiza, waren abgeschlossen. Es gab nicht die eine Wahrheit, es gab nur *les événements*, das Wort Genozid war damals verweigert worden von einer Vetomacht, die nicht wieder Verantwortung hatte tragen wollen, und wie gern hätte man noch länger übersehen, dass dieses Morden so weit entfernt kein plötzlicher Ausbruch von Gewalt war, sondern durchdacht, geplant, gelenkt, und dann gab es das Wort, aber nur in Ruanda, in Burundi wollte die internationale Gemeinschaft noch länger nur Massaker sehen in dem, was geschehen war, Massaker sind nichts, was die UNO zum Einsatz zwingt.

Es gibt eben nicht nur die eine Wahrheit, wie oft wiederholte ich das, wenn ich zusammen mit Antoine und Sarah durch die kleineren Städte fuhr, in denen Sarah das Krankenhaus besuchte und Antoine und ich unsere Seminare, unsere Wahrheitskurse zwei Tage lang abhielten, vorsichtig das Vertrauen des einen und dann auch einer Zweiten gewinnend, einer Lehrerin, des Arztes, so vorsichtig, wie es eben ging, gegen die Stille anredend, die sich über das ganze Land gelegt hatte, sie aufbrechend, ohne eine feste, eindeutige Klarheit dahinter zu versprechen, und es gibt nicht nur die eine Wahrheit, sagte ich, und die Lehrerin nickte, die Kommission wird nicht den Lauf der Geschichte festlegen, wir werden verschiedene Geschichten hören, und sie werden sich zum Teil widersprechen, sagte ich, es geht darum, dass Sie erzählen, und die Lehrerin nickte wieder.

Aber es wird Verurteilungen geben?, fragte sie.

Dafür ist das Tribunal zuständig. Wir bereiten die Wahrheitskommission vor.

Und es wird ein Tribunal geben?

Vor dem Fenster wankten Blumen sanft im Wind, ihre sich weit öffnenden Kelche nickten hin und her, und konnte ich nicht einfach über die Schönheit dieser Blumen sprechen, die Antoine mir auf unserer letzten Reise einen ganzen Abend lang gepriesen hatte, das Tribunal, natürlich, das Tribunal ist vorgesehen, und ich blinzelte, weil die Sonne mich blendete, natürlich war es vorgesehen in einem viele Jahre alten Friedensabkommen, einem Papier mit Paragraphen und ein paar Namen, die darunter standen, und ein paar Namen, die fehlten, aber das sagte ich der Lehrerin nicht und auch nicht, was ich selbst mich fragte, ob Sinn ergab, was ich hier tat, manchmal glauben wir, dass wir uns mit zu vielen Wahrheiten schützen können, aber sie lenken uns bloß ab, und wer war schon die internationale Gemeinschaft, all die Diplomaten, die von jeder Sitzung irgendwann wieder abreisten, warum sagte ich das der Lehrerin nicht, oder dachte sie es ohnehin bei sich, und wenn nicht sie, dann eine Lehrerin in der Hauptstadt, und wenn sie es nicht laut sagten, nicht einmal laut dachten, dann dachte zumindest ich es: Was ist schon ein Abkommen, was sind schon Papiere.

Es würde kein Tribunal geben, weder Tansania noch Uganda, weder Ruanda noch Kenia drängten Burundi, ein Tribunal abzuhalten, dieses kleine Land im Osten des Kontinents, durch das ich fuhr mit meinen Predigten und meinem zu langen Händedruck. Ich hörte nur die Geschichten, das war alles, immerhin, wir ließen die Menschen nicht stumm und allein mit ihrem Leben, das manchmal aus nichts anderem mehr als Verlusten und Toden bestand, wir erkannten ihre Erinnerung an, und ich meinte, versprach, beschwor, das würde heilen, ich ließ mir Geschichten erzählen, aber vielleicht brauchte es hier mehr als Heilung, manche sagten: ein Wunder, andere sagten: eine Idee, wieder andere sagten: euch jedenfalls nicht.

Wen interessierte es, ob es dieses Tribunal jemals geben würde, abgesehen von dieser Frau, die vor mir stand und deren Hand ich noch immer hielt? Die unterschiedlichen Wahrheiten glaubten vielleicht nur wir, Antoine und ich, weil wir es uns leisten konnten und nicht verstanden, dass manchmal schon eine einzige zu teuer war. Die Richter hatten Angst. Es hieß, es verschwänden wieder Menschen, das hörten auch die Richter, das würden auch die Leute in der Wahrheitskommission hören, wenn es sie denn endlich einmal gäbe. Wer verschwand schon gerne. Wer fiel gerne aus der Welt. Dann erzählte man lieber, was erlaubt, dann urteilte man lieber, wie es gewünscht war, und einer der Richter, mit dem ich in der Hauptstadt noch zusammengesessen hatte, trug mir auf, in der Schweiz einen Bekannten von ihm zu grüßen, ich notierte mir den Namen, nein, er selbst werde nicht nach Lausanne zurückkehren, sagte er, er habe eine lehrreiche Zeit dort verbracht, aber nun sei es genug, er wolle hier sein, etwas für dieses Land tun, und wenn es nicht mehr ginge, wenn die Lage sich wieder zuspitze, und es würde ihn nicht überraschen, wenn dies bald oder in nicht ganz so ferner Zukunft passiere, dann gehe er über die Grenze. Über welche, fragte ich. Über eine, sagte er.

Es war das zwanzigste, es war das dreizehnte Jahr nach Arusha, die letzten Verfahren wurden vor dem Tribunal abgehalten, vor das einige der *génocidaire* von Ruanda geführt worden waren, Ngeze wegen der Zehn Gebote der Hutu, Nahimana und Barajagwiza wegen der Station *Radio-Télévision Libre des Mille Collines*, in der immer und immer wieder die Gewaltaufrufe gegen die Tutsi gesendet wurden, achtes Gebot: Hutu sollen kein Erbarmen mehr mit den Tutsi haben, und weißt du, vielleicht ist eines doch gut, sagte Antoine am Abend, wir saßen zu dritt an einem Tisch im Garten der Peace Lodge, was wie ein Versprechen klang, aber es war nur ein gemaltes Schild vor einem Haufen roter Ziegelsteine. Die Bar hatte eine Hochzeitsgesellschaft in Beschlag genommen, der elegante, ganz in Weiß gekleidete Bräutigam stritt mit seinem Schwiegervater. Weißt du, wiederholte Antoine, wenn es ein Gutes gibt, nein, entschuldige, das wollte ich nicht sagen, aber wenn es ein Gutes gibt an den Massakern hier in Burundi, dann, dass es niemals ganz klar war, wer Opfer war und wer Täter.

Es war ein Genozid, kein Massaker, sagte Sarah.

An der Bar wurden die Stimmen lauter, Rücken drängten sich aneinander, der dicke Kellner drehte das Radio auf.

In Ruanda konnte Kagame die Wahrheit für sich beanspruchen, sagte Antoine, es war diese eine Wahrheit, die seine Macht legitimierte, es war diese schreckliche Wahrheit, die bis heute kaum jemand verstanden hat, ich ganz sicher nicht, aber die er für sich nutzte, niemand spricht in dem Land darüber, wer die Präsidentenmaschine im April 94 abgeschossen hat und wer die Generäle gewesen sind, die Hutu-Zivilisten getötet haben.

Der Bräutigam lag jetzt seinem Schwiegervater im Arm, sie schunkelten leicht hin und her, legten den Streit mit einem Ständchen bei, begleitet vom Radio hinter der Bar, und die Braut, die seit heute Ehefrau war, saß auf einem der Barhocker, ihre Hände in den Schoß gelegt, und lächelte über alles hinweg, schüttelte einmal den Kopf, als das Lied eine zu schmachtende Wendung nahm, ihr Vater zu laut wurde, ich weiß ja, wie es ausgeht, sagte sie, ich kenne die beiden doch. Als ob eine Ehe an denen was ändern würde. Der eine singt miserabel, aber ich habe es als Kind geliebt, und der andere hat eine feine Stimme, die hört jeder gern, aber sie müssen sich erst streiten, damit sie sich so was trauen.

Sie lächelte mich an, hast du einen Ehemann, fragte sie oder sagte vielmehr, du hast einen Ehemann, denn ich war älter als sie, und sie wollte wohl kurz, vielleicht für immer, jedenfalls für die Länge dieses Abends die Umgebung nach den Regeln verstehen, die für sie nun galten und nicht gleich wieder wegbrechen sollten. Eigentlich nicht, sagte ich, eigentlich?, fragte sie, ich halte nicht so viel von Ehen, erklärte ich, mein Vater würde auch nicht so singen, aber macht es besser, macht es einfach besser, alles Gute, sagte ich, fiel ihr um den Hals, sie trug einen leichten Vanilleduft, ihr Haar roch nach Spray, und drei Stunden später schreckte ich auf, hörte jemanden über den Kiesweg gehen, es war mitten in der Nacht, das Laken klebte auf meiner Haut. Die Hitze hatte sich zum Abend hin gemildert, aber sie verschwand nicht, war wie Fieber, wie eine Kinderkrankheit, der man sich ausgeliefert glaubt.

Du musst diese Hitze abschalten, Sarah, ich halte das nicht aus, flüsterte ich, ihre Hand lag auf meinem Bauch, ich wagte mich kaum zu rühren in dem schmalen Doppelbett. Antoine schlief in dem Zimmer schräg gegenüber, das karge Fenstergitter sah in jedem Raum gleich aus.

Sarah drehte ihren Kopf zu mir, als hätte sie meine Stimme geweckt, dabei hatte ihr Atem verraten, dass sie längst wach war.

Wen soll ich denn rufen, mitten in der Nacht?

Hol mir ein kaltes Tuch, bitte. Weck den dicken Kellner auf, vielleicht hat er Eis. Tu irgendwas, nur lass mich nicht allein mit denen.

Mit wem?

Mit denen, die wir nicht erwischt haben.

Wir haben niemanden erwischt, sagte Sarah. Das ist Jahre her. Du glaubst doch nicht, dass sie jetzt vor unserem Fenster stehen.

Es ist erst Tage her, Stunden. Diese Ministerin, ist sie eigentlich Kagames Geliebte?

Wieso Geliebte?

Weil sie sich so lange in seinem engsten Zirkel hält. Und wen hat er schon als Vertraute, ich hätte an seiner Stelle niemanden, und wenn man niemandem mehr vertrauen kann, dann vielleicht noch derjenigen, der man beim Schlafen zusieht, in diesem Moment, weißt du, in dem wir plötzlich wieder kindlich wirken, unschuldig –

Als wären Kinder unschuldig!

– außerdem, es sind immer die Geliebten, die die größte Macht hatten, bei den Päpsten, bei den französischen Königen, es waren immer die, denen sie beim Schlafen zugesehen haben oder denen es erlaubt war, Ihre Majestät, Ihre Heiligkeit zu sehen, während sie schlief und das Amt kurz aus dem Körper verschwand. Die andere, sagte ich, die mehr von dir weiß als du selbst, die zumindest diese Momente kennt, die für dich immer verborgen bleiben, die weiß, ob du mit den Zähnen knirschst oder im Schlaf sprichst, vielleicht betrunken nach einem Fest, wie Holofernes.

Was für ein schönes Geschichtsbild du hast, sagte Sarah lachend.

Und dann nimmt sie dein Schwert und schlägt zwei Mal mit aller Kraft auf deinen Nacken.

Den Haag. Mai 2017

Ich erzähl dir ein Märchen, Milan, flüsterte ich, hör einfach nur zu, in mythischen Zeiten gab es einen Drachen, und Milan schob sich an mich, es würde kein Märchen mit Anfang und Ende werden, denn die Geschichten, die uns Angst machen, erzählen wir meist nicht chronologisch, es gelingt einfach nicht, oder wir versuchen, es nicht gelingen zu lassen, ich strich ihm über den Kopf, die Haare rau in meiner Hand, die Wärme seiner Haut, die Sommersprossen im Gesicht, auch auf den Schultern noch, im Nacken, über den Rücken liefen sie aus, vielleicht wollte ich sie dort auch nur glauben, und es gab gar keine, aber ich konnte sie fühlen, und die Geschichten, Ereignisse, Begegnungen, die uns verstören, uns eine Sicherheit genommen haben irgendwann, von der wir später nicht einmal mehr sagen können, ob sie je eine gewesen ist, erzählen wir sprunghaft oder in falscher Reihenfolge, die schwer zu überführen ist, und oft erzählen wir sie gar nicht, es sind die Details, die plötzlich Bedeutung bekommen, ein Schuh, an dessen Sohle wir uns auch nach Jahren noch erinnern, die Farbe einer bestimmten Blüte, die heller ist, als wir es erwartet haben, der Geruch von Kiefernharz oder mariniertem Fleisch auf dem Grill, zwei Eiswürfel, die in einem geschliffenen Glas schmelzen, und ich strich über Milans Unterlippe, die linke Seite war ein wenig größer als die rechte, er hatte sie sich aufgeschlagen bei einer Schlittenfahrt vor Jahrzehnten, den Hang hinterm Haus hinunter, dann Gebüsch, eine winzige Narbe, eine fast unsichtbare Naht, über die ich mit dem Daumen strich, ich erzähl dir ein Märchen, vielleicht keins, das weitererzählt werden muss, aber doch eine Geschichte, Milan. Das ist alles, nicht viel, aber mehr als der Rest, hör zu.

Milan murmelte schon halb im Schlaf, brabbelnd, wie es Kleinkinder tun, wenn die Sprache noch nicht zum Verständnis dient, sondern nur, um nicht mit der Umgebung zu verschmelzen, lallend, suchend, in mythischen Zeiten gab es einen Drachen, und es gab eine Flinte. Milans Hand lag warm und schwer auf meinem Arm, der Raum um mich verschwand, und nur noch diese Stimme war da, Milan irgendwo versteckt in dem sich um mich schlingenden Dunkel, Milan, der leise, aber doch nicht flüsternd wiederholte, ich bin ja da, Mira, ich bin ja da, und es gab eine Schrotflinte, was war eigentlich mit der Flinte, flüsterte ich, weißt du noch, damals im Ferienhaus?

Aber er antwortete nicht, atmete tief neben mir, und ich wollte ihm eine Geschichte erzählen von einer Flinte, denn man glaubt eine Geschichte ja erst, wenn man sie jemandem erzählt, ich lauschte Milans Atem, und vielleicht handelte die Geschichte nur davon, dass man sich den Schlaf teilt, das ist alles, nicht viel. Es ist bloß mehr als alles andere.

Das geschliffene Whiskyglas auf dem Nachttisch seiner Mutter, in dem zwei Eiswürfel noch nicht geschmolzen waren, die zerwühlte Decke auf Lucias Seite, und noch deutlicher erinnere ich die Decke auf der Seite von Darius, ebenfalls ein Stück zurückgeschlagen, obwohl er nicht da war, als erwarte sie ihn jeden Moment zurück, war vielleicht noch auf seine Seite hinübergekrochen, um sein Bett dem ihren anzugleichen, ehe sie aufstand, Milan zuckte neben mir mit dem Bein, öffnete die Augen, du erinnerst dich doch an den Abend, die Nacht?, fragte ich und Milan nickte sich wieder wach.

So ist es doch immer, sagte er, seine Stimme noch heiser vom kurzen Schlaf, sobald jemand gegangen ist, wird die Vertrautheit plötzlich wieder mehr als die Badezimmertür, die am Morgen offen steht. Aber wann geht man schon, irgendeinen Grund zum Bleiben findet man immer, am Anfang fallen die Ausreden leicht, und ich fühlte seine Finger unter meinen, wie sie erst reglos blieben, während ich sie mit der Kuppe meines Zeigefingers entlangfuhr bis hinab zum Daumen, über die Erhebungen der Knöchel, dann, als ich innehielt, erwiderten sie die Bewegung, kreisten über meinen Handrücken, fuhren meinen Arm hinauf, und am Ende gibt es genug, was dich am Gehen hindert, sagte er, man ordnet sich eben, so wie man den Tag ordnet, um etwas beherrschbar zu halten, und ich schmiegte mich näher an seinen Rücken, meine Wange zwischen seinen Schulterblättern, man erzählt sich, wann man sich wie kennengelernt hat, sagte er, wie man zusammengezogen ist, wer den Antrag gemacht hat, seine Hand war still jetzt, wenn du das nicht erzählen kannst, dann stimmt etwas nicht, und die meisten versuchen eben, dass alles stimmt, er rückte ein wenig von mir ab, ich horchte auf das Flappen der Markise vor dem Fenster, aber irgendetwas stimmt trotzdem nicht, sagte er, obwohl wir es so sehr versuchen, und ganz egal, wie viel du erzählen kannst: wann wie wer. Diese Beklommenheit geht nicht weg, und dann kommen die Abende, die unerträglich lang sein können, so lang wie ein ganzes Leben manchmal, und irgendwann gehen die Ehen auseinander, erst die einer entfernten Bekannten, aber bei der lief es nie besonders gut, dann die eines Freundes, dann die eines anderen Freundes, und dann noch eine. Vielleicht nur, weil drum herum schon so viele Ehen auseinandergegangen sind, weil wir uns nicht zu weit aus dem Bekanntenkreis entfernen wollen.

Aus dem Bekanntenkreis?, wiederholte ich.

Wir machen alle die gleichen Erfahrungen, und weißt du, warum? Weil wir nicht allein sein wollen mit dem, was passiert. Der Smog in Delhi, der kann es doch nicht alleine sein, warum Teresa und ich uns streiten, sagte er, ohne meine Anwesenheit, wie mir schien, überhaupt noch zu bemerken, er sortierte nur sein Leben, damit es beherrschbar bliebe, damit er sein Umfeld weiterhin verstand, diese Bekannten, von denen mir nie auch nur ein einziger vorgestellt worden war. Jetzt, wo du es sagst, murmelte er und richtete sich ein wenig auf, den Rücken ans Kopfteil des Bettes gelehnt, den Arm um meine Schulter gelegt, seltsam, ich habe das lange nicht geglaubt, wahrscheinlich habe ich einfach nie darüber nachgedacht, über die zurückgeschlagene Decke, aber jetzt bin ich mir fast sicher, dass sich meine Eltern doch geliebt haben, oder vielleicht nicht geliebt, aber sie haben aufeinander gewartet.

Meine Finger suchten zögernd wieder seine Hand, es waren die Details, die man nicht mehr loswurde, und manchmal schob man sie auch vor: eine Tasche neben dem Sideboard, den Geruch von Folie und Schlamm, von Feuer und Plastik, ein zerbrochenes Schneckenhaus auf dem Gehweg vor dem Gericht, einen blauen Ranzen neben der Tür, gusseiserne Ranken, die den Himmel nur ungenügend verdeckten, den roten Fleck auf den Schnäbeln der beiden Möwen, die auf dem Tisch zwischen Milan und mir nach dem Brot gehackt hatten.

Es ist ja nicht so, dass ich mir keine Sorgen mache, sagte Milan. Ich mache mir keine Gedanken darüber, ob mir etwas zustößt, damit kommt jeder von uns klar, Mira, du sowieso. Aber der Gedanke, dass deinem Kind etwas zustößt, und du kannst nichts tun, du kannst einfach nichts tun, das hältst du nicht aus.

Ich habe keine Kinder, sagte ich.

Ach ja, na ja, irgendwann. Irgendwann weißt du, was ich meine, und ich sah Milan wieder vor mir, wie er Kolja auf dem Schoß hielt, ihn an sich zog, eine Inszenierung wie das Reh im Schuppen seines Vaters oder eben nur, was es war, ein Vater, der sein Kind mehr schützen will als alles andere.

Wovor hast du eigentlich Angst? Er strich mir über die Stirn, ich schloss die Augen, spürte, wie er mir die Lider küsste, beinahe kühl, aber es vertrieb nicht die Bilder in meinem Kopf. Niemand weiß etwas. Hush, little baby.

Vor der Dunkelheit im November.

Milan griff mir in den Nacken, hielt meinen Hinterkopf fest umfasst. Du hast Angst vor deiner Wohnung, flüsterte er, du hast Angst davor, wegzufahren, und du hast Angst davor, zurückzukommen.

Und du meinst, dass du mich kennst.

Natürlich nicht, entschuldige, du kommst mir nur vertraut vor, sagte er und zog mich an sich.

Und du hast Angst, in Genf zu bleiben, und Angst davor, aus Genf wegzugehen, ich kenne keinen so ängstlichen Menschen wie dich, sagte ich, meine Lippen nah an seinem Ohr, ich tastete seinen Bauch hinab, sein Nabel ein wenig hervorgewölbt, das leichte Pochen darunter, er fasste meine Brust, zu heftig kurz, und meine Finger legten sich zwischen seine, nicht geschmeidig, aber es ist nicht, wie die Finger ineinandergleiten, es ist nicht das Berühren von Haut, es ist nicht die Körpertemperatur, die bei allen ähnlich ist im Frühsommer, in einem niederländischen Mai, Brise von der See, geblähte Flaggen am Strand, so war es mit den anderen, aber so war es nicht mehr, und erst jetzt fiel mir auf, dass die Geschichten vorher keinen Sinn ergeben hatten, nur erzählt worden waren, weil es zu still ist, wenn keiner spricht, und etwas in dieser Geschichte jetzt war lebendig oder war es mal gewesen, und ich hatte immer behauptet, es mache keinen Unterschied, Haut an Haut, Körper an Körper, aber so war es nicht ganz, nicht immer, es war nicht nur das Berühren von Haut, die bei allen Körpern, mit denen ich mir ein Bett geteilt habe für kürzer oder länger, die gleiche gewesen ist, ein ähnlicher Atem, aber dann ist es anders, und du schläfst mit der Welt, mit dem einzigen Moment, der dich angeht.

Und jetzt, da ich ein letztes Mal durch meine Wohnung gehe, höre ich wieder seine Stimme, leise, aber nicht flüsternd: Du hast Angst davor, die Zeit nicht zurückdrehen zu können, und du kannst die Zeit nicht zurückdrehen, du hast Angst davor, dass dir irgendwann auffällt, dass du dein Leben im Sitzungssaal des Menschenrechtsrats verloren hast, und du hast es dort verloren. Wir glauben ja, uns würde es anders gehen, unser Leben sei besonders, irgendwie einmalig, aber wenn du dich umsiehst, wiederholen sich die Geschichten nur, und du wirst genauso Angst bekommen, dass du keine Familie haben wirst, und du wirst keine Familie haben, wie ich Angst habe, dass meine Familie gerade zerbricht, und sie wird zerbrechen, sie zerbricht vor deinen Augen.

Bujumbura. Dezember 2012

Und so geht das Märchen.

In mythischen Zeiten kamen fünfhundertsechzig Mann und zwei Elefanten von Mombasa gezogen, eines der Tiere versank im Schlamm, beide wurden zurückgeschickt, über ihren Verbleib ist nichts berichtet, sagte Aimé, die Geister schliefen in den Wäldern, der Gott in einer gewaltigen Hütte, und im Namen Christi mischten sich Missionare mit ihren strohigen Haaren, ihrer verbrannten Haut, ihren hochgekrempelten Hüten, ihren Sandflöhen und der Schlafkrankheit zwischen die Menschen, um ihnen zu sagen, wo das Gute liegt und wo das Böse. Sie kamen, um die Menschen am Evangelium teilhaben zu lassen, damit die kleinen Seelen nicht bei den alten Göttern schlafen mussten, die sie vom rechten Weg abbrachten, und am Sonntag zählte man durch, wer gekommen war, wer fernblieb, sich dem rechten Weg versperrte, Amen. Hinten in der Kirche hing ein Bild der heiligen Maria Mutter Gottes, Maria voll der Gnaden, gebenedeit unter den Frauen, und gebenedeit ist die Frucht deines Leibes, Jesu. Ihre Haut so blass, als hätte sie nie das Tageslicht gesehen, und bald traf man im Wald und auf den Wegen Marien in Grüppchen, seltsame Erscheinungen, Frauen ganz in Weiß gekleidet, mit einer weißen Aureole um den Kopf, sie gingen zu zweit oder zu viert, sie unterrichteten in der neu gebauten Schule, in der die Kinder wie verschreckte unruhige Gespenster in den Bänken saßen, was für mutige Frauen, mutige Männer, die hierhergekommen waren, ihr Leben aufopferten, um den Menschen auch in diesem verlorenen Winkel der Welt Jesus Christus und das deutsche Schulsystem zu bringen, und während ihre Freunde und Verwandten nur bis an die Grenzen ihrer Stadt dachten, als wäre Gott Mensch geworden allein für Hamburg und München und die paar kleinen Orte dazwischen, quälten sie sich hier mit Malariamücken, verbrannten unter der Sonne, bauten in totem Boden ein paar Pflanzen an, sortierten, der links, die rechts, und brachten ihre Idee davon, wie man sich Christus unterwarf. Aber ein Friedensreich, Mira, gibt es nicht.

Aimé faltete seine Hände vor dem Gesicht, er sah an diesem Tag müder aus als sonst, vielleicht lag es nur an dem fliederfarbenen Jackett, das er mit einem violetten Einstecktuch kombiniert hatte und dessen Farben nicht zu diesem Abend passen wollten, an dem zum ersten Mal er mich zu sich bestellt hatte und nicht ich ihn um ein Treffen gebeten. In der Luft lag wie bei jedem meiner Besuche der schwere, fast süßliche Geruch des gegrillten Fleisches, der mir mit einem Mal Übelkeit verursachte. Erst leise, dann immer lauter werdend, trommelte Aimé mit seinen Fingern auf die Tischplatte, er setzte ein zu summen, seine Augen geschlossen, seine Finger trommelten heftig, sein Summen ging über in Gesang:

Je suivrai Jésus-Christ
Avec persévérance,
Sachant qu'il peut seul, lui,
Terminer ma souffrance.
Sa main frappe et meurtrit,
Mais son sang me guérit.
Fata, Fata n'uwo mwikeka, azokwisigura
imbere y'ubutungane

Haben Sie ihn mal beim Gottesdienst gesehen?, fragte Aimé, seine Finger griffen nach dem Besteck, als gingen sie verloren, wenn sie nichts zu tun hatten. Ich würde nicht sagen, dass unser Präsident ein Ekstatiker ist, auch wenn er so gern etwas Messianisches an sich hätte, von den Toten auferstanden, aber wer ist das hier nicht. So gehen die Evangelien in unserem Land, fügte er hinzu, schob sich ein Stück Fleisch in den Mund, kaute ausgiebig, ich sah die Muskeln seines Kiefers hervortreten, verschwinden.

Und welche Rolle spielen Sie?, fragte ich.

Er griff nach dem Weinglas, spülte den Bissen hinunter, sein Blick unruhig, dabei hatte ich ihn in den Charmanzen so bewundert geglaubt, dass er sie gar nicht ablegen konnte.

Ich bin der falsche Evangelist, sagte Aimé und lachte mich nun doch an. Das sind die Einzigen, die die Wahrheit sagen: die Herausredigierten.

Wenn ich Sie über unsere Einschätzung informieren darf, Aimé, sagte ich und stach einige Bohnen auf meine Gabel, sollten Sie sich an die kleineren Wahrheiten halten, sonst haben Sie hier bald gar keine mehr.

Ohne Justiz gibt es die sowieso nicht, sagte Aimé. Aber interessiert Sie das? Niemand wird von Ihrer fabelhaften Kommission belangt, weil niemand mit Einfluss ein Interesse daran hat, weder die Menschen hier noch die Menschen, die hierherkommen. Und jetzt? Menschen verschwinden, werden weggesperrt ohne Prozess, und Sie sagen nichts dazu, jedenfalls nicht laut. Hier will jemand um jeden Preis die Verhältnisse zu seinen Gunsten erhalten, so was geht selten ohne Katastrophen aus. Mira, es ist ja hübsch, was Sie machen, Sie lassen die Leute ihre Geschichten erzählen. Das ist niedlich. Herzergreifend. Mehr nicht. Sie spielen die Richterin in einem Puppenstück. Oder ändert sich etwas, weil Sie in die Dörfer gefahren sind?

Manchmal muss man erzählen, sagte ich, man erstickt sonst.

Sie machen sich offensichtlich keine Vorstellung davon, was

ein Völkermord ist. Tun Sie nicht so, als wären wir alle harmlos, der Mensch ist vor allen anderen Lebewesen zur Grausamkeit begabt. Versöhnung, daran glaube ich nicht. Vergebung, meinetwegen, jeder Einzelne, wenn er denn so gutmütig ist. Aber Versöhnung, nein. Es gibt Leute, die sich aufhängen, sie haben alles überstanden und dann hängen sie sich auf. Wissen Sie warum? Es wird das nächste Massaker geben, die Blauhelmsoldaten werden sich nicht aus ihren Burgen heraustrauen, sie werden, wenn kurz alles ruhig ist, mit ihren gesicherten Fahrzeugen durch die Berge fahren und mit ihren Maschinengewehren durch die Wälder patrouillieren. Das Massaker wird weitergehen, erst in der Hauptstadt, dann in den Dörfern, wo sich die Menschen nur in die Wälder oder Sümpfe flüchten können. Noch immer kommt keiner Ihrer Soldaten, aber vielleicht haben Sie mittlerweile davon Nachricht erhalten und formulieren sehr schöne Berichte. Vielleicht findet auch all das gar nicht in unserem Land statt, aber es wird sich genauso abspielen. Menschen sind immer ein Problem, und das Problem werden Sie nicht los. Aber Sie, Sie müssen jetzt den Retter der Welt spielen. Wir haben davon genug, von Jesus Christus und seinen Jüngern haben wir genug: den Bischof, den Präsidenten, den Besitzer der Toyota-Filiale. Die kleinen Jungs, die unter den Gullydeckeln schlafen, die sind mir noch die liebsten unter den Messias-Anwärtern. Aber wenn Jesus heute aufträte, sagte Aimé, dann würde einer allein nicht mehr reichen. Es müsste schon eine ganze Armee sein, eine Jesusarmee.

Aus lauter Kindersoldaten?, fragte ich.

Aimé lächelte mich an. Jedenfalls nicht Ihre Friedenstruppen. Man verdient gutes Geld damit, dass man andere hinrichten lässt, nicht wahr, Mira? Wie viel verdienen Sie?

Ich lasse niemanden hinrichten.

Sind Sie sicher? Vielleicht ist das Ihr Problem. Wenn es das Tribunal gäbe, wo würden Sie nach den Angeklagten suchen? Würden Sie hier suchen? Er wies um sich, zeigte auf die Treppe, die ins obere Stockwerk führte, auf die Prozessionsfigur, die noch immer mit zwei Fingern segnete. Jemand wird mich verraten, Mira. Natürlich. Und wissen Sie, weshalb?

Ich schüttelte den Kopf, tunkte nur mein Brot in den Topf voller Bohnen, den er mir hingeschoben hatte.

Aber Sie wissen, wer? Er streckte mir seine offenen Handflächen entgegen, als erwarte er, dass ich meine hineinlegte. Das, was wir uns zuschulden kommen lassen, ist nicht der Judaskuss, sondern dass wir uns davor drücken. Dass wir dem Moment ausweichen, in dem wir den Messias verraten müssen. Weil wir der Aufgabe nicht gewachsen sind. Und so verhindern wir, dass die Schrift sich erfüllt. Wir kriechen weiter im Erdschlamm, schießen uns tot, foltern, lügen, verletzen, aber wir sind stolz darauf, den Messias nicht verraten zu haben. Wir sind ein dreckiges, eitles Pack. Und feige obendrein, Mira, feige obendrein.

Was wollen Sie mir sagen? Dass wir das Evangelium nachspielen? Das ist doch anmaßend, Aimé. Die Geschichte handelt nicht von uns.

Sie haben nie einen Mord gesehen, Mira, sagte er und erhob sich. Wie gut für Sie. Sie wollen ja nur an den Frieden glauben. An Ihre Friedensmission.

Er kam um den Tisch herum, stand direkt vor mir, blickte auf mich herab, reichte mir die Hand.

Der Frieden, Mira, ist eine so schöne Geste, nur leider nicht mehr als das. Eine Fantasie, sagte er, meine Hand lag in seiner, und er zog mich sanft hinauf. Es ist leicht, in dieser Fantasie zu leben, oder nein, es ist natürlich nicht leicht, Sie leiden, Sie sind traurig, Sie haben Angst, Sie hassen, vielleicht hassen Sie auch, nicht wahr, Mira, tun Sie das nicht?

Wir standen uns so nah gegenüber, er einen Kopf größer als ich, dass ich seinen Atem auf meiner Stirn spürte.

Ich werde dann mal, stotterte ich, ich fahre jetzt wohl besser nach Hause.

Natürlich, Mira, fahren Sie dahin, wo Sie es gut haben. Aber wissen Sie, manchmal muss man untertauchen, einfach verschwinden, sagte Aimé und küsste mir die Hand zum Abschied, doch ehe ich durch die Tür gegangen war, griff er mein Handgelenk, drehte mich zu sich, zwang mich, ihn anzusehen. Sein Gesicht war weich, ich erkannte seine Augen kaum wieder, als hätten sie die Farbe gewechselt.

Werden Sie sich erinnern?, fragte er. Nein, meine Liebe. Sie werden hier wieder gehen, und Sie werden nichts erreicht haben. Das wissen Sie.

Und was wollen Sie tun?

Aimé lächelte. Sagen Sie das noch einmal. Er nickte mir aufmunternd zu.

Wie Sie etwas erreichen wollen, meinte ich.

Sie haben eine so schöne Radiostimme, Mira. Hat Ihnen das schon mal jemand gesagt?

Ich schüttelte den Kopf, riss meine Hand aus seinem Griff, Sie wissen doch gar nichts über mich, sagte ich halblaut, und er lachte, so wie man über Kinder lacht, um ihnen einen Gefallen zu tun. Das grelle Flieder seines Jacketts, der süßliche Geruch des Grillfleischs, fast verflogen, und ich kann nicht mehr sagen, warum ich in dieser Nacht so spät zurückkam, Aimés Fahrer hielt nahe der Mission, mitten im Wolkenbruch, das Wasser stürzte ohne Halt herab, und ich meinte, ich käme nicht bis zu meinem Auto, das vom Regen blank gewaschen nur einige hundert Meter entfernt geparkt war, meine Absätze sackten im schlammigen Boden ein, und vielleicht wünschte ich nur, jemand möge mich zurückschicken, nichts berichten über meinen Verbleib, ich schloss die Fahrertür auf, fuhr durch die ausgestorbenen Straßen, vor meinem Grundstück hupte ich, hupte mehrmals, das Tor blieb geschlossen, Jean schlief bereits oder war heimgefahren, ich begann trotz der durch das Fenster hereindringenden Hitze zu frösteln, kurbelte die Scheibe wieder hoch, hupte ein weiteres Mal, nur ein Hund in der Nachbarschaft bellte, meine Finger tasteten über die Knöpfe des Autoradios, hielten inne, Sie haben eine so schöne Radiostimme, Mira, hat Ihnen das schon mal jemand gesagt?

Aber das ist alles nicht wahr. Denn es ist ja nur ein Märchen. Und Märchen sind nicht wahr.

Bujumbura. Januar 2012

Wann die Schüsse losgingen, kann ich nicht mehr sagen, oder vielmehr kann ich so wenig wie jeder andere, der an dem Abend im Raum war, sagen, wann wir begannen, die Geräusche von draußen für Schüsse zu halten. Mein Sitznachbar redete über das Wetter, in den ganzen zwei Jahren, die er nun schon hier sei, habe er nicht begriffen, woran man die Jahreszeiten erkennen solle, ob am Abnehmen des Staubs, der Hitze und Abgase, sagte mir dieser etwas ledrige Kollege, neben den ich, durch welche Abgründe des Protokolls auch immer, platziert worden war. Antoine saß mir schräg gegenüber, ich versuchte, seinen Blick zu fangen, aber er wich mir aus, wohl noch wegen des Streits, den wir auf dem Hinweg gehabt hatten, und mein Sitznachbar hielt nicht inne mit seinem Vortrag, so nah am Äquator ließen sich die Jahreszeiten bloß in einen einzigen trägen Sommer einteilen, nicht wahr?, fragte er, ohne Monate, ohne Wochen, nur die Tageszeiten gäben etwas vor, das entfernt an Struktur erinnere, die Lethargie der Angestellten sei ja immer dieselbe, daran könne man es nicht ablesen, auch von der betäubten Betriebsamkeit der Bäuerinnen, die ihr winziges Feld auf Gedeih und Verderb beackerten, ein Huhn flattert über die neu gegossene Asphaltstraße, ein Kind taucht am Rand auf, eine Ziege springt vor eines der heranrasenden Autos, finden Sie, fragte mich der Kollege, dass man Weihnachten, überhaupt die Adventszeit in diesem Land erkennen kann? Dabei behauptet es sich doch als so christlich!

Im Club du Lac haben sie einen Weihnachtsmann an die Brüstung beim Pool gehängt, sagte ich. Einen Heliumballon. Die Folie ist zerknautscht, er hat nach ein paar Tagen Grimassen gezogen.

Immerhin!, rief er und rollte eine Scheibe seines Carpaccios um die Gabel. Er wolle ja nicht über die Lethargie der Menschen klagen, nicht der Menschen im Allgemeinen, aber doch der Menschen in diesem Land, und hier sehr wohl ins Allgemeine gewendet, der Angestellten, die zu fünft, zu fünft!, nahe dem Restauranttresen darauf warteten, dass nichts geschehe, und wenn doch ein Gast einen frischgepressten Saft forderte, so gingen sie mit einer Schwerfälligkeit und Geduld ans Werk, als müssten sie die Welt und alles in ihr zuvor noch selbst erschaffen, die Bäuerin, die die Früchte anbaut, ihren Mann, der besoffen und antriebslos zu Hause bleibt, die Jugendlichen der Hauptstadt, die ihre ewigen Runden im Kreisverkehr drehen, die Präsidentenriege, die im nicht versiegenden Strom des fehlgeleiteten Geldes treibt, und dann erst stellen die fünf Angestellten fest, dass die Bäuerin gar kein Obst anbaut, dass es heute keinen Fruchtsaft gibt, aber eine Fanta kann man anbieten, und vielleicht, sagte mein Kollege, ist die einzige Ausnahme der Toyotahändler, die einzige Ausnahme im ganzen Land.

Ich betrachtete seine gebräunten, kräftigen Unterarme, die in einer blassgrünen Mischung aus Abenteuerkleidung und Jackett steckten, überhaupt schien er eine absurde Kreuzung zu sein aus Indiana Jones, der durch Flüsse voller Blutegel und Piranhas watete, und einem in einer europäischen Verwaltung zusammen mit den Zimmerpflanzen verstaubenden Erbsenzähler, aber vielleicht war diese Kreuzung so absurd nicht, es gab nicht wenige, die ihre eigene Sparsamkeit mit einer wilden Romantik zur Natur verbanden, und mein Sitznachbar beugte sich zu mir herüber, es sei ja nicht so, dass er dieses Land grundsätzlich nicht möge, er habe doch etwas übrig für die Leute hier, auch deshalb habe er eine Kuh gekauft.

Eine Kuh?, fragte ich.

Eine Kuh!, bekräftigte er, und nun sah ich zum ersten Mal in seinem Gesicht etwas aufleuchten, das entfernt an Leidenschaft erinnerte, und während er von der Milchkuh berichtete, die nun auf einem Hügel im Hinterland Burundis stand und, wie er schätzte, dort ein ganzes Dorf, eine *Colline*, mindestens aber einige Familien mit Milch versorge, wirkte er, als würde ihm mit jedem Wort wärmer ums Herz, als rühre ihn seine eigene, so wohlüberlegte Menschlichkeit beinah zu Tränen. Die komplexen Entwicklungsprogramme sind zu schwerfällig, sie blockieren sich ständig selbst, und wenn doch einmal Geld fließt, fließt es nur in die Taschen der Eliten, ihre Mitglieder kann man in diesem Land an zwei Händen abzählen, und die Idee des Mikrokredits hat sich ja auch nicht als so hoffnungsvoll erwiesen, wie man am Anfang geglaubt hat, nicht auf lange Sicht, erklärte er, der Kellner kam an unseren Tisch, brachte den zweiten Gang, Fisch aus dem Tanganjikasee, vom Ende der Tafel hörte ich, wie der Ehrengast sich die Investitionsmöglichkeiten in diesem Land erklären ließ, und mein Nachbar sprach noch immer von den nun von Milcheiweiß strotzenden Kindergesichtern und verriet mir den Namen der Kuh, Elsa, was in dem Dorf zu großer Belustigung geführt habe, wenn nicht zu reiner Glückseligkeit.

Wenn Ihnen nach Weihnachten zumute ist, unterbrach ich ihn, denken Sie an die Kuh.

Er nickte ernst, während er den Fisch zerteilte, ja, sehen Sie, manchmal kann ein Einziger so viel mehr bewegen als alle unsere großen Institutionen zusammen. Die Europäische Union. Die Weltgemeinschaft. Wenn irgendetwas in diesem Land gebraucht wird, setzen sie sich zusammen und versuchen, in unzähligen Gremien eine Einigkeit zu erzielen, aber am Ende weiß niemand mehr, um welches Land es überhaupt geht, und wer interessiert sich schon für den drittärmsten Staat der Welt, es gibt hier nichts, kein Coltan, kein Elfenbein, nicht mal Giraffen!, rief er, und deshalb kommen die Medikamente erst nach den Epidemien an, die Nahrungspakete erst nach der Hungersnot und die Truppen erst nach dem Genozid, dafür dann in ausreichender Menge. Aber eine Kuh, sagte er, ist immerhin eine Kuh.

Der Botschafter schlug mit seinem Löffel ans Glas, wir erhoben uns, ich rückte ein wenig von meinem Sitznachbarn ab, und es war die Qualität der Trauben, auf die der Botschafter in seiner Rede als Erstes zu sprechen kam, Antoine nickte mir zu, wieder versöhnlich, wie ich in seinen Blick hineinzulesen meinte, obwohl ich ihm vor einer Stunde noch seine Art vorgeworfen hatte, wie er mit meinem Gärtner sprach, Jean hatte wieder einmal stoisch mit dem Käscher am Rand gestanden und die wenigen Blätter, die in der Nacht gefallen waren, aus der bräunlichen Pfütze am Boden herausgefischt, den Riss, der sich quer über die Längswand zog, fast zärtlich mit dem Netz umrundend, es ist deine arrogante Art, Menschen herumzukommandieren, die einen Bruchteil deines Gehalts verdienen, hatte ich Antoine vorgehalten, die kein Auto, kein Haus mit vier Zimmern, kein großes Ansehen haben, sondern dir zur Verfügung stehen, wenn du mit dem Wagen auf das geschlossene Tor zurollst, und sie hören das Geräusch deines Motors aus den zehn anderen Wagen heraus, die durch diese Straße fahren, sie sind schon beim Tor, ehe du gehupt hast, aber das siehst du nicht.

Siehst du das denn?, hatte Antoine mich angeblafft, während ich an einem Schlagloch vorbeilenkte, siehst du denn wirklich immer alles? Entschuldige, ich habe diesen Kontinent nicht erfunden.

Ich auch nicht.

Aber du denkst, dass wir Burunder in ewiger Solidarität aneinandergekettet sind, es geht nicht in deinen Kopf, dass wir auch herablassend sein können, ja, einige von uns sind das, und dein Monsieur Jean macht mich wahnsinnig, wie er da steht und seit Monaten diesen verdammten Pool nicht repariert.

Du hast ihn auch nicht repariert.

Ich bin auch nicht dein Angestellter. Und du glaubst, dass jemand wie ich nicht arrogant sein darf. Dass es nur euch Europäern zusteht.

Es steht den Arschlöchern zu.

Dann lass mich ab und zu ein Arschloch sein, hatte Antoine gesagt, und ich hatte die Lippen zusammengepresst, daran gedacht, dass wir gleich zusammen auf einem Empfang stehen mussten in der Botschafterresidenz, einem Steinklotz hinter Mauern mit funktionierendem Pool, ich hatte den Wagen unter einer Palme geparkt, und schon, als ich im Flur den grauen Epson-Drucker gesehen hatte, während mir Gunnars Frau von einer Milchkuh erzählte, die jemand auf einem Hügel, oder war es ein Dorf?, gekauft hatte, fühlte ich mich wieder in Deutschland, so als existiere das Land nicht, in dessen Hitze ich noch immer stand.

Gunnar hatte mir auf die Schulter getippt: Du weißt auch nicht, wie wir den Wein jetzt so schnell kalt bekommen? Den Rheinmoselwein, wie er mir noch erklärte, und die Kiste war rechtzeitig eingetroffen, denn wenn auch wenig in diesem Land funktionierte, so funktionierte doch diese kleine Filiale deutschen Postwesens, und die Kisten mit Riesling standen nun in der Spülküche, um den Ehrengast, der, wie der Wein, aus dem Rheinmoselgebiet kam, willkommen zu heißen, aber kühl waren die Flaschen nicht.

In Deutschland war der Weißwein immer kühl!

In Deutschland, bemerkte ich, ist alles kühl.

Gunnar streifte mich mit einem melancholischen Blick, weil ich im Präsens von einem Land sprach, das er nur noch entfernt erinnerte durch das, was in der Fremde schiefging, und der Botschafter sprach von den Trauben an den Hängen des Rheinmoselgebiets, wo es, wie er betonte, gerade noch warm genug sei für diesen Riesling, Gunnar lief nervös zum Flur, und man wisse ja, sagte der Botschafter lächelnd zum Ehrengast, dass Trauben in eben den Gebieten am besten gediehen, in denen sie gerade noch bestehen konnten, dort, nirgends sonst, bekämen sie ihr intensivstes Aroma, es gehe ja im Prinzip, schob nun der Ehrengast hinterher, der sich umständlich erhoben hatte, es gehe um Vermischung und Wanderung, und so, wie die mediterrane Traube auch und gerade in der Mitte Europas zu ihrer Vollendung gelange, so werde auch nur eine gemeinsame, eine, er wolle doch sagen: vereinte Welt die besten Früchte hervorbringen. Auch heute müssen wir diesen Ausgleich finden zwischen dem Nationalen, dem Französischen, Deutschen, Österreichischen, und dem Europäischen und im größeren Maßstab den Vereinten Nationen, und es kann, sagte er, nicht nur darum gehen, die nationalen Partikularinteressen gänzlich zu negieren, es geht darum, sie einzubringen und zu verbinden oder, wie es der ehemalige senegalesische Präsident Léopold Senghor formuliert hat, einen noch innerlicheren, wesentlicheren Ausgleich zu finden, etwa zwischen deutschem Wesen und Latinität. Und dieser Ausgleich ist es …, erklärte der Gast.

Hat ihm jemand gesagt, dass wir hier nicht im Senegal sind?, flüsterte Antoine mir zu, ich nickte bloß, starrte zu Pietro hinüber, der neben Gunnar das Zimmer betrat, beide einige Flaschen Wein im Arm, Pietro erwiderte meinen Blick mit einem spöttischen Lächeln, ich wandte mich schnell ab, starrte auf die geschnitzten Figuren, die in den Regalen aufgereiht standen: Masken, Krokodile, sogar Giraffen, obwohl es in Burundi keine Giraffen gab, aber die Dinge zogen nun eben von einem Ort zum anderen, die Mittelmeertrauben ins Rheinmoselgebiet, und solange es nur die Dinge und Pflanzen waren, würden wir gleich unser Glas darauf erheben, dem Botschafter und seinem Ehrengast applaudieren, auch aus Brüssel brachte man schließlich am besten einen Eiffelturm mit, wer wollte schon dieses alberne Atom oder ein pinkelndes Kind als Andenken, man brachte auch kein geschnitztes Flusspferd mit von einer Reise, es war einfach zu klobig, man kaufte Krokodile und Giraffen, vielleicht ein Nashorn, wegen des Horns, das den Figuren etwas Fragiles und Wunderliches gab, oder diese Masken, die schon Picasso inspiriert hatten, die konnte man sich zu Hause an die Wand hängen, aber ein Flusspferd hatte seine Eleganz erst, wenn es unter Wasser lief, und niemals als Holzfigur, verstaubt in einem Regal.

Der Botschafter wies auf die goldgelbe Farbgebung des an den Hängen des Rheinmoselgebiets gediehenen Rieslings hin, und so möchte ich sagen, erklärte er, dass wir uns heute glücklich schätzen über den gleich zweifachen Besuch von der Mosel, einige der Anwesenden lachten müde, mein Sitznachbar drängte sich zwischen Antoine und mich, ich sah den Ehering an seiner blassen, gleichwohl kräftigen Hand, stellte mir seine Frau vor, von der ich nur wusste, dass sie den ganzen Tag las, wohl um einen Fantasieraum an der Seite dieses Mannes zu retten, der in seiner Freizeit akribisch den Drucker reparierte, dabei auf sein Gastland schimpfte, in dem es zwei Sorten Bier gab und überteuertes importiertes Shampoo in winzigen Portionspackungen, die wie bunte Bonbons leuchteten, aber keine Ersatzteile für Epsondrucker.

Aber eine eigene Milchkuh ist eine eigene Milchkuh, erklärte er mir, als er sein Glas gegen meines klirren ließ.

Ganz ausgezeichnet der Wein.

Rheinmosel.

Und wir wandten unsere Köpfe, als im Nebenraum Glas zerbrach. Eine Sekunde lang gab es kein Atmen im Raum, von keinem der vierunddreißig geladenen Gäste, von denen möglicherweise nicht alle anwesend waren, aber jetzt zählte keiner mehr durch.

Eine Detonation, sagte jemand.

Nein, Schüsse, berichtigte die Frau des Gastgebers, Detonationen lassen den Boden vibrieren.

Einige lachten, kalt und hektisch, wie damals in der Lufthansa-Maschine auf dem Weg von Berlin nach Paris, die Triebwerke waren ausgefallen, und wir sanken auf Frankfurt zu, während der Ansage aus dem Cockpit brachen wir alle in Lachen aus, Notlandung, was für ein merkwürdiges Wort, es war der Moment, den wir so oft zur Seite geschoben hatten, mein Sitznachbar wie die Menschen in der Reihe vor mir, niemand sagte es, aber wir wussten, dass wir es alle dachten: Wir haben es immer weggeschoben, warum eigentlich, nur weil es lächerlich ist, es ist lächerlich, Angst vor etwas zu haben, das nicht eintreten wird, Angst zu haben vor etwas, das man nicht beeinflussen kann, aber warum vermeiden wir das Lächerliche, und hier im Raum hielten sich die Menschen an ihren halbwarmen Rieslinggläsern fest, selbst Antoine kicherte unruhig, und ich erinnerte mich an die Gedanken, die ich im Flugzeug gehabt hatte:

Es ist nur Routine, alles, was man erlebt, ist im Grunde Routine.

Aber warum ist die Stewardess nervös?

An welches Lied soll ich denken, falls es doch nicht Routine ist.

An welches Lied soll ich denken, ganz egal, was es ist.

Es ist doch niemand im Garten, fragte ein älterer Mann, oder er stellte es nur fest, im Garten kann niemand sein.

Nur der Wachschutz.

Das sind doch Schüsse, haben Sie das nicht gehört.

Nein, niemals, das sind keine Schüsse.

Haben Sie das davor gehört, das waren Schüsse, das jetzt, das sind keine Schüsse.

Es gibt doch keinen Grund.

Aber ich habe es doch gehört, hören Sie das denn nicht, hören Sie doch hin.

Aber es gibt doch keinen Grund, sage ich!

Pietro hob seine Hände wie zum Segen: Es sind keine Unruhen angekündigt, erklärte er. Wir haben noch heute die politische Lage erörtert, ich kann Ihnen sagen, auch in den ärmeren Vierteln gibt es keinen Aufruhr, gerade da nicht, da traut sich niemand etwas im Moment.

Aber Sie haben doch von den Leichen gelesen, die im Fluss angespült wurden.

Das ist doch etwas anderes, ethnische Konflikte.

Eine Frau fing laut an zu lachen, das ist jetzt nicht Ihr Ernst!

Sie meinen doch nicht, dass es auf uns überspringen könnte, ich meine, diese Streitigkeiten, die haben doch nichts mit uns, ich meine ...

Der Friedensrausch, der die europäischen Staaten ergriffen hat im 18. Jahrhundert, sagte der Ehrengast, der sich zu Antoine und mir drängte, wissen Sie, so sollte es auch hier sein. Vernünfteln, man sollte auch hier mehr vernünfteln. Kennen Sie Kant?, fragte er Antoine, der sich am Wein verschluckte und mir einen irritierten Blick zuwarf.

Nein, bitte, von wem sprechen Sie?

Immanuel Kant, ein deutscher Philosoph. Die Aufklärung, davon werden Sie gehört haben.

Wir lesen hier nicht so viel. Wir kommunizieren noch mit Trommeln.

Mit Trommeln? Tatsächlich?

Wegen der Hügel.

Natürlich, wegen der Hügel.

Rauchzeichen haben sich nicht durchgesetzt, zu viel Wald.

Natürlich.

Ich kann nicht sagen, wann die Situation außer Kontrolle geriet, weniger die Situation da draußen, die wir aus den fernen Geräuschen zu deuten glaubten, als vielmehr die Situation im Inneren. Der Kuhbesitzer versuchte, mit einem Stuhl die Tür zu verbarrikadieren, ein Kellner sah hilflos zwischen den Gästen umher, unentschlossen, ob er den beiden Möbelträgern, die ein Regal vor eines der Fenster wuchteten, behilflich zu sein oder sie vielmehr von ihrem Tun abzuhalten hatte.

Es ist ja nichts, es ist ja nichts!, rief jemand, aber niemand konnte mehr sagen, wer es gewesen war, es ist … wie in der Residenz von Bemba!

Aber das war im Kongo, das war in der Residenz, das ist nach den Wahlen passiert. Hier sind wir in einer Botschaft, auf neutralem Boden, versuchte jemand zu beruhigen. Das hier ist Burundi, nicht der Kongo, nein, nicht einmal Burundi, sondern deutsches Hoheitsgebiet!

Da war wieder ein Schuss, haben Sie das gehört?

Sie wissen, dass da vorne der Kongo beginnt, sagte eine Mitarbeiterin des Ehrengasts und zeigte nach Norden, womit sie Westen meinte, aber woher sollte sie auch die Himmelsrichtungen hier kennen, und der Kongo, das ist kein Staat mehr, Kinshasa ist wie ein abgetrennter Kopf, die Lider bewegen sich nur noch durch Muskelreflexe!

Der Ehrengast ließ sich auf einen Stuhl neben der verbarrikadierten Tür sinken, und der Kuhbesitzer malte uns das Dîner bei Monsieur Bemba aus, die vierzehn wichtigsten Diplomaten zu Gast und einige andere, die ihm den Rücken kraulten, wie einst Henry Morton Stanley dem Sklavenhändler Tippu Tip.

Hat er tatsächlich geglaubt, ich hätte noch nie von Kant gehört? Antoine stellte sich zu mir an das letzte offene Fenster, in der Ferne Schüsse oder etwas, was wir für Schüsse hielten, im Garten wuchsen Palmen, sogar Lianen, die den Blick hinab auf die Stadt sanft einrahmten, die Lichter der Hauptstadt, einige Viertel waren durch einen Stromausfall dunkel gelegt. Schön, oder?, fragte Antoine. Und wegen der Lianen haben wir alle Macheten.

Reg dich nicht auf, er ist ein Idiot, aber wir werden dafür bezahlt, auch mit Idioten Umgang zu pflegen.

Ich nippte am Wein, suchte den Himmel nach den blinkenden Lichtern eines Flugzeugs ab, alles blieb still dort oben, sternenklar, kein Satellit, keine Fahne der UN, wie sie in New York hoch über mir geflattert hatte, in Deutschland nur Grau, und hier leuchteten die Sterne wie in einer Kindergeschichte, die mir mein Vater vorgelesen hatte, als ich fünf oder sechs Jahre alt gewesen sein mochte und noch nichts wusste von Villen und Rehen im Garten und Rheinmoselwein, und Antoine sprach über Molière und Shakespeare, Baudelaire und Conrad, es kommt mir manchmal so vor, als hätte die französische Sprache mehr Chaos hinterlassen, sagte er, während das Britische so geordnet und simpel ist, aber vielleicht war das Britische Empire einfach besser darin, zu unterwerfen, als dieses kleine Belgien, eingezwängt zwischen den großen Mächten Europas, und sein König Leopold zwischen Kautschuk und seiner Idee von Fleiß, Antoine lachte, was ist Belgien schon gewesen, und dann stochert dieser Monarch mit dem zu kleinen Land, der zu kurzen Geschichte, in einem Kontinent herum, den er vor sich sieht, wenn er betrunken in seinen mit Topfpflanzen zugewucherten Wintergarten stolpert.

Zwischen den Sternen zeigte sich noch immer kein blinkendes Flugzeuglicht, obwohl die Sicht hinauf klar war, die Panne im Umspannwerk war noch nicht behoben, und abgesehen von den Abgasen, die in der Rushhour einen zähen grauen Schleier über die Zubringerstraßen bliesen, sonderte die Stadt kaum etwas ab, weder Schadstoffe noch Geld noch Produkte.

Ich gehe in die Schweiz im nächsten Sommer, sagte Antoine und stieß sein Glas noch einmal gegen meines.

Ich bleibe hier und warte, bis mich alle vergessen haben, sagte ich. Die vergessen uns eh alle. Über kurz oder lang.

Aber es wird kippen. Die Stimmung wird kippen. Ein einziger Funken kann alles wieder in Brand setzen. Hier hat jeder irgendwas gesehen, jeder, auch wenn keiner laut redet. Man hört auf, erzählen zu wollen, sagte er. Du hörst einfach irgendwann auf. Es ist, als ginge dich das alles nichts an.

Ein Weinglas fiel zu Boden, der Tisch wurde beiseitegestoßen, und als reiche der Platz nicht aus, rückte ich näher an Antoine heran.

Der kleine Pierre soll dabei zugesehen haben, wie sein Vater erschlagen wurde, sagte Antoine. Links, rechts. Er konnte noch kaum lesen, aber er wusste, wie das Licht in den Augen des eigenen Vaters einfach ausgeht, wie ein Stromausfall bei einem heftigen Regen, er wusste, wie der Übergang von Leben und Tod aussieht bei dem Menschen, den du am meisten fürchtest und liebst und hasst.

Ich kann nicht mehr sagen, wann die beiden Jungen vor der Tür standen, die ein paar Silvesterknaller abgefeuert hatten, gerügt von ihrem Vater, einem in der Telekommunikationsbranche zu Ansehen gekommenen Geschäftsmann. Sie standen da, ihre Hände vor der Brust gefaltet wie Erstkommunionsempfänger, und baten im Duett um Verzeihung.

Eine Frau sank gegen eine beliebige Brust. Manche atmeten

auf. Einige schüttelten den Kopf. Andere fragten, ob es noch Riesling gäbe. Pietros Blick streifte mich, und im Himmel hob sich blinkend ein Flugzeug vor dem dunklen Grund ab, ist der Flughafen um diese Zeit noch geöffnet?, fragte ich Antoine, und ich stellte mir vor, wie der Präsident dort oben am Himmel saß, und in wenigen Minuten würde sich ein Schuss lösen, die Maschine rotglühend herabstürzen, wie damals, im April 94 über Kigali, und ich dachte daran, wie Aimé mir zugeflüstert hatte: Mit Gott werden wir siegen. Aber wer ist wir?, fragte ich leise zurück. Aimé faltete seine Finger ineinander, vielleicht sind es Sie und ich, Mira, haben Sie daran mal gedacht. Vielleicht gehören Sie ja dazu, sagte er und verbesserte sich, Sie gehören ja längst dazu.

Den Haag. Mai 2017

Aber ich dachte, dass es noch einmal gutgehen wird, so wie man glaubt, dass die Verhandlungen noch einmal gutgehen werden, sich eine Lösung, und wenn keine Lösung, dann ein Kompromiss finden lässt, dass nicht alles vergebens war, und wenn vergebens, dann wäre es nicht so schlimm, wie gedroht worden ist, das war ja nur Rhetorik, der wir nicht zu sehr glauben dürfen, so wie man ja auch nicht glaubt, dass die Katastrophe einen selbst betrifft oder das, was einen nicht selbst betrifft, wirklich sein kann. Und bald glauben wir nicht, sondern wissen, es wird gutgehen, weil es immer gutgegangen ist in unserem Leben, mal mehr, mal weniger, aber nie ging das Leben ganz schief, oder etwa doch, es ist dieser kindliche Wunsch, alles würde sich nach dem eigenen Leben richten und nicht lediglich das eigene Leben nach dem ganzen Rest, wenn man in vermeintlicher Unschuld versucht, die Dinge so anzuordnen, dass sie einen Sinn ergeben in dem eigenen kleinen Reich und nicht, wie es manche tun, zu manipulieren, vorzutäuschen, auszusagen, und ich hörte einfach nicht genau hin, ich dachte tatsächlich, dass man einander genauso leicht vergisst, wie man sich begegnet, ein Blick, den man durch den Raum schweifen lässt, ebenso gut hätte man es übersehen können, das Namensschild oder die Art, wie jemand die Arme übereinanderlegt, diese Nebensächlichkeiten, die uns den anderen verraten und die wir nicht mehr loswerden, wenn wir sie einmal gesehen haben, denn was wir gesehen haben, können wir nicht einfach vergessen, und ein Geheimnis kann man nicht wieder zurückholen, wenn man es einmal enthüllt hat. Wir glauben es nur manchmal.

Ich erwachte nicht wie aus einem Tiefschlaf, sondern als hätte jemand einen Schleier vor den Bildern fortgezogen. Milan stand am Fenster, sah aufs Meer, das noch im Dunkeln lag. Das Laken scheuerte über meine Haut, und er wandte sich zu mir um. Wie kannst du jetzt schlafen?, fuhr er mich an, wohl nicht einmal laut, vielleicht war nur alles sonst in diesem Zimmer so leise. Ich schüttelte den Kopf, Milan, was ist mit dir?, und er kam auf mich zu, griff mir in den Nacken, weder zärtlich noch begehrend, lediglich grob, als wollte er mir drohen, damit ich nicht mehr einschlief, bei ihm blieb, während er am Fenster auf den Morgen wartete.

Ich ließ mich zurück ins Kissen fallen, betrachtete seine Kontur, die sich wieder dem Fenster näherte, und es war nicht, als entferne er sich von mir, sondern, als wäre er längst gegangen.

Das Handtuch auf dem Boden, mit dem Milan meine Füße, meine Beine, meine Hüfte abgetrocknet hatte, ehe er meine Knie auseinandergedrückt, seinen Kopf zwischen meine Schenkel gelegt hatte und mit seiner Zunge in mich gefahren war, bis ich gestöhnt hatte, mit den Füßen drängte ich ihn von mir, meine Hände drückten ihn auf den Boden, ich beugte mich über seinen Nabel, umkreiste ihn mit der Zunge, Milan griff meinen Kopf, doch anstatt ihn tiefer zu drücken, hielt er mein Haar einfach nur fest.

Weißt du, warum Adam einen Bauchnabel hatte, fragte er, und ich hielt kurz inne, dachte, ohne es auszusprechen, Milan, was stellst du für Fragen, und wann?

Nur um vollständig zu sein, sagte er und schob meinen Kopf nun doch tiefer.

Und wir denken, dass es noch einmal gutgeht, weil es immer gutgegangen ist, ich hatte ja nur kurz einen Fuß zu weit vor gesetzt, ihn gleich wieder zurückziehen wollen, sah bloß aus dem Fenster, vor dem das Meer langsam zurückwich, wie es die Tafel neben dem Rotkreuzcontainer für diesen Morgen verzeichnete, aber es war noch zu dunkel, um etwas davon zu erkennen, noch lachte ich und sagte, Milan, du weißt, dass ich morgen wieder zurückmuss, du weißt, die Verhandlungen laufen wieder an, nickte dabei gegen die Scheibe, fragte leise, bis wann soll ich bleiben?, und hoffte, er möge es nicht verstanden haben, aber er hatte es verstanden, noch übers Wochenende, und ich sagte, eigentlich kaum hörbar, kann sein, dass wir die Verhandlungen für ein paar Tage unterbrechen, und jeder hätte sehen können, dass ich bereits dabei war, noch einen kleinen Schritt vor zu gehen und noch einen, dass ich in der Mitte des Raumes zu tanzen begann, jeder hatte das längst gesehen, die Menschen auf der Terrasse des Kurhauses, die sich unter den Möwen wegduckten, und schon jene in der Bar des Beau-Rivage, die noch immer über die Mieten in Les Pâquis stritten, der akkurate Kellner, die Frau, die draußen mit ihrem Hund an den Büschen vorbeizog, der Rezeptionist, der sich über die Schulter strich, seine Uhr freilegte, und ich weiß nicht, ob ich es wirklich gesagt, geflüstert oder nur gedacht habe: Mach dir keine Sorgen, ich lass dich nicht allein. Ich bin ja da, Milan, ich bin ja da.

Ich muss wieder eingeschlafen sein, aber auch dieses Mal war es nur ein Weggleiten der rot leuchtenden Ziffern am Fernseher, die eine Stunde mitten in der Nacht anzeigten, der kleinen Bordeauxflasche, die noch auf der Minibar stand, vom schalen Leuchten der Vitrine aus der Dunkelheit herausgehoben, ein Verschwinden des Glases, in dem ein Rest des Weins angetrocknet war, des Handtuchs auf dem Boden.

Wieder stand Milan vor mir, ich fühlte seinen Atem, im Fenster war bereits dämmriger Morgen, ich streckte meine Hand nach ihm aus, aber er wehrte sie ab, seine Stimme wütend, wie ich zuerst dachte, und dann begriff ich, dass er verwirrt klang, er komme wieder, sagte er und wandte sich ab, die Erhebung seiner Wirbel im kalten Licht, seine Haut bläulich fast, wie die eines Toten, und ich spürte nicht mehr, dass er bei mir war, als er sich noch einmal zu mir beugte, mich auf die Lippen küsste. Er sei später wieder da.

Als er mit seinem Sohn das Café betrat, an den Tischen vorbeiging, sah er nicht zu mir herüber. Er hielt sich von mir fern, dachte ich kurz, aber natürlich, er hatte mich nicht einmal bemerkt, strich Kolja über den Kopf, als sie vor der Vitrine mit den Kuchen und Torten standen, der Junge legte seine Hände ans Glas, Milan ermahnte ihn mit gedämpfter Stimme, griff die zwischen seinen Fingern zerbrechlich wirkenden Hände und zog sie von der Vitrine weg. Kolja sah zu ihm auf, schaute sich dann kurz um, und mir war, als erkenne er mich, sein Blick blieb zu lang an mir hängen, um nicht zu bemerken, dass etwas Vertrautes an mir war, auch wenn ich in diesem Café saß, das er wohl ebenso wie ich an diesem Tag zum ersten Mal betreten hatte, die Verkäuferin legte das dritte Kuchenstück auf die anderen beiden, schlug alles in Papier ein, und noch einmal sah Kolja zu mir herüber, als Milan an der Kasse stand und zahlte, aber er zog ihn nicht am Ärmel, um ihn auf mich aufmerksam zu machen, zu fragen, wer ich sei, er nahm nur die Papiertüte mit den Kuchenstücken und ging neben seinem Vater Richtung Ausgang.

Es täte ihm leid, er schaffe es erst abends, hatte Milan mir geschrieben, zwei Stunden darauf war auch der Abend schwierig, und kurz darauf rief er noch einmal an, vielleicht sei es doch möglich, später, um zehn, wir könnten uns im Publique treffen, nur um dann, als ich bereits vor dem Hotel stand und auf das Taxi wartete, ein weiteres Mal anzurufen und mir mitzuteilen, dass sein Sohn über Kopfschmerzen klage, es ginge nun eben doch nicht, er habe ja auch nicht gewusst, dass Teresa heute käme, so sei es nicht besprochen gewesen, und Kolja reagiere empfindlich auf Flugreisen, er werde eigentlich jedes Mal krank, und jetzt ginge es ihm wirklich nicht gut, und ich erwiderte, ja, alles in Ordnung, gute Besserung, während ich das Schild auf dem Dach des Taxis betrachtete, ich bin eh müde, versicherte ich Milan, der Fahrer lehnte sich vor, sein Blick suchte den Hoteleingang ab, und ich trat noch eine Stufe weiter hinauf zum Restaurant, eine Hand am Geländer, mit der anderen hielt ich das Telefon, in dem Milan noch eine Entschuldigung murmelte, es ist eben, mit Kindern, weißt du, und nein, natürlich wusste ich nicht, woher sollte ich wissen, wie es mit Kindern war und welche Fragen seine Frau ihm gestellt hatte, als sie am Vormittag in Den Haag eingetroffen war, ob sie sich jemals nach der Art unserer Bekanntschaft oder gar nach mir erkundigt hatte oder doch nur danach, ob er daran gedacht hatte, den Käse in den Kühlschrank zu legen (hatte er nicht), was ich aber wusste, war, dass Kinder meist mehr spüren, als die Erwachsenen sich wünschen, sie werden mit einer fremden Tante in den Zoo geschickt, als könne man ihre kleinen Gefühlsmotoren ruhigstellen mit Eiscreme und dem Blick auf Schneeleoparden.

Wir sehen uns ja morgen, dann haben wir Zeit, ruh dich aus. Ja, du auch, und es war ein Flüstern, wie ich es mir in einem gemeinsamen Schlafzimmer vorstellte, wenn das Licht schon gelöscht ist und beide zum Lieben zu erschöpft sind, vom Tag oder von der jahrelangen Gewohnheit, aber die Zärtlichkeit noch da ist, die Besorgtheit um den anderen, den man nicht müde sehen will, und vielleicht ist es nur die Angst, dass man selbst der Grund ist, weshalb der andere so erschöpft ist seit Tagen und Wochen und Jahren.

Natürlich war es absurd gewesen, den Rückflug verstreichen

zu lassen, in der törichten Hoffnung, Milan könne sich tags oder spät am Abend tatsächlich noch loseisen, in dem, wie ich in diesem Moment ja schon wusste, unsinnigen Glauben, er würde eine meiner SMS nicht mit einer Absage beantworten, seine vage Zusage würde sich in einen kurzen Moment wandeln, den wir noch miteinander hätten, dabei war sie längst nur noch ein Wahrscheinlich, Möglicherweise, Ich-versuche-es, ein Eigentlich-nicht, und im Nachhinein ist dieser Abend, der verregnet war und der mich allein in einem Hotelzimmer zurückließ, kein Versehen gewesen, durch die Wände hörte ich den Streit meiner Zimmernachbarn, saß kurz an dem polierten Bord, das ein Schreibtisch sein sollte und doch zumindest meiner nicht war, draußen, vor dem gekippten Fenster, heulte ein Martinshorn, und meine Nachbarn stritten noch immer, ein dumpfer Streit ohne Türenschlagen, ohne jede gefühlte Anteilnahme, es schien um nichts mehr zu gehen, nur noch um die chronische Wiederholung eines eingefahrenen Zwistes, mein Zimmer mit den gestärkten Kissen ließ mich frösteln, ich versuchte wenigstens das Gefühl zu haben, ich säße nur ebenso allein hier wie andere Menschen in Hotels, und doch weiß ich im Nachhinein, dass dieser Abend richtiger war als all die Abende, an denen ich über ein Adjektiv in einer Resolution verhandelte oder im Weiß meiner Wohnung auf dem Sofa lag, durch die Fernsehkanäle schaltete, Zeitung las, mit meinem Vorgesetzten telefonierte oder mit einer Bekannten ausging, denn ich saß hier mit der vagen, von vornherein unsinnigen Hoffnung, dass wir noch ein paar Minuten miteinander haben würden, und auch wenn ich weiß, dass man auf so ein Hoffen keinen Staat, nicht einmal eine Beziehung, überhaupt nichts von Dauer gründet, weiß ich ebenso, dass ein paar Minuten, selbst wenn sie nicht eintreten, mehr zählen können als alle Empfänge in Genf und der Ausflug mit drei Kollegen in eine Bar, mehr sogar als die Adjektive in einer Resolution. Dass überhaupt etwas wichtig war. Dass ich für irgendetwas irgendwo bleiben wollte. Und ich hörte wieder das dumpfe Grollen im Raum nebenan, wünschte mir, eine Tür würde endlich geschlagen, aber die restliche Nacht hindurch blieb es ruhig.

Sie standen schon in der Tür, da blickte Milan doch zu mir, verwundert mehr als besorgt, als habe er bereits vergessen, dass ich nach Den Haag gekommen war, aber er nickte mir nicht zu, wie wir es bei Bekannten tun, wenn sie uns überraschen und wir ihnen nur schnell entgehen wollen, nicht noch nach Befindlichkeiten oder dem Wetter fragen, er blickte hinab auf seinen Sohn, dem er die Tür aufhielt, und ich hätte gerne gewusst, was in seinem Kopf vorging, an welchem Punkt er Angst bekam oder auch Widerwillen, eine diffuse Abneigung gegen mich, weil er mich für etwas verantwortlich sah, wofür ich nicht verantwortlich gewesen bin, was ich allenfalls beschleunigt habe, oder aber empfand er nicht einmal eine Abneigung gegen mich, sondern schlicht Gleichgültigkeit, weil auch er begriff, dass ich nichts verantwortete, nur Zaunkönigin gewesen bin bei einem Streit, der tiefer ging als jede Berührung, die wir geteilt hatten, und als ich ihm durchs Fenster nachsah, kam er mir kurz vertraut vor. Aber man bewundert nicht, was man zu gut kennt, und ich ließ zu viel Geld auf dem Tisch, ging hinaus, lief an einem Kanal entlang, die Uferpflanzen hingen so tief ins Wasser, als hätten sie sich dort hinein verwachsen, eine Tram fuhr an mir vorbei, ich folgte den Schienen zum Strand hinunter, zur Rückseite der grauen Hochhaushotels, auf der Promenade drehte sich das Karussell mit den starren, auf und ab wippenden Pferden, dem schaukelnden Halbmond, auf der Treppe des Kurhauses grüßte mich ein Angestellter, so wie man Menschen grüßt, die man nicht wirklich wahrnimmt, ich fuhr hinauf in den zweiten Stock und legte mich in den Sessel, sah durchs Fenster, über das Meer hinweg, von dem ich nichts hörte, nur das Ausbleiben jeglicher Störung, die komfortable, tote Sicherheit der Ersten Welt.

VERSÖHNUNG

Glion. Juli 2017

Bei gutem Wetter, heißt es, sei die Spitze des Mont Blanc vom Palais des Nations aus zu sehen. Die Wahrheit aber ist, dass es dieses gute Wetter nie gab. Es gab Tage, an denen die Sicht fast klar genug war, fast, nie war sie es ganz, und vielleicht fuhren wir deshalb so gern nach Glion, für eine Konferenz zu Menschenrechten oder zu einem Gespräch abseits des Protokolls, von hier aus sah man den Berg bei jedem Wetter, majestätisch und ruhig vor dem Fenster.

Das Frühstück im Hotel Victoria wurde von sieben bis zehn serviert, sonst hatte die Zeit hier keine Wirkung. In einer schmalen Bergbahn war ich von Montreux heraufgefahren, Tischchen, Sitzbezüge, Fahrgäste, alles aus einer anderen Epoche, es war 1950, es war 1910, es war alles noch nicht passiert, in Lausanne hatte man noch nicht die Überreste des Osmanischen Reichs aufgeteilt, und drüben in Evian war noch nichts verloren auf der Konferenz, zweiunddreißig Länder, von denen nur die Dominikanische Republik bereit war, den jüdischen Flüchtlingen Zugeständnisse zu machen, die vor den Nationalsozialisten flohen, manchmal scheitert es an offenen Feindschaften oder zu wenig Willen und noch häufiger an Müdigkeit, gekränktem Stolz, ein Schnürsenkel ist nicht gut geschnürt, man beugt sich hinab, wieder ist eine Entscheidung gefallen, und ich trat auf den Balkon, ein Segelboot hielt auf Chillon zu, jene winzige Insel vor Montreux, das Sonnenlicht ließ den Horizont im Westen verschwinden, die Fläche öffnete sich ins Weite, dabei lag hinter der blendenden Helligkeit nur die Enge zwischen den beiden Uferseiten von Genf, und fünfzig Kilometer südöstlich von hier, in Crans-Montana, hatten vor zwei Tagen die Zypern-Verhandlungen begonnen, mit Delegierten der nordzyprischen Seite und Vertretern der Republik Zypern, mit großer Zuversicht und einem Grußwort des Generalsekretärs, eine historische Chance, ein großer Moment, aber nach zwei Tagen geriet der Moment ins Stocken, und die Historie war wieder so, wie wir sie gelernt hatten, nämlich ohne Zukunft.

Im Grunde sieht es gut aus, hatte Boucheron mir vor meiner Abreise gesagt und mir ein Holzkästchen über den Tisch geschoben. Zumindest sieht es noch nicht schlecht aus, nicht so schlecht wie sonst, wie seit Jahrzehnten, das ist doch etwas, oder, das ist doch mehr, als wir zu erwarten gewohnt sind, die Seiten bewegen sich, es braucht nicht viel, Mira, Sie müssen nur den letzten Akzent setzen. Sie müssen sich konzentrieren. Eine ruhige Hand bewahren. Zärtlich strich Boucheron über das Kästchen wie über ein Totem, das mich schützen sollte. Mikado. Das entspannt.

Mich hat das Spiel immer wahnsinnig gemacht, sagte ich, schob den Deckel zurück, ließ die Stäbchen im Inneren klappern.

Es wäre mir lieb, wenn Sie es dieses Mal anders hielten.

Ich nickte, dabei wussten wir beide, dass der Zeitpunkt kein guter mehr war, wir die Verhandlungen übereilt durch den Sommer trieben, manchmal scheitert es an einem offenen Schnürsenkel und manchmal an ein paar Wochen, die man nicht mehr warten will, im April hatte es einen Moment gegeben, in dem ich Boucheron geglaubt hatte, in dem wir beide gedacht hatten, und nicht nur wir, dass es anders werden könnte, die griechische Seite hatte sich einen Schritt vorgewagt, die Türkei hatte sich noch nicht abgewandt, in Zimmer 208 hatte ein Gesprächspartner mit einer Portion Pommes frites auf mich gewartet, aus den Lautsprechern war der zu laute Bass geklungen, unten lag Brunswick, ein Herzog aus Braunschweig, der nur noch aus ein paar Steinen bestand, aber auch Steinstatuen können ihre Schwere verlieren, und am Ende, ich stand schon auf der Schwelle der Zimmertür, hatte mein Gesprächspartner mir zugelächelt, Bauarbeiter tanzten um ihre Zementmischer, Schuberts Klaviersonate drang aus allen Fenstern, und natürlich war es möglich, in manchen Momenten ist alles möglich, aber es sind eben nur Momente.

Trotz allem sieht es gut aus dieses Mal, hatte Boucheron gesagt, ich hatte mit den Schultern gezuckt, wer wollte einen Konflikt schon aufgeben, etwas war nicht ideal, aber nach Jahrzehnten hatten sich beide Seiten daran gewöhnt, und niemand würde mehr auf die Wünsche einer kleinen Insel im Mittelmeer eingehen, wenn dort alles friedlich wäre.

Wenn wir nur genau genug hinsehen, Mira, dann liegen die Möglichkeiten ja da, und er warf mit nervösen Strichen einige Namen auf ein Blatt Papier, links, rechts, dazwischen eine Linie, warum glaubten wir nur immer, mit Listen den Konflikten beizukommen, den Menschen und Widrigkeiten, auch den Verlusten, die letzte Liste, die ich Wim geschrieben hatte, lag noch in einem Französischlehrbuch, Niveau B2.

Sehen Sie, bei dem hier müssen Sie streng auftreten, er gibt klein bei, wenn Sie arroganter sind als er, und bei diesem versuchen Sie es über gemeinsame Interessen, er hat zu Hegel promoviert, ich lege Ihnen die Zusammenfassung bei. Zur Erholung gehen Sie hoch auf den Kammweg, es ist wunderschön da.

Ja, natürlich, auf den Kammweg, dann ist es auch schön da, ich verspreche es Ihnen.

Zwei Fallschirmspringer segelten links des Mont Blanc hinab, der Dunst löste die gegenüberliegende Seite auf, und unten im Foyer duckten sich die Gäste zwischen Ölgemälden feudaler Damen, kurz war ich bei meiner Ankunft vor ihnen stehen geblieben, hatte in einem der gepuderten Gesichter die Marmorbleiche von Agnès Sorel zu erkennen gemeint, aber natürlich, beim zweiten Blick war es nur eine gewöhnliche Adlige, deren Gatte höchstens Herzog von Braunschweig gewesen war, und niemand in der ganzen Schweiz wäre auf die Idee gekommen, nonchalant wie am französischen Hof die Geliebte mit einem Titel zu versehen, man saß in Stühlen aus einem Roman von Thomas Mann, niemand wunderte sich, so bequem zu sitzen außerhalb der Wirklichkeit, und Katastrophen sahen von hier nebensächlich aus, von hier aus waren sie es auch.

Wenn ich je eine von all den großen Figuren bewundert habe, dann war es Agnès Sorel, die legendär kluge und schöne *Première Maîtresse* von Karl VII, dem Siegreichen, und wenn nicht bewundernd, dann habe ich ihr doch verwundert nachgesehen, wie sie durch die Geschichte schlich, so gescheit, dass sie ein Imperium hätten führen können, aber sie war dazu verdammt, dem König den Körper zu stellen, an dem er sich Richtung Himmel wusste, ihre Konversation in anzüglichster Eleganz, ihm Kinder gebärend, ob gewollt oder nicht, und am vierten starb sie oder an einer Vergiftung mit Quecksilber. Sie wusste alles, und sie wusste nichts, nichts von den Menschen da draußen, außerhalb des Hofs, die ihr nur eine schauerliche Drohung waren, wie leicht konnte sie selbst dorthin zurücksinken, sie war alles, sie war nichts, verewigt in der Rolle der Heiligen Jungfrau mit einer enthüllten Brust, einer weißen, vollendet gerundeten, enthobenen Brust, oder doch nur eine gewöhnliche Schönheit, die heute übermüdet in einem Garten voll gepflegter grüner Büsche stünde am Fuß der Alpen, am Ufer des Genfer Sees, der auf der anderen Seite Lac Léman heißt, den Oberen ist fast immer die Ausreise geglückt, nur eine Frage der Zeit, bis sie das Land verlassen, sich irgendwohin in Sicherheit bringen konnten, die Guillotine war eben doch für die namenlosen Köpfe entworfen, Dirnen, Diebe, Pack, daran ändert auch nichts, dass wir uns so gern die Ausnahmen merken – Marie-Antoinette, Louis XVI –, den Mächtigen gehörten genügend Orte, und auf der Straße blieben jene, die resignierten und noch nicht resignieren wollten, und sie waren in unseren Sitzungen anwesend wie die tiefblauen Cherubim, die tiefroten Seraphim auf dem Altarbild der Agnès Sorel, sie trugen sie, umrahmten sie, wir wissen, dass wir ohne sie nichts wären, aber das Licht fällt auf das weiße Gewand der Agnès in ihrer Mitte.

Ich nahm das Mikadospiel aus meinem Koffer, schüttelte die Stäbchen in meine Hand und setzte mich an den Tisch, der zu groß war für mich und den endlosen Abend, an dem der Wagen noch immer nicht vor dem Hotel vorgefahren war, um meinen Gesprächspartner aus Crans-Montana zu bringen. Ich öffnete meine Faust, die Stäbchen rasselten auf den Tisch, zwei rollten bis zu meiner Mappe mit Notizen, und wie viele Taktiken waren schon erfunden und ausprobiert worden, immer neue Kriegsstrategien und Waffentechniken, wir sprachen in immer mehr Sprachen unsere diplomatischen Verführungen aus, und doch war ich sicher, dass es keinem dieser Machthaber je gelungen war, den Mund zu halten, wenn er einen Moment lang meinte an Gott oder die Heilige Jungfrau gerührt zu haben, wenn er sich ihr hingab und sich endlich selbst vergaß, ich weiß nicht, ob es Frauen ebenso geht, hatte Boucheron noch gesagt, über seine Liste gebeugt, von etwas völlig anderem sprechend, aber vermutlich ging es uns allen so, Brunswick ebenso wie Boucheron und mir, wir alle kannten doch das naive Vertrauen, das wir einfach nicht loswurden, vielleicht befreite uns nur der Krieg davon, in dem die Menschen verschwanden, ein weltleeres Gesicht, ein Gefühl weit über sich hinaus trugen, auslebten, was sie, was wir nur tief in uns ahnen, da unten, oder wo sitzt es eigentlich, im Becken, im Herzen, im Kopf, jenseits von allem und so nah, dort, wo wir kalt werden, rasend, gierig nach Überschreitung und wissend – wie ein Kind wissend –, dass nur unsere Welt wahr ist, nicht jene der anderen.

Ich sammelte die ins Aus gefallenen Stäbchen ein, wog sie in der Hand, kaum Gewicht, und was wusste ich schon vom Krieg, ich hatte mal versucht, ihn zu verstehen, als ich in einem gepanzerten Fahrzeug vom Lager bis zur Grenze gefahren war, ich hatte versucht, etwas da drüben zu erkennen in den Hügeln, den trockenen Büschen, aber sie sahen denen so ähnlich, die auf meiner Seite der Grenze wuchsen, und nur die Büsche in den Gärten der Machthaber sehen ein wenig anders aus, weil sie von Rasensprengern grün gehalten werden, ein Gärtner läuft zwischen den Orangenbäumen und Rosenstöcken umher, es gebietet ein höfliches Schweigen, und es hielt noch immer kein Wagen vor dem Hotel, um mich durch die Straßen dieses Westschweizer Kleinorts zu fahren, in denen nichts war und nichts sein würde von Ewigkeit zu Ewigkeit, oder einen der Männer von Boucherons Liste hierherzubringen, der mich unten im Foyer erwarten würde zwischen den Porträts all der herrschaftlichen Damen, in ihren hochgeschnürten Kostümen, gepuderten Haaren, ihrem bis in die Fingerhaltung bewussten Einfluss, sie waren reich geboren, hatten reich geheiratet, würden reich, aber ebenso erbärmlich wie jeder andere sterben, und als ich das erste Stäbchen vorsichtig mit der Fingerspitze hinunterdrückte, vibrierte mein Handy auf dem Tisch, und die Stäbchen rutschten auseinander.

Bitte, was willst du?, fragte ich schroff. Womit ich ja nur meinte: Wieso rufst du an? Wieso hast du noch immer meine Nummer? Womit ich doch nur meinte: Wieso meinst du dich in meine Erinnerung zurückholen zu dürfen? Womit ich nur meinte: Wieso bist du nicht hier? Womit ich meinte: Weshalb glaubst du, Wichtigeres zu tun zu haben, als hier zu sein, sagen wir, mit mir zu sein, so wie Karl VII. mit Agnès Sorel? Womit ich meinte: Jetzt weiß ich wieder, wie deine Haare sich anfühlen am Morgen und wie dein Atem klingt, wenn er schneller wird nah an meinem Ohr, und es hat keinen Sinn, hier zu sein, wenn du nicht hier bist, ich hatte es nur einen Moment lang vergessen.

Also, was willst du?, wiederholte ich, als Milan nicht gleich antwortete, er hatte sicher gerade Kolja zu Bett gebracht, mit Teresa noch einen Wein getrunken, ich sah die Arbeitsfläche in der Küche vor mir, den rohen Holztisch vor der Fensterfront, das Parkett, und warum rief er mich jetzt an, nach Wochen, ich hatte doch nicht auf ihn gewartet.

Ich habe zu tun, sagte ich, und konnte Milan nicht spätestens jetzt, beiläufig, wie es nun eben seine Art war, erwähnen, dass er dringend hinausmüsse aus seinem Alltag, aus der Stadt mit dem See und der ewig tanzenden Fontäne, dem Ranzen neben der Tür, den Hausschuhen mit Hasenohren, der Tasche, die vor dem Sideboard lag, dass er es nicht mehr aushalte, diese Stille, die ja keine Stille war, sondern nur ein Verstummen, und wann geschah überhaupt etwas in dieser Stadt, außer dass ein Diplomat einen Sitzungssaal verließ, die *bise noire* den Hochnebel über die Stadt trieb, irgendein Funktionär in irgendeinem der Hotelzimmer Gänseleber aß und Geld verschwand, ein Zimmermädchen wurde bedrängt oder auch nicht, jemand starrte aus dem Fenster, auf die Fontäne, die in genau diesem Moment abgestellt wurde, weil doch Wind aufkam.

Aber davon sagte er nichts.

Weißt du, wo Kolja ist?, fragte er nur.

Bitte, Milan, woher soll ich das wissen?

Ich weiß nicht, wo er ist, er ist ...

Milan, was ist los?

Ich hab das unterschätzt, Mira. Wie Teresa schweigen kann, wie sie alles mit einem Blick einstürzen lässt,

und ich meinte, ein Pochen zu hören,

vielleicht habe ich es auch wissen können, sagte Milan, vielleicht lasse auch ich alles einstürzen, aber jetzt erreiche ich sie nicht.

Und es pochte wieder, aber es war nicht auf Milans Seite, sondern auf meiner.

Ich dachte, sagte er, vielleicht hätte sie sich bei dir ..., nein, Unsinn natürlich.

Kann ich irgendwas tun?, fragte ich.

Danke, du hast wirklich genug getan, Mira, mehr als genug. Halt dich einfach fern.

Ich habe nichts getan, sagte ich ruhig, und nun hörte ich das Klopfen an der Tür deutlich.

Natürlich, sagte Milan, hier haben alle nichts getan, und wenn, dann nur das Richtige.

Was wirfst du mir vor, sagte ich nun laut, und es mag sein, dass ich nicht nur laut war, sondern schrie: Ich habe nur einen Riss in euren verdammten feinen Stoff gebracht.

Dieser verdammte feine Stoff, Mira, war mein Leben. Tut mir leid, wenn du so was nicht hast.

Schwarzwald. Mai 1994

Das mit der Schrotflinte habe ich nicht verstanden, damals nicht, und auch heute kann ich es mir nicht recht erklären, die Schrotflinte, die im Schuppen hinter dem Ferienhaus aufbewahrt wurde, damit sich die Gäste gegen das, was aus dem Wald kam, wehren konnten, wie uns die Vermieter am Tag unserer Ankunft erklärten, ein verhutzeltes Ehepaar, das sich die ganze Zeit an der Hand hielt, und Darius nickte, wog das Gewehr mit einer leichten, schwingenden Bewegung in den Händen, aber erzählen Sie das mit der Flinte nicht weiter, es ist eigentlich nicht gestattet, dabei ist es ja nur Schrot, wissen Sie, und manche fühlen sich eben sicherer, Sie brauchen keine Angst haben, aus dem Wald kommt nichts, aber manche wollen sich eben sicher fühlen, sagte das Ehepaar wie aus einem Mund, und Darius nickte erneut, natürlich, das verstehe ich, wer will das nicht.

Der Wald begann direkt hinter dem Haus, einem zweistöckigen Ferienhaus mit tannengrünen Gardinen, die auch da noch hingen, wo es nicht einmal Fenster gab, sondern Vitrinen und Zimmerecken, und es war nicht bloß ein schmaler Baumstreifen, ein wenig Unterholz, nach ein paar Schritten am Zaun des Nachbargrundstücks endend, das hier war ein richtiger Wald, der tiefer und dunkler wurde, je weiter man hineinging. Darius stand auf der Terrasse und legte die Flinte an, aber aus dem Wald kam nichts, jedenfalls nichts, was sichtbar für mich gewesen wäre.

Ihr wisst schon, was Schrot mit einem Gesicht macht, sagte Milan, als die Vermieter sich bereits im Takt nickend verabschiedet hatten, wir noch auf der Terrasse standen, neben dem zerschundenen Gestänge zum Holzsägen, und Darius strich mit dem Finger über die Mündung der Flinte.

Man interessiert sich für so etwas nicht, wies er Milan zurecht. Als wäre es eine Mode.

Er hat sich in dem kleinen Kabuff über der Garage ...

Es reicht, sagte Darius.

Über der Garage, in dem kleinen Raum, da hat er sich die Schrotflinte in den Mund gesteckt. Er hat ja ...

Was für ein Blödsinn, sagte Darius und ging hinüber zum Schuppen.

Abends lag der tiefe süßliche Gestank der Kerzen über der Terrasse, die Mücken von uns fernhalten sollten. Die Rattanstühle waren tief, glatt, und wie leicht konnte man in ihnen einschlafen, aber wer schlief schon freiwillig ein, wenn man neun war und kein Erwachsener darauf achtgab. Lucia räumte das Geschirr zusammen, forderte Milan auf, ihr zu helfen, und Darius klopfte mit einer von Lucias Zigaretten auf die Tischplatte.

Erst macht man ihre Köpfe und Gedanken kaputt, dann drückt man ihnen ein Maschinengewehr in die Hand und lässt sie aufeinander losgehen, sagte er. Und wir denken, dass wir unbeteiligt wären, dass uns keine Schuld träfe. Aber vielleicht trifft sie uns gerade deshalb, weil wir unbeteiligt sind, arrogant, erhaben und scheinbar unangreifbar.

Und alles wegen Kurt Cobains Flinte?, fragte Milan und hob den Tellerstapel hoch, das Besteck klirrte gegeneinander.

Gar nichts wegen dieser Flinte. Da ist ein Mann lieber mit einem Feuerwerk abgetreten, als einzusehen, dass er genauso belanglos ist wie wir alle. Was hat er denn schon erreicht?

Etwas gegen die Verlogenheit gesetzt.

Dein jugendliches Revolutionsverständnis ist beneidenswert, aber leider Unsinn.

Und warum sagst du das? Weil du es nicht schaffst, die Mörder voneinander fernzuhalten. Du siehst es in ihren Augen, und dann schüttelst du nur Hände und gehst mit ihnen Mittagessen.

Es sind nicht die Augen, sagte Darius, oder die Seelen oder die Zugehörigkeiten, es ist der Krieg, der Mörder macht.

Und woher kommt der Krieg?, fragte ich.

Von einem Idioten, der nicht nachdenkt.

Wir sind alle Idioten, Papa.

Maß dir nicht zu viel an, Sohn.

Die Wärme einer Wolldecke, die Darius mir über die Schultern legte, als es draußen auf der Terrasse kühler geworden war, die Kerze flackerte noch und strömte ihren beißenden Geruch aus, dabei waren die Mücken im Schwarzwald nicht gefährlich, brachten keine Schlafkrankheit und keine Malaria, hinterließen nur rote, juckende Punkte auf meinen Beinen, die ich mir, wenn ich allein am Terrassenrand saß und in den Wald hineinstarrte, blutig kratzte. Lucia tadelte mich, wenn ich wieder ins Haus kam, und strich mir dann doch behutsam über die Knie, nachdem sie mir die Beine mit bunten Kinderpflastern verarztet hatte. Darius hob mich aus dem Gartenstuhl, in dem ich schläfrig noch ihren Stimmen lauschte, Milan, der irgendetwas von Kurt Cobain erzählte und von einer Schrotflinte, Darius, der ihn immer seltener unterbrach, und er hob mich hoch, trug mich in mein Zimmer und ließ eine kleine Lampe neben meinem Bett brennen, damit ich mich nicht vor dem Wald zu fürchten brauchte, dabei fürchtete ich mich nicht davor, das war ja nur er, und als er die Tür hinter sich zuzog, aber nicht ganz, einen Spalt offen ließ, damit ich spürte, dass sie noch da waren, war es in Wahrheit, damit er wusste, dass ich noch hier lag, um ihn zu beschützen.

Das mit der Schrotflinte habe ich nicht verstanden, weder, weshalb es sie gab, denn aus dem Wald kam ja nichts, noch, warum

Darius sie dann doch in den Schuppen zurückbrachte, einen Tag später wieder hervorholte, mit ihr spielte, wieder zurückstellte, verstanden habe ich das nicht, so wenig wie das mit dem Auto. Es war schräg den Hang hinabgerast, einen Hang bei Tübingen, aber es hatte sich nicht überschlagen. Warum wählt man einen Hang und keine Klippe? Nur, weil keine Klippe in der Nähe ist? Oder war es ein Versehen gewesen, war Darius nur zu spät aus der Stadt zurückgefahren, wo er sich mit einem Bekannten, einem Professor für Neuere Geschichte, getroffen und das eine und andere Glas Wein getrunken hatte?

Lucia muss ihn richtig zusammengeschrien haben, erzählte Milan mir am nächsten Tag auf der Terrasse, ja, geschrien, das kannst du dir nicht vorstellen, ihre Stimme hat sich noch rau angehört, als sie es mir am Telefon erzählt hat.

Es sei schon nach Mitternacht gewesen, als sie aus dem Krankenhaus angerufen habe, um Milan zu sagen, dass sie die Nacht über bei Darius bleibe, er auf mich aufpassen solle, ob er das hinbekomme, natürlich, habe er geantwortet, es gäbe ja eine Flinte im Schuppen, und sie habe an diesem Abend zum zweiten Mal jemanden angeschrien, er solle diese geschmacklosen Witze unterlassen, erzählte Milan, als wir zu zweit beim Frühstück auf der Terrasse saßen, ich so viel Kakao in meine Milch rührte, wie ich wollte, so viel, bis sie untrinkbar war, und das erste Mal habe sie geschrien, als sie Darius am Fuß des Hangs gesehen habe, neben dem zerbeulten Mercedes, ein paar Fichtenzweige habe der Wagen bei seiner Fahrt von den Bäumen gerissen, da habe sie ihn angeschrien, was ihm einfiele, ob er den Verstand verloren hätte. Darius habe nur auf einem Baumstumpf gesessen, habe sie angelächelt, seine Stirn blutend, und die Sanitäter hätten ihn gebeten, in den Krankenwagen zu steigen, aber er habe nicht gewollt, und wir ließen das Geschirr einfach auf dem Tisch stehen, setzten uns mit Milans Walkman auf die Terrassenstufen und teilten uns die Kopfhörer.

Lucia kam erst spät am Vormittag zurück, verschwand wortlos im Schlafzimmer, und als ich nach einem Streifzug durch den Wald wieder auf das Haus zustromerte, sah ich sie noch immer dort am Fenster stehen mit einer Zigarette, sie wedelte den Rauch mit der Hand weg, als sie mich bemerkte, wie eine Schülerin, die bei einer Heimlichkeit überrascht wird, und beim Abendessen, das Milan und ich zubereitet hatten, zerkochte Nudeln mit einer faden Tomatensoße, nickte sie nur stumm vor sich hin und wiederholte, ich weiß es doch auch nicht, Milan, es ist halt alles kompliziert, es ist schwierig,

und ich dachte an die Stimme ihres Gärtners,

der wird auch noch verloren gehen, ist er ja schon,

an die mitten im Satz verstummende Haushälterin,

immer steigen, immer steigen, und wenn es dann nicht mehr geht, dann ... was soll er denn sonst ...

an den mürrisch nickenden Hausmeister,

nene, man muss auch nicht alles gesehen haben, dafür ist keiner gemacht, nene, auch der nicht.

Ich war einfach nur die Straße hinuntergegangen, es war leichter gewesen, als ich es mir vor dem Einschlafen vorgestellt hatte, nicht jeden Abend, aber oft, noch in der Villa, einfach nur die Straße hinunter, niemand würde bemerken, wie ich das Haus verließ durch das Küchenfenster, hinabsprang auf den Gehweg, und dann war ich doch jedes Mal liegen geblieben, dabei ging es so einfach, tatsächlich bemerkte mich niemand, als ich mich am Gebüsch entlangschlich, dem Bewegungsmelder ausweichend, durchs Gartentor, an dem Nachbarhaus vorbei, in dem eine Opernsängerin mittags probte, an dem Haus daneben wurde noch immer gebaut, aber jetzt lag es still, keine Handwerker klopften auf dem Dach, niemand mischte Zement, ich ging vorbei an den anderen Häusern, die zwischen die Wand aus Bäumen und die Straße gerückt waren, mit einem Ziel, das war es, was anders war als in den vielen Nächten zuvor, in denen ich nur darüber nachgedacht hatte, wegzulaufen, ich konnte Darius nicht allein lassen mit seiner Angst vor dem Wald, und so ging ich einfach die Straße hinunter, die hier abschüssig war, mit dem Fahrrad musste man ein wenig abbremsen, zu Fuß konnte man sich einfach treiben lassen, meine Schritte beschleunigten sich, und dann lief ich, lief, niemand sah mich, die Häuser lagen zu weit zurückgesetzt, die Lichter in den Fenstern waren schon gelöscht, und vielleicht weil es so einfach war, weil ich dachte, ich könne es ja jederzeit wiederholen, es müsse nicht heute sein, ich könne bis morgen oder nächste Woche warten, wenn es noch wärmer war draußen auch nachts, vielleicht blieb ich deshalb am Ende der Straße stehen, drehte mich um, unser Ferienhaus war nicht mehr zu erkennen, und ich blickte zum Himmel hinauf, suchte nach den Sternbildern, die ich gelernt hatte, so machte man es doch, um sich zu orientieren, wenn man ins Unbekannte auszog, aber ich konnte kein einziges erkennen, und ich wusste nicht, wo das Krankenhaus lag, in das sie Darius gebracht hatten.

Irgendwann, nach einer halben Stunde vielleicht, oder es waren nur zehn Minuten, ging ich die Straße wieder hinauf, langsam, unglaublich müde mit einem Mal, und als ich auf das Ferienhaus zuging, ließ der Bewegungsmelder das Terrassenlicht anspringen, das Küchenfenster war geschlossen, aber die Haustür war nur angelehnt, ich schlich mich durch den Flur, die Tür zum elterlichen Schlafzimmer stand offen, ich sah auf dem Nachttisch ein geschliffenes Glas, in dem zwei Eiswürfel noch nicht geschmolzen waren, sah die zerwühlte Decke auf Lucias Seite, und noch deutlicher erinnere ich die Decke auf der Seite von

Darius, ebenfalls ein Stück zurückgeschlagen, obwohl er nicht da war.

Ich stand verlegen in der Tür, sie regte sich zuerst nicht, stand nur da in ihrem cremefarbenen Nachthemd, schüttelte den Kopf. und dann kam sie auf mich zu, kniete sich vor mich, und ich habe lange nicht darüber nachgedacht, über die zurückgeschlagenen Decken, aber heute bin ich mir fast sicher, dass sie an dem Abend auf mich gewartet haben, beide.

New York, Februar 2003, und Genf, April 2013

Es ist nicht das Bild eines Kindes in Pumphosen, das verschreckt oder traurig, nachdenklich oder melancholisch, vielleicht einfach skeptisch den Betrachter ansieht, es ist nicht dieses Bild, das Picasso weltberühmt machte. Das Bild, das die meisten mit seinem Namen verbinden, ist blasser, Grau- und Schwarztöne wechseln sich ab, reißen die Wesen aus dem Schatten, aber nur, um sie direkt vor unseren Augen zu versengen.

Die deutsche Legion Condor hatte als Unterstützung General Francos während des Spanischen Bürgerkriegs die Stadt Guernica zerstört, sieben apokalyptische Flammen, die aus den Gebäuden, aus den Menschen, aus dem Inneren des spanischen Nordens züngelten, aber es waren keine apokalyptischen Reiter, nur eine Stute, die starb, ohne Sinn, die Wundmale hielten sich noch in ihr, aufgesprengten Schamlippen ähnlich, nur eine Stute, die das Zentrum des Bildes sein sollte, aber für mich stach nicht sie heraus, sondern die weiße Wand, dieses Stück Licht oder Kälte oder Nichts, und die beiden Frauen, die Fackel, die die obere der beiden hält.

Die Figuren haben nicht nur die Farben, auch alles Naturalistische hinter sich gelassen, und doch meine ich, noch jenes vielleicht verschreckte, aber doch unversehrte Pumphosenkind in ihnen zu sehen, in den gespenstisch gen Himmel schreienden Gesichtern, und vielleicht erkannte ich umgekehrt auch in jenem kindlichen Harlekin bereits die Hand, die *Guernica* Jahrzehnte später malen würde, erkannte eine Ahnung von Angst und Zerstörung in seinem Blick, als wären sie Geschwister, der Junge und die Figuren von *Guernica*, die Stute mit ihrem Wundmal, eigentlich gab es seit dem grell an der Decke aufkratzenden Licht nichts mehr dahinter, das war alles, was von der Welt, der sie angehörten, übrig geblieben war, kein Draußen mehr, nur noch das Achselhaar der rechten Frau, die Falten ihrer Ellbogen, die Mutter beschreit ihr Kind im Arm, aber es wird nicht auferstehen nach drei Tagen, es wird nicht zurückkommen, um etwas zu segnen, es ist einfach nur tot, so wie die Taube versengt ist, und das Kind ist auch nicht dreiunddreißig, sondern erst drei oder vier Jahre alt, so alt, wie der Harlekin gewesen sein mag, der noch auf einem Stuhl sitzt, wie es sie im Beau-Rivage gibt, einem Louis-XVI-Sessel ähnlich, und obwohl die Beine nur angedeutet sind mit Bleistiftstrichen – ich glaube, im Beau-Rivage ist es genauso, es merkt nur keiner der Gäste –, obwohl sie nur Skizze sind, tragen sie noch, aber im nächsten Moment kann alles zerbrechen.

Wir wussten alle, dass es nicht gutgehen wird, sagte Daven, schon im Februar, als sie eine Flagge vor das Bild gehängt haben. Du überhängst so ein Bild nicht, du überhängst es schon gar nicht, wenn du eine Invasion durchbringen willst. Drinnen im Saal des Sicherheitsrats hat Colin Powell von den Menschenrechtsverletzungen im Irak gesprochen, von den Menschen, die verschwunden sind, vom Giftgas gegen die Kurden, aber nur, weil jemand sich schuldig macht, ist die Gegenseite nicht automatisch unschuldig. Es war noch das unter Schock stehende New York anderthalb Jahre nach dem 11. September, damals hat man dieses Bild nicht ausgehalten. Weil alle wussten, sie würden Guernica in Kauf nehmen, ein irakisches Guernica. Sie wollten das Bild verstecken und haben ihm dadurch versehentlich etwas zurückgegeben, das wir längst übersehen haben, wir alle sind seit Jahren nur noch daran vorbeigegangen, und heute heißt es, der Angriffskrieg auf den Irak sei auf falsche Annahmen gestützt worden, aber wir wussten es auch damals schon. Die vier Angestellten, Mira, die haben es ja verraten, als sie mit der Flagge vor dem Saal des Sicherheitsrates herumhantierten.

Daven klappte die Schranktüren wieder zu, betrachtete sich kurz in dem Spiegel, der in die rechte Tür eingelassen war. Zwei Mal ist der Stoff wieder runtergefallen, und als die Flagge beim dritten Versuch endlich hielt, hat sich einer der Handwerker sein Basecap vom Kopf geschoben, *God bless this shit* gerufen, und wir sahen das Bild wieder vor uns, genau in dem Moment, in dem es vollständig verhängt war: die grelle Deckenleuchte, das Pferd, seine aufgerissene Flanke, wir haben auch wieder den Krieger mit dem zerbrochenen Schwert gesehen, sogar die ins Dunkel gefallene Taube. Am liebsten mochte ich den Ölzweig, sagte Daven.

Da war ein Ölzweig?, fragte ich.

Es mag an Davens zu weiten Jacketts oder an seinen Krawatten in der bunten Pastellmode der frühen Neunziger gelegen haben, an der unsicheren Arroganz, mit der er breitbeinig am Markt von Bujumbura vorbeiging, weshalb ich ihn nicht ernst genommen habe damals, in New York und auch in Burundi nicht, daran, dass ich immer noch den Geruch des verschütteten Biers unserer ersten Begegnung in der Nase hatte und dass er nie begriffen hat, auch am Tanganjikasee nicht, wie man einen Stein über das Wasser springen lässt, und je länger ich neben Daven arbeitete, desto weniger wusste ich, was ich von alldem halten sollte, von den Vereinten Nationen, die ein Traum gewesen waren, nur hatte ich jetzt keine Zeit mehr zum Träumen, ich lag immer öfter schlaflos in der Nacht, und ich wusste nicht, ob ich noch daran glaubte, an diese schwerfällige Weltgemeinschaft mit all ihren Missverständnissen, aber an was sonst.

Es ist ja nur ein Versuch, Mira, aber ich glaube immer noch, dass die Vereinten Nationen das Beste sind, was wir haben, hatte

Daven einmal zu mir gesagt, und seine Augen hatten geleuchtet, oder bilde ich es mir nur im Nachhinein ein, aber es passte so wenig zu ihm, dass ich es mir nicht ausgedacht haben kann, jetzt nickte er nur vor sich hin, unruhig mit seinen Fingern flatternd, der Schreibtisch war bedeckt mit Papieren, Getränkedosen, einem leeren Teller, den der Zimmerservice noch nicht abgeräumt hatte, er schnipste mit seinen Fingern, ja ein Ölzweig. Und ich weiß, dass Sie meine Krawatten manchmal unangemessen finden, aber Mira, an anderen Tagen ist es einfach respektlos, wenn wir zu leger erscheinen.

Es ist nicht die Krawatte, sagte ich leise. Es sind die Farben.

Daven sah an sich herunter, als habe er seine Umwelt und sich selbst seit Ewigkeiten nicht mehr abgeglichen, vielleicht noch nie, und ihm war entgangen, dass seit zwei Jahrzehnten niemand mehr Pastell trug.

Aber Mira, es gibt doch auch noch etwas anderes als Krawatten. Er klopfte mit den Fingerknöcheln gegen das Fenster. Haben wir noch Zeit?

Eine Stunde.

Wir müssen noch mal von vorne anfangen, es tut mir leid, heute Nacht habe ich die Rede gelesen, wir müssen deutlicher werden. Nkurunziza schummelt sich am internationalen Recht vorbei, und wir warten ab, seelenruhig, bis er sich eine Diktatur gebaut hat aus dem, was vom Land übrig ist, aber er hat ja nicht das Format von Kagame. Er ist ein kleiner Junge auf dem Bolzplatz.

Ich blickte durchs Fenster auf die zylindrisch gestutzten Büsche, den Sprungturm mit der Aufschrift *Poésie*, schon die kahlen langen Gänge des Zürcher Flughafens hatten mich verwirrt, an dem wir vor nicht einmal vierundzwanzig Stunden gelandet waren, die aus den Lautsprechern schallenden Kuhglocken in der lautlos gleitenden Schwebebahn, und es war so kühl, ein Morgen im April, nicht einmal eisig, sondern eben nur kühl, kühl und verschlossen, eine bleibende trübe Dunkelheit, ein Nachostern, das nichts von Auferstehung hat, nur Regen. Daven wandte sich vom Schrank ab, hielt mir zwei Krawatten hin.

Die blaue, sagte ich.

Sind Sie sicher?

Manchmal schon.

Wie viel Zeit haben wir noch?

Eine knappe Stunde.

Und während er seine Runden im Zimmer ging, sich aufs Bett fallen ließ, haben Sie das, Mira?, tippte ich am Schreibtisch zwischen den beiseitegeschobenen Tellern und Getränkedosen, ich las es ihm vor, nein, nein, wir müssen es anders sagen!, rief er. Haben wir noch Zeit?

Eine halbe Stunde.

Kufsteiner wird nichts sagen, Mazzani wird nichts sagen, sie werden von Investitionsmöglichkeiten sprechen. Es ist so bequem zu denken, mit der Entwicklung kämen Demokratie und Freiheit gratis dazu, aber gut, vielleicht erwähnen sie die Menschenrechte, die von 93. Wenn man nicht mehr dafür zahlen muss, kann man immer mahnen, alles andere muss mit dem Haushaltsausschuss geklärt werden.

Das soll ich schreiben?

Schreiben Sie, dass deshalb alle von der Vergangenheit reden, nicht weil sie mutig wären, sondern weil sie feige sind. Weil sie sich nicht mit dem Nkurunziza anlegen wollen. Niemand will sich streiten. Niemand will dem Präsidenten reinreden, aber es ist vielleicht die letzte Gelegenheit, die wir haben. Schreiben Sie … Daven setzte sich auf die Bettkante, starrte auf den Teppich vor sich. Sind Sie je im Zollfreiamt gewesen?, fragte er.

Ich schüttelte den Kopf.

Ich habe mal einen Mann dorthin begleitet, erzählte Daven. Er ist jedes Jahr mit seinem Sohn angereist, immer im November und nur, um ins Genfer Zollfreiamt zu gehen, in dem er Dutzende von Uhren aufbewahrt. Er lässt sie sich alle präsentieren, sitzt vor den Uhrwerken, Sekundenzeigern, der irrsinnigen Übertaktung, die all diese Chronografen um ihn her fabrizieren, er schwenkt seine Hand hin und her, als wäre sie nur ein leerer Handschuh, und kommt allein wegen dieser einen märchenhaften Geste: Eines Tages, mein Sohn, wird all das dir gehören. Aber wissen Sie, das Gesicht des Jungen war gar nicht beglückt. Es war entsetzt. Wie viel Zeit haben wir noch?

Eine halbe Stunde knapp.

Schreiben Sie ... Dass wir dieses Land wegsperren wie einen Gegenstand im Zollfreiamt. Nein, schreiben Sie ... Dass es sein kann, dass man vor Ort ist und trotzdem alles aus der Ferne geschehen lässt. Nein, Unsinn, schreiben Sie, dass wir sehr wohl wissen, wie der Präsident an seiner Macht schraubt, schreiben Sie, dass man die Dinge oft gerade dann deutlich sieht, wenn jemand versucht, sie zu verbergen.

Und Daven ging wieder seine Runden im Zimmer, ließ sich aufs Bett fallen, diktierte, verwarf, haben wir noch Zeit?

Fünfzehn Minuten.

Schreiben Sie ...

Verwarf, diktierte, ließ sich aufs Bett fallen, ging seine Runden im Zimmer.

Sie müssen das anders ... Wie viel Zeit haben wir noch?

In sechs Minuten ist der Fahrer da.

Also eine Viertelstunde noch.

Es war einer der kleinsten Räume, in dem die Vertreter der Zivilgesellschaft mit jenen der burundischen Regierung und der Geberländer zusammengepfercht saßen, so jedenfalls kam es mir vor, sehr eng, sehr klein. Vielleicht war es größer. Mir war es eng. Sarah fächerte sich mit einem Prospekt der GIZ Luft zu, ich sah ihr weiches Profil, die herausfordernd geschwungenen Lippen, ihre flaschengrünen Augen, in ihrem Kostüm sah sie strenger aus, als sie es war. Die Heizung glühte, man dachte wohl nicht daran, dass zu viele Menschen in einem Raum genügend Wärme erzeugen würden, man dachte ohnehin seltsam in Genf, und Davens Miene verdüsterte sich leicht, als Kufsteiner als Erster aufgerufen wurde, nach Kufsteiner sprach Pietro, danach Irène Hakizimana, und Davens Miene war nicht mehr düster, sie war abwesend, nur eine Ader pochte noch auf seiner Stirn.

Als Daven an der Reihe war, hatten bereits die Ersten den Raum verlassen, es war fast Mittag, niemand wollte mehr etwas über Demokratisierung, Trinkwasser oder die Allgemeingültigkeit der Menschenrechte hören, sondern über Maccaroni und gebratene Forelle, aber sie würden noch zuhören, sie würden wieder zuhören, ich wusste ja, welche Rede wir geschrieben hatten, Daven immer wieder vom Bett aufspringend, wie viel Zeit noch, Mira?, und es waren noch zwanzig, noch zwölf, noch acht Minuten gewesen, es muss sitzen, Mira, das wissen Sie, und ich wusste es ja und blieb am Schreibtisch, denn jemand musste diese Rede schreiben, während Daven aus dem Fenster starrte, und wieder wurde ein anderer Redner aufgerufen.

Um halb eins endlich stand Daven auf, langsam, trat ans Pult, seine Lippen bewegten sich, aber ich war mir nicht sicher, ob er sprach – Mira, wie viel Zeit haben wir noch? Es sind noch fünf Minuten! –, ob er las, was ich um und um geschrieben hatte – wie spät ist es? Ein paar Minuten über der Zeit, Daven! –, denn das, was ich hörte, stimmte ja nicht, es stimmte nicht mit dem überein, was ich ihm aufgeschrieben hatte, ich hatte doch keines dieser Worte getippt, Wachstum, Kooperation, DHL, er sprach davon, dass es mehr sichere Räume geben müsse, um Burundi zu einem zukunftsträchtigen Investitionsort zu machen, DHL!, so wie mit diesem ersten Spross internationalen Unternehmergeists werde weiterer Wohlstand ins Land kommen, die Zukunft stünde offen, sagte Daven, Sarah saß wie versteinert auf ihrem Stuhl am Fenster, ich stand in der zweiten Reihe, nahe der Tür, und blickte zu Boden, eine offene Zukunft, erfreulich und spannend wie ein Fußballmatch, man müsse nur die Sicherheiten für die ausländischen Unternehmer gewährleisten, und Daven schwenkte seine Hand hin und her, als wäre sie ein leerer Handschuh, es war diese märchenhafte Geste: Eines Tages, mein Sohn, wird all das dir gehören, und je länger ich zuhörte, desto weniger wusste ich noch, was ich tatsächlich geschrieben hatte, als Daven im Raum auf und ab gegangen war, wir haben keine Zeit mehr, der Fahrer ist schon da.

Lassen wir ihn warten!

Natürlich habe ich auch schon am Schreibtisch in Davens Hotelzimmer gewusst, dass wir alle mehr Angst vor dem Unbequemen haben als vor der Katastrophe, weil das Unbequeme uns betrifft, während die Katastrophen am Himmel glühen, aus der Ferne reizvoll, aus der Nähe unerträglich, wir hängen ein paar Flaggen darüber oder verlieren uns in unseren kleinen Sorgen, in unseren Gedanken über Renommee und Wertanlagen, damit wir das dort drüben nicht zu deutlich sehen, hinter der Grenze, hinter der Grundstücksmauer, die Medikamente lagen noch im Kofferraum, wir hätten sie längst herausholen müssen, aber wir wollten jetzt nicht daran denken, dass es auch diese andere Welt gab, und je mehr wir erlebt haben oder erlebt zu haben meinen, desto eitler werden wir oder waren es schon vorher, wagten nur immer rücksichtsloser, danach zu handeln.

Bei Daven hatte ich nicht damit gerechnet, nicht geahnt, dass jemand, der so unscheinbar war, auch von Eitelkeit getrieben sein konnte, zumindest für die Länge eines Vormittags in einem überhitzten Raum, vielleicht nur für ein paar Minuten vor der Mittagspause, und es wird kaum jemand nachweisen können, wie viele Menschen an der Eitelkeit einiger weniger zugrunde gegangen sind, in Minuten, in denen private Ränkespiele und Gekränktheiten die Oberhand gewinnen über die Vernunft oder das Mitleid oder den Artikel 1 der UN-Charta.

Ich mache nicht die Arbeit von denen, die sie machen müssten, sagte er nur im Vorbeigehen zu mir, die wollen nichts hören, und er war bereits im Flur, um mich wurden Stühle gerückt. Es war stickig, unerträglich stickig in diesem Raum, der für zehn, fünfzehn Leute ausgerichtet war und an diesem Tag die gesamte Zukunft eines ostafrikanischen Landes beherbergte. Und die Spieler, sagte Antoine leise zu mir, lässt Nkurunziza einfach verhaften, die paar armen Jungs aus dem Kongo, die keine Ahnung haben, gegen wen sie spielen, die denken, Hauptsache ein Tor, das hier ist Fußball, wenn wir ein Tor schießen, zeigen wir, dass wir etwas können. Niemand sagt ihnen, dass man gegen den Präsidenten kein Tor schießt. Und der Halleluya-Chor singt dazu. Der wird noch singen, wenn das ganze Land verhaftet ist. Der wird noch im Himmel singen. In diesem sauberen kleinen Gefängnis am Ende von allem. Es gibt dort einen Tenniscourt, wie in den Compounds. Und Zäune und Maschendraht, damit die Teufel und Sünder nicht reinkommen. Aber raus kommst du auch nicht mehr. Raus auch nicht.

Glion. Juli 2017

Die Schutzzone von Zypern zieht sich über 180 Kilometer vom Osten der Insel bis an die Westküste, im Zentrum Nikosias misst sie nur ein paar Meter, vor der Stadt verbreitert sie sich, umfasst den alten Flughafen, verdreckte Counter, herausgerissene Sessel, so ausladend, wie man sie in modernen Terminals nicht mehr kennt, irgendwo liegt eine leere Getränkedose, die der Putzdienst nicht mehr forträumte, ehe das Gelände geschlossen wurde, und in Athienou ist die Zone sieben Kilometer breit, die Blauhelme patrouillieren, ab und an gibt es Zusammenstöße mit dem türkischen Militär, und neben einer Wasserpumpe wächst Bambus.

Wir sind offen in die Gespräche gegangen, Frau Weidner, aber ohne einen Abzug der türkischen Truppen wird es keine föderale Lösung geben, sagte die Frau und schlang ihre Hände um ihr Knie. Sie trug einen olivgrünen Overall, eher schlicht als elegant, und ihre Begrüßung war kühl gewesen, weder Einladung noch Ermunterung oder Zurückweisung, wie es sich zu Beginn unserer diplomatischen Balztänze für gewöhnlich in dezenter Manier gehört. Von ihr nur eine Feststellung: Sie wollen mich sprechen, und sie hatte mein Zimmer betreten, ehe ich sie darum bat.

Auf Boucherons Zettel war sie nicht vorgekommen, auf seinem Zettel war keine einzige Frau vorgekommen, und nun saß sie vor mir, interessierte sich nicht für Boucherons Skizzen, sondern breitete ihre Aktenmappen auf dem Tisch aus, drei Stück, ziegelrot, und erklärte mir, was wir beide gut genug wussten: dass sie für eine unabhängige Republik sprach, für ein demokratisches Land, Mitglied der Europäischen Union. Sie drehte den silbernen Ring an ihrem Mittelfinger und versicherte mir, dass Zypern keine Schutzmacht brauche, keinen fremden Staat auf der Insel, der dort nicht hingehöre, nichts zu suchen habe im Norden ihrer Republik, hinter der neutralen Zone.

Am Ende der Ledrastraße, sagte meine Gesprächspartnerin, hängt ein Stück Stoff. Eine türkische Flagge. Das nennt man Besatzung, Frau Weidner. Durch einen NATO-Verbündeten. Es ist ein Skandal. Sie sprechen von Vereinigung, aber solange die türkischen Truppen im Norden stationiert sind, ist es eine Teilung.

Ich nickte und sah auf mein Telefon, kein neuer Anruf, keine Nachricht. Stoff, es war immer nur Stoff, irgendein verdammter feiner Stoff. Vor dem Fenster hatte sich das Meer violett verfärbt, die Schatten wuchsen an den Rändern, die Grenze zu Frankreich lief direkt durchs Wasser, sechshundert Meter vom Festland entfernt, manchmal waren die Grenzziehungen klar, eigentlich waren sie es meist, wir übersahen es nur, wenn uns die Ursache nicht gefiel oder die Auswirkung oder die Tatsache an sich, und jetzt lag wieder nur ein See da, grau, und ich fragte mich, ob der erste Mensch, der ein Meer überquert hatte, wusste, dass er von nun an die Welt beherrschen konnte, oder wusste er, dass er sie bereits beherrschte, dass er Grenzen nicht beachten musste, sondern erschaffen konnte, dass er kein Gebirge, keine Wüste, kein Meer brauchte für eine neue, nur einen Stein, einen Schlagbaum, ein Lineal, einen Grenzbeamten, weil wir das natürliche System nicht nachbilden, wir perfektionieren es bloß. Wir nehmen den Übergang. Das ist alles.

Die Mauer in Nikosia können sie natürlich nicht mit Berlin vergleichen, sagte die Frau, bei uns ist es nur eine Barriere aus Metalltonnen, Sandsäcken und Stacheldraht, aber wenn Sie einmal eine der Vertriebenen aus Farmagusta in ihre alte Heimat begleitet haben, eine Frau, die dort gespielt hat als Kind und 74 fliehen musste, jetzt sieht sie diese Stadt, leer, tot, unzugänglich, wenn Sie als Zypriotin im eigenen Land Ihren Reisepass vorzeigen müssen,

als griechische Zypriotin, wandte ich ein,

wenn Sie als Zypriotin Ihren Pass vorzeigen müssen, um in den nördlichen Teil Ihrer Hauptstadt zu kommen, dann verstehen Sie, wie es sich anfühlt, in einem geteilten Land zu leben. Sie sehen sie ja, die andere Seite, Sie sehen die Häuser, die Straßen, die Menschen, die Straßenschilder und Blumentöpfe direkt vor sich, aber es wird den Menschen schwergemacht. Kennen Sie die Schönheit von Stacheldraht?, fragte meine Gesprächspartnerin und fixierte mich mit dem Blick. Richtig. Es gibt sie auch nicht.

Sagen Sie mir nicht, ich würde keine Grenzen kennen, entgegnete ich, sie zog ihre Lippen zu einem schmalen Lächeln, und ich wich ihrem Blick aus.

Verstehen Sie mich nicht falsch, sagte sie und rückte den Obstteller beiseite, aber Versöhnung ist etwas äußerst Schwieriges. Vor allem, wenn sich ein fremder Staat einmischt. Wenn Sie etwas verloren haben, wenn Ihnen etwas genommen wurde, dann verhärtet sich nicht nur Ihr Gefühl, sondern auch Ihr Blick. Ich kenne Menschen, die einen Angehörigen auf der Liste des Komitees für Vermisste haben, ich kenne andere, die vertrieben worden sind. Kriege haben Daten, aber sie hören ja nicht mit diesen Daten auf.

Wir vertreten nach wie vor die Ansicht, dass Versöhnung …

Sie können das nicht institutionalisieren, unterbrach sie mich und schob ihre Mappen auseinander, ohne sie zu öffnen. Versöhnung gibt es nicht so oft, wie Sie sich das vorstellen. Man muss sich an zu viel erinnern, wer will das schon. Bleiben Sie realistisch, wir haben andere Dinge zu tun, wir wollen mit unserem Leben vorankommen. Wollen Sie das nicht?

Ich weiß nicht, sagte ich, blickte wieder zum Telefon, wie hatte Kolja mich angesehen vor ein paar Wochen im Café, ich musste doch wissen, wo er war, es musste alles noch da sein in meinem Kopf, und warum sollte ausgerechnet ich wissen, wie man aus alldem herauskam, wie der Blick wieder weich wurde und dann vielleicht auch das Gefühl, warum sollte ich erklären können, wieso sich Zuneigung wandelte, nicht einfach abschwächte, sondern zu etwas wurde, das sein Gegenteil war, und Zypern hatte das britische Mandat überstanden, die Unabhängigkeit vor fast sechzig Jahren, die Schutztruppe der Vereinten Nationen war vier Jahre später auf die Insel gekommen und die türkischen Truppen nach dem Putsch im Jahr 1974 einmarschiert, als der Präsident, Erzbischof Makarios, bereits durch eine Hintertür aus seiner brennenden Residenz und nach einer letzten Radioansprache, die den Putschisten wie eine Drohung aus dem Jenseits erschienen sein musste, in einem UN-Hubschrauber von der Insel geflohen war, es gab den Zerfall einer Insel vor einem halben Jahrhundert, und es gab den Zerfall davor und den danach, es gab die Verschwundenen und das Komitee für die Vermissten, es gab Verstöße des türkischen Militärs, und die UN riefen die Türkei auf, den Status quo wiederherzustellen, sie riefen beide Seiten dazu auf, die Minensucher nicht zu behindern, die UN riefen auf und baten und befürworteten und betonten und unterstützten und drängten und entschieden, mit der Angelegenheit befasst zu bleiben. Das tun sie eigentlich immer.

Es war ein Putsch, sagte ich.

Bitte was?, fragte meine Gesprächspartnerin.

1974. Ein Putsch, unterstützt von der Militärdiktatur auf dem griechischen Festland. Nikos Sampson ist rücksichtslos gegen alle vorgegangen, die ihm und seinen Unterstützern nicht gefielen. Er hat sich damit gebrüstet, Frauen und Kinder getötet zu haben. Er hätte töten lassen, bis die Insel ethnisch rein gewesen wäre. Auch eine Lösung des Zypernproblems, falls die Ihnen besser gefällt. Sie können nicht nur die eine Seite erzählen.

Die Türkei wollte ihre Truppen auf der Insel stationieren, sie wollte einen Militärstützpunkt im Mittelmeer.

Es gab das Interventionsrecht. Artikel IV des Garantievertrags.

Eine bewaffnete Intervention war damit nie gemeint, und Nikos Sampson ist im Übrigen nicht mehr Präsident von Zypern. Er ist es seit über vierzig Jahren nicht mehr.

Ihr Daumennagel klickerte gegen den Silberring, in ihren Augen schimmerte etwas Rötliches, wie bei jemandem, der zu wenig geschlafen oder zu viel geweint hat, aber ich konnte ihr nicht helfen, ich konnte nichts anderes tun, als Telefonnummern zu wählen und Telefonnummern zu unterdrücken, ich konnte verhandeln, ich konnte Menschen reden lassen, die mir ihre Haltungen, ihre Forderungen und manchmal ihre Unwahrheiten ins Gesicht sagten, aus Zurückhaltung, aus Schamlosigkeit oder aus Angst, aber ich konnte die Welt da draußen nicht schützen, weder Kolja noch irgendjemanden sonst, und was ging mich Zypern an.

Der See vor dem Fenster hatte sich in der Dunkelheit verloren, nur die Lichter des Nachbarorts versetzten die Gegend in einen vorsichtigen Übermut, den ich ihr so gerne zugetraut hätte, aber am Ende war auch das nur die Schweiz. Es war 1970, es war 1940, es war 1860, hier war alles noch nicht passiert, Zypern war nicht mehr als eine Insel, und Inseln verschwanden, sie versanken einfach, über kurz oder lang, und eine Insel war nur eine Insel und ein Zerfall nur ein Zerfall, und Frieden ist nur das Wort für den Moment, in dem nichts mehr zu verhandeln ist, wer wollte den schon, die einen verdienten an dem Zustand, und die anderen hatten sich mit der Zeit an ihn gewöhnt, der Einfluss der einen wurde durch ihn gehalten, und den anderen brächte es keinen Vorteil, änderte er sich, man könnte auf nichts mehr pochen, weder darauf, dass einem mehr zusteht, noch darauf, dass man braucht, was einem nicht zusteht, und es folgte nur der Morgen, an dem man aufwacht und merkt, dass man verloren hat, um was man jahrzehntelang rang.

Meine Gesprächspartnerin stand auf, ging ein paar Schritte durch das Zimmer, trat auf den Balkon hinaus. Sie schob den Aschenbecher auf dem Tischchen zur Seite, denn auch Aschenbecher gab es hier noch wie vor zehn, zwanzig Jahren, weder die großen Veränderungen noch die kleinen hatten es bis hierher geschafft.

Warum meinen Sie, dass Sie mehr Anrecht haben, auf der Insel zu sein?, fragte ich. Die einen kommen früher und die anderen später, das ist doch nur Zufall, nicht mehr. Oder Pech.

Wir berufen uns nicht auf die Geschichte, sondern aufs Völkerrecht. Die Geschichte kann man so oder so erzählen, das weiß ich, das wissen Sie. Sie schloss die Balkontür, lehnte sich ans Fenster, einen Moment versunken, mir schien, es läge ein Lächeln um ihren Mund, aber es mochte nur Erschöpfung sein, dann ließ sie sich langsam an die Scheibe gelehnt hinabgleiten. Sie hockte da, ihr Gesicht in die Hände gestützt, und es gab den Wunsch, etwas zu besitzen, es gab den Wunsch, nicht vertrieben zu werden, manche meinten, diese beiden Wünsche stünden im Widerspruch, und andere sagten, sie bedingten einander, manche sagten, wer am längsten ansässig war, habe das Vorrecht, und es mochte sein, dass es stimmte, in mancher Hinsicht, aber in anderer vielleicht nicht. Manche sagten, es sei ein natürlicher Wunsch, der natürlichste überhaupt.

Ich weiß nicht, wovon Sie reden, flüsterte ich. Ich ging ebenfalls in die Knie, wir saßen uns dicht gegenüber, hockend am Boden, so nah, dass ich mit der Hand über ihre Wange hätte fahren können. Sie strich sich das Haar hinters Ohr, und erst jetzt fiel mir auf, wie viel älter sie war als ich, zwanzig Jahre oder mehr, ich bemerkte es erst jetzt, weil sie es mich erst jetzt spüren ließ. Kurz schloss sie die Augen, drückte sich dann wieder hoch in den Stand.

Der Türkei geht es um Erdgas und um einen Truppenstützpunkt, und Sie sitzen hier seelenruhig und erzählen mir etwas von einer rechtmäßigen Invasion. Wir sind eine unabhängige Republik. Und Sie, Frau Weidner, sind offensichtlich nicht neutral.

Sie sammelte ihre Mappen ein, würdigte mich keines Blickes mehr, und ich wandte mich ebenfalls ab, starrte durch die Balkontür, auf die Lichter aus dem Nachbarort, der Mont Blanc lag als Schatten in der Dunkelheit. Hier war alles noch nicht passiert, nur irgendein Krieg zeichnete sich ab am Rand, hinter den Bergen, er würde nicht eintreten, nicht hier, und fünfzig Kilometer Richtung Südost saßen die Vertreter aller Parteien in Crans-Montana und redeten, redeten weiter, wir reden immer weiter, vielleicht nur, um ebendas nicht zu erzählen, worum es geht, um von dem abzulenken, was uns verletzlich macht, weil es um nichts gehen darf, wenn es um alles geht, und Sie, Mira, verstehen etwas davon, Sie verstehen, wie sich Menschen verraten, hatte Boucheron mir gesagt, deshalb, nur deshalb hatte er mich hierhergeschickt, weil Menschen mir erzählten, was sie für gewöhnlich geheim hielten, weil ich sie erzählen ließ und sie sich nicht länger an ihre Taktik hielten, die besagt, dass man niemals mehr über sich preisgeben darf, als man über sich hören will, und das gilt nicht nur für Menschen, die Staaten lenken oder Staaten zerstören, was manchmal dasselbe ist, sondern für uns alle, aber heute,

heute hatte ich angefangen zu erzählen, wovon ich erst jetzt wusste, dass ich es geheim hielt seit Tagen, Wochen.

Es kommt auf den Gesichtspunkt an, hatte mir die Frau im olivgrünen Overall erklärt, ehe sie die Zimmertür zuzog, ich hörte nicht auf ihre Schritte im Gang, blickte nur auf den Mont Blanc und wusste nicht, wo Kolja war, ich wollte nur, dass diese Lügen aufhörten, die vielleicht keine Lügen waren, jeder erzählt die Geschichte, die er aushält, es ist nur ein feiner Stoff, und es war heiß in Nikosia, fast vierzig Grad im Juli, ich zog mir mein Kleid über den Kopf, obwohl ich in Glion, 700 Meter über dem Meeresspiegel, in den Schweizer Alpen stand, und vielleicht war die Limousine längst wieder abgefahren, oder meine Gesprächspartnerin zog noch ein paar Bahnen im Pool, sie schwamm über den hellblauen, von einigen Strahlern erleuchteten Grund, links von ihr der Gipfel, rechts waren die Kühe vor Stunden von der Weide getrieben worden, dann wendete sie, die Berge verdeckten ihr die Sicht, sie schwamm zehn Bahnen, und ein Hotelangestellter erzählte ihr sein Leben.

Südkivu. Mai 2013

Ich habe viele von denen gesehen, sagte die magere Frau neben dem Sicherheitshäuschen und nickte hinüber zum Lager. Von denen, die hier sind, und von denen, die hier nur untertauchen, die wieder verschwinden, die habe ich auch gesehen, das sind nicht viele, es wird so getan, als wäre das Lager voll mit ihnen, aber ja, den einen oder anderen habe ich gesehen.

Ihre Hände waren sehnig und vertrocknet, eher wie etwas, auf dem Hunde herumbissen, als das, was zugreift, streichelt, auf Dinge zeigt. Sie war unser Faktotum, sie war wie das Emblem des UNHCR, das sich auf den gehissten Fahnen wellte: von irgendwoher eingeflogen, niemand konnte mehr sagen woher, und auch sie selbst konnte es nicht. Sie hatte Träume gehabt oder auch nicht. Ideen. Visionen. Jetzt saß sie am Schlagbaum des Compounds und führte ihre Finger zum Mund, als rauche sie eine Zigarette, aber nicht einmal das tat sie.

Die Grenzen sind hier weich, sagte sie. Kongo, Burundi, Ruanda. Jetzt redet ihr von der neuen Rebellengruppe da drüben in Goma, ihr schickt ein paar Leute mit Kameras, und vielleicht nennen die Männer sich jetzt *M23*, früher hießen sie *CNDP* oder *FDLR*. Es ist doch egal. Die Grenzen sind hier weich für diese Leute, weißt du, aber sie sind hart für die, die versuchen, vor ihnen zu fliehen.

Ihre leeren Hände glitten wieder zurück, sie verschränkte ihre Finger, blickte starr über die kümmerlich bewachsene Fläche, die zwischen dem UNO-Compound mit seinen sirrenden Neonlichtern, dem Schlagbaum, dem Maschendraht, dem Häuschen der Sicherheitskontrolleure und dem Lager der Flüchtlinge lag. Manche sagten, das Faktotum sei vor vier Jahren gekommen, andere meinten, vor acht, einige behaupteten, es sei schon immer hier gewesen, vermutlich schon vor der Gründung des Lagers. Eigentlich machte es keinen Unterschied, die Zeit verging ohnehin nicht. Wieder sah ich auf ihre Hände.

Ich habe gehört, es ist wieder einer abgetaucht, einer von denen, die sie gesucht haben, für Den Haag oder was weiß ich. Ein paar Leute haben mir erzählt, er sei jetzt beim *M23*, andere sagen, das sei Unsinn, er habe sich mit Makenga nie verstanden. Es ist auch egal. Jemand taucht ab, es ist kurz still um ihn, und dann hörst du wieder seinen Namen, er befehligt diese oder jene Gruppe. Und du bist bald zurück in deinem Café in Genf, sagte sie und führte ihre Finger zum Mund. Die Straßen sind gut ausgeleuchtet, der Wein kostet fünfzehn Franken pro Glas. Leute wie du erzählen mir immer, Ruanda sei wie die Schweiz, eine Diktatur, aber sonst wie die Schweiz. Die Autos halten selbst mitten in der Nacht vor einer roten Ampel, die Gehwege sind sauber, die Menschen still. Es ist eine Schweiz, die man da drüben eröffnet hat nach dem Genozid, eine Schweiz ohne die großen Bankhäuser, dafür mit Gedenkstätten. *Plus jamais ça.* Und in Burundi haben sie nicht mal Ampeln, nur einen Verkehrskreisel in der Hauptstadt und ein paar Katzenaugen, sagte sie und lachte heiser. Wir sterben alle, aber wir sterben nicht gleichzeitig, wir sterben nicht einmal im gleichen Maß.

Die Nächte im Lager begannen um fünf Uhr am Nachmittag, was weder am Breitengrad noch an der Witterung lag, sondern an der Vorsicht und der Angst und den Menschen. Sogar das Krankenhaus lag still, sofern es keinen Notfall gab, ein schmaler, geduckter Bau am Lagerrand, Falter bedeckten die Wände des Innenhofs wie eine Tapete, es waren unzählige, ich begriff nicht, wo sie alle herkamen. Die Fenster hatte man mit der Plane einer belgischen NGO abgehängt gegen die Sonne, und auf einer Papierrolle, die das Ärztezimmer schmückte, stand *Vision Mission Ziel*, drum herum die Namen von Kindern, die in unseren Statistiken nur Zahlen waren, aber dafür hatten sie dort eine Zukunft, ein Stipendium, eine Schneiderlehre, einige von ihnen, wenige, zumindest dort.

Das Bardach aus Palmenblättern in unserem Compound wirkte hingegen so künstlich wie ein Cocktailschirmchen, darunter saßen Sarah und ich, Bernard, ein stämmiger Verwaltungsmitarbeiter, Patrick, der wie Cary Grant aussah, und der Diagonale, den alle so nannten, weil er immer ein wenig eingeknickt ging, und wenn er saß, lehnte er sich schräg ins Nichts. Wir waren eingesperrt in unsere Hochsicherheitscontainer, und in den wenigen Nächten, die ich dort verbrachte, fühlte ich mich wie eine Schiffbrüchige auf einem Floß, zu wenig Raum für zu viele Menschen, denen ich nicht entkommen konnte, ein Floß mit Tenniscourt und Gym, mit Bar und Flachbildschirm, aber eben doch nur ein Floß mitten in einem Meer voller Strudel, Ungeheuer und Ertrinkender. Im Fernseher über uns lief ein Nachrichtensender, und ich blickte zur Mauer.

Kümmer dich nicht drum, sagte Patrick und stieß seine Bierflasche gegen meine, von draußen kommt um diese Zeit nichts mehr. Er lachte, klopfte mit der Flasche auf den Tisch.

Nur von neun bis fünf, sagte der Diagonale.

Ich hab's endlich begriffen, Sarah! Bernard richtete sich auf, was ich ihm an diesem Abend nicht mehr zugetraut hätte, er hing seit Stunden in seinem Plastikstuhl, als wäre er von der Hitze in ihn hineingeschmolzen. Sag es doch, Sarah, sag doch, was du denkst, rief Bernard.

Was denke ich?

Dass es das Draußen besser nicht gäbe. Zu viele Menschen. Menschen sind immer ein Problem, und hier werden es jeden

Tag mehr. Früher sind sie ja wenigstens weggestorben, Malaria, Cholera, erst haben sie alle Flüssigkeit aus ihrem Körper geschissen, und als nichts mehr da war, auch noch ihre Seele, und jetzt nehmen wir ihnen die Krankheiten, aber vielleicht sollten wir doch wieder mehr sterben lassen.

Sarah starrte ihn an. Ach ja?, sagte sie. Du meinst, dass ich das denke? Siehst du hier noch eine weiße Frau, die tags in die Blocks geht? Kinder durchzählt, Frauen befragt, ob es ihnen gut geht und ihren Männern, diesen wehleidigen Männern, die zu stolz sind, uns zu sagen, wenn sie wirklich krank sind?

Die da, sagte er und zeigte auf mich.

Die ist nicht hier, sagte Sarah. Die hört sich nur ein paar Geschichten an. Sie setzt keine Spritzen, sie wischt kein Blut vom Boden auf, sie geht durch die Blocks und fragt die Leute nach der Wahrheit.

Nach was bitte?, fragte Bernard.

Siehst du, sie zählt nicht.

Und das ist jetzt unser Zuhause, sagte Patrick, der den ganzen Tag unter der einzigen Klimaanlage im Verwaltungstrakt gesessen hatte, um Bernard bei der Arbeit zu porträtieren. Er drehte sein Bier in der Hand, hob es hoch, als wolle er anstoßen, aber niemand von uns erwiderte seine Geste, und er ließ die Flasche wieder sinken.

Erzähl mir nicht, dass wir hier auf der Insel der Glückseligen sind, rief Bernard. Meinetwegen, die goldene Zukunft läuft da draußen rum, sagte Bernard, an manchen Tagen hat sie Ziegen dabei, an anderen fährt sie einen Hyundai, und vielleicht gab es sogar den Messias, aber er ist niemals dreiunddreißig geworden. Es bleibt immer an den Schwächsten hängen, den Kindern, und die Sünden werden ja nicht weniger, die vermehren sich in ihren kleinen Körpern wie verrückt. Da hinten, er zeigte den gekehrten Weg hinab, auf der anderen Seite der Mauer, das ist die Ewigkeit, und die Ewigkeit ist kein verdammtes Paradies.

Du bist betrunken, Bernard, sagte Sarah.

Ich legte meinen Kopf zurück, dachte an die Falter, die die Wände des Spitals bedeckten, hineingewachsen in das Haus, das plötzlich hier im Nirgendwo stand.

Ihr Deutschen seid doch gut darin, Lager zu bauen, sagte Bernard und lachte hektisch auf.

Die Belgier und Dänen auch, sagte Patrick. Ist doch alles ordentlich hier. Block 3. Block 4. Alles ordentlich.

Der Diagonale nickte, lehnte sich noch etwas schräger ins Nichts und sah Bernard mit seiner eingefallenen, todtraurigen Miene an.

Was ich nie begriffen habe, sagte ich und öffnete ein weiteres Bier, warum ist es hier passiert?

Der Bürgerkrieg?, fragte Bernard.

Es war kein Bürgerkrieg, sondern ein Völkermord, sagte Sarah und wedelte nach den Moskitos, die unter der Halogenlampe schwirrten.

Ja, aber warum hier? Zwischen ein paar Hügeln mit ein paar Kaffeepflanzen.

Es kann überall passieren, sagte der Diagonale, ließ seine Finger in die Stille schnipsen, und einer der Moskitos fiel auf die Tischplatte. Es braucht nur den richtigen Moment.

Ich wachte um drei Uhr auf, was besser war als in der Nacht zuvor, in der ich gar nicht eingeschlafen war, nur in einem unruhigen Dämmer gelegen hatte, mich im Bett herumwälzend, frierend und schwitzend zugleich, in Crans-Montana hatten sie sich angeschrien, und ich warf die Decke zurück, stand auf, starrte auf die Akten, ohne zu wissen, wofür sie noch gut sein sollten, wofür sie je gut gewesen waren, blätterte durch die Post auf meinem Schreibtisch, zwischen den Zeitungen und Werbeprospekten lag eine Ansichtspostkarte, es war die vertraute Schrift, und zum ersten Mal las ich Milans Namen darin.

Ich steckte die Karte zurück unter die Zeitungen, schaltete den Fernseher ein, klickte durch die Programme, auf einem englischen Nachrichtensender erklärte António Guterres noch einmal sein Bedauern über das Scheitern der Zyperngespräche, und mein Leben klappte einfach so vor mir zusammen, es war nicht mehr als ein Strandausflug, der nicht ins restliche Leben passte, zwei Tage in Crans-Montana, und am dritten schrie man sich an, es war so viel wie der kurze Blick, den Milan mir während des Gesprächs mit Herrn Blackburn zugeworfen hatte, als wolle er sich kurz jener Vertrautheit zwischen uns versichern, aus der die Übrigen ausgeschlossen waren, von den wichtigen, aber gerade auch von den unwichtigen Dingen, die wir voneinander wussten, einer Ampel in einer westdeutschen Kleinstadt, einer Schubertsonate, einem Handtuch, das nachlässig auf den Boden gefallen war, und man tastet nach der Hand, nur um zu spüren, dass sie noch da ist, obwohl man sie ja neben sich sieht, man blickt nur kurz hinüber, noch einmal jenes Abkommen beglaubigend, dass diese Hand einem über die Stirn streichen wird, wenn man Fieber hat – aber du wirst nicht einmal wissen, wenn ich krank bin.

Die Postkarten hatte Darius nie vergessen, all die Jahre über nicht, Ansichten aus Brüssel, New York und Genf. Viel schrieb er nie drauf, ein Zitat aus einem Buch, das er gerade las, allenfalls über das Wetter ließ er mich etwas wissen, wenn überhaupt ein Satz zu den Grüßen hinzugefügt war in der krakeligen Schrift. Vergessen hat er die Postkarten nie, und ich wusste all die Jahre nicht, warum sie bei mir ankamen, als hätte er sie falsch adressiert oder als wäre es doch leichter, mir mitzuteilen, was er Milan nicht sagen konnte, auch wenn es nur ums Wetter ging, vielleicht, weil Milan älter war als ich und mehr verstehen, andere Fragen stellen würde, vielleicht, weil ich doch nur ein Gast gewesen war in seinem Leben, und Gäste bewirten wir anders, wir spielen ihnen etwas vor, inszenieren ein Abendmahl wie jenes des Trimalchio, des freigelassenen Sklaven, mit dem das Römische Reich zugrunde ging inmitten von Teigferkeln und Datteln, Straußeneiern, Truthähnen, einer Wildsau.

Die Postkarten hingen an meiner Pinnwand, aber ich beantwortete keine einzige, weder die aus Genf noch die aus Nairobi und auch nicht die mit dem Vogel Strauß, ich konnte nicht sagen, woher sie kam, der Stempel war verwischt, nur vom April 94 hing keine Karte an der Wand. Geantwortet habe ich ihm nie, aber ich habe mich, als es längst aus der Mode war, ins Telefonbuch eintragen lassen, Berlin, New York, Genf, und nun hatte Darius mir eine Ansichtskarte aus Madrid geschickt, ein Kind im Clownskostüm, ich konnte mich nicht erinnern, ihm von dem Bild erzählt zu haben, das in meiner Kindheit über meinem Bett gehangen hatte, er war wegen eines Kongresses in der Stadt, nur für ein paar Tage, wie er mir schrieb, und die Sonne zeige sich nur selten.

Um vier setzte ich mich auf den Balkon, wartete auf die Dämmerung, bald fuhr der erste Zug von Corvain ab, und ich könnte Genf einfach verlassen, meinen Posten bei den Vereinten Nationen räumen, Boucheron musste es mir am Montag doch nahelegen, und wenn nicht, war es nur seine Schweizer Höflichkeit, die über alles hinwegschwieg, bald fuhr der erste Zug, aber ich wollte nicht zurück, wohin auch. Draußen war es still, als wäre die Stadt in Schnee versunken, dabei lag kein Schnee, das Barometer zeigte auch jetzt noch über zwanzig Grad an, und alles war so groß wie die Frage, ob ich wüsste, wo Kolja war. Woher hätte ich das wissen sollen. Wieso wusste ich es nicht. Wieso hast du es mich überhaupt gefragt.

Um fünf war der erste leise Lärm zu hören, die Tür zum Supermarkt glitt auf, schräg unter meinem Balkon zündete sich der Fahrer des Lieferwagens eine Zigarette an, und wäre ich nicht außerhalb von allem gewesen, ich hätte es vielleicht schön gefunden, das Glimmen dort unten im Zwielicht und die Erlöstheit, die sich auf seinem Gesicht zeigte, eigentlich ist man zufrieden, sogar glücklich, warum denn nicht, kaum jemand traut sich, das zu sagen, manchmal sind wir doch sogar glücklich, und dann geschieht etwas, und man stellt alles in Frage, man verliebt sich, nicht oft, aber auch das kommt vor.

Es heißt, der Völkerbund sei gescheitert in den dreißiger Jahren, daran, dass er den Krieg nicht verboten hatte, aber wie soll man den Krieg verbieten, daran, dass er das Deutsche Reich nicht abrüstete, aber wie hätte er das tun sollen, daran, dass die Mitglieder sich mit ihren eigenen Interessen im Wege standen, aber wie hätten sie anders stehen sollen, und die Vereinten Nationen scheiterten während einiger Tage im April 1994, in Ruanda sendete man die Zehn Gebote der Hutu im Radio, ein halbes Jahr nachdem der burundische Präsident Melchior Ndadaye ermordet worden war, und vor dem Glasschacht, der den älteren mit dem neueren Teil des Palais des Nations verband, verhandelten seit Jahrzehnten ein paar Männer über die Inselgruppe Åland. Sie waren in einem eleganten Saal zusammengekommen, einem Raum im Palais Wilson, das direkt am Genfer See liegt und dem Völkerbund als Hauptsitz gedient hatte. Hinter den Männern sah man den Mont Blanc mit schneeweißer Spitze.

Du willst mir nicht erzählen, dass wir irgendetwas im Griff haben, sagte Sarah und lehnte sich gegen das Fenster. Wenn selbst Zypern nicht klappt.

Ich will überhaupt nichts erzählen, sagte ich und sah auf die Bergkuppe, ruhig und kalt, Åland bestand aus sechstausendsiebenhundert Inseln, zum Teil nicht größer als ein ins Wasser gefallener Stein, einundzwanzigtausend Bewohner und ein paar Elche, es war nichts, fast nichts, und es war alles, ein Ausläufer des finnischen Festlands, das hinüberdrängte nach Schweden, die Bewährungsprobe des Völkerbunds, das Zerren am nördlichen Rand Europas zwischen Finnland und Schweden, zwischen den Revolutionären und jenen, die wollten, dass alles so blieb, wie es war, nur eben anders, man fand eine Lösung für Åland, aber der Völkerbund scheiterte trotzdem, die Vereinten Nationen scheiterten, als die zehn Gebote eingehalten wurden, und hinter den Männern sah man den Mont Blanc, aber es war nur ein Ölgemälde.

Die Wirklichkeit fängt auch hier irgendwann an, sagte Sarah. In unserem schönen Club, in dem immer alles blockiert ist. Bald haben wir nicht einmal mehr Geld, um die Blockaden zu bezahlen.

Und was willst du machen, fragte ich, wenn das alles hier zum Teufel gejagt ist?

Der war doch schon vor uns hier. Und bei dir ist er mal untergeschlüpft.

Was meinst du, fragte ich lachend, griff nach ihrer Hand, sie zog sie zurück, ehe ich sie berühren konnte, sie hatte ja recht, diese Geste passte nicht hierher, das lag alles so lange zurück.

Übrigens, ich habe deinen Milan im Bois de la bâtie gesehen, mit Frau und Kind.

Mit Kolja?, fragte ich.

Was weiß ich, wie sein Sohn heißt. Seit wann interessierst du dich überhaupt für Kinder?

Seit wann interessierst du dich für Zoos?

Schwäne füttern, sagte sie. Die sind auch nicht immer hübsch, aber aggressiv sind sie alle. Sarah bettete ihre Akten von einem Arm in den anderen, blickte hinaus in den Garten.

Mira, sagte sie und griff nun doch nach meiner Hand, ich drehe durch in diesem Verein. Ich drehe durch in dieser Stadt. Wie alles immer weitergeht. Die Hilfskonvois fahren. Die Diktatoren diktieren. Die Sopranisten singen. Und irgendwo schneidet ein Mann, der sonst nicht weiter auffallen würde, Leichensäcke auf, um zu sehen, ob seine Tochter darin liegt. Weißt du, vergessen ist das eine. Versöhnung etwas anderes. Versöhnung ist Unsinn. Das ist ein Wort aus den Berichten. Aus dem Neuen Testament. Es ist doch Unsinn, dass Versöhnung immer möglich wäre, manchmal ruinieren wir uns damit, manchmal machen wir mit dem Versuch alles nur noch schlimmer. Du kannst dich nicht versöhnen mit jemandem, der dein Leben getötet hat. Und es geht trotzdem weiter mit dir, dir bleibt ja nicht mal die Gnade des Verschwindens, man hat dir dein Leben zerstückelt, aber dich am Leben gelassen, das ist Sadismus, weißt du, aber Sadismus ist nun eben normal, nur eine Gedankenlosigkeit. Kinder glauben ja sogar noch in Steinen an eine Seele, wir sehen nichts mehr darin. Diese kindliche Begabung nimmt ab, kehrt sich um, und später sehen wir nicht mehr den beseelten Stein, sondern den Stein in den Menschen. Mehr nicht, *ma chérie*, mehr nicht. *Plus jamais ça.*

Zwei Diplomaten zogen lautlos an uns vorbei, es war doch nur Zypern gescheitert, aber wenn schon Zypern nicht gelang –

Frieden ist doch ein weltfremdes Konstrukt, sagte Sarah, wir sind nur da, um uns gegenseitig Gewalt anzutun, für diesen oder jenen Vorteil, wer kann schon sagen, für welchen genau, vielleicht nur für den, das eigene Leben nicht ertragen zu müssen. Weißt du, sagte sie, das Ende habe ich mir immer wie ein Silvesterfeuerwerk vorgestellt, unter der Aufsicht irgendeiner Behörde oder Engelheerschar, aber jetzt ist es eben da, unauffällig.

Lass uns gehen, sagte ich. Einfach abhauen. Weit weg.

Sarah lachte trocken. So weit kannst du gar nicht reisen.

Bitte, sagte ich, meine Stimme weich, kindlich. Das Klackern ihrer Schritte im Durchgang zum alten Gebäudeteil. Ich sah zu den Männern hinauf, die noch immer über Åland verhandelten, alles ging immer weiter, das Council Chamber war von einer Sitzung belegt, eine Entourage aus Japan zog durch den Flur, eine Besuchergruppe saß mit zurückgelegten Köpfen im Menschenrechtssaal, und in meinem Büro lag ein neuer Resolutionsentwurf mit achtzehn Punkten und der Entscheidung des Sicherheitsrats, mit der Angelegenheit befasst zu bleiben, wir bleiben immer *seized on the matter*, und nur manchmal fliegen die Nilpferde auf, nicht oft, aber manchmal geschieht es, und vielleicht waren sie vorher gar nicht so falsch, wie ich das immer gedacht hatte, vielleicht waren sie sogar am richtigen Ort. In den Nachrichten erklärte António Guterres noch immer sein Bedauern über das Scheitern der Zyperngespräche, in der Nacht hatte man sich sogar angeschrien, aber wäre die Sicht nur ein wenig klarer, wäre alles nur ein wenig anders, sähe man von hier aus den Mont Blanc.

ÜBERGANG

Genf. August 2017

Ich sah Milan an einem späten Vormittag wieder. Er stand hinter der Absperrung mit Blick auf den Park, in sich gekehrt, obwohl er ahnen musste, dass zumindest ich dort nach ihm Ausschau halten würde, wo zuvor nie jemand hingesehen hatte. An einem Plexiglasständer mit Informationsmaterial kippelte ein Kind, zwei Jahre alt mochte es sein, noch keine drei, unentschlossen, ob es irgendetwas umwerfen sollte oder einfach still für sich auf den Boden fallen in seinem gepunkteten Mantel. Milan hatte die Hände hinter dem Rücken ineinandergelegt, Sonnenlicht fiel auf sein Haar, er wirkte verloren, und aus der Entfernung der drei, vier Meter schien mir mit einem Mal, dass er doch eigentlich wenig mit seinem Vater gemein hatte, das Selbstbewusstsein seiner Herkunft zwar, aber Darius' Vermögen, Bedeutung in die Dinge zu legen, in ein Klavierstück von Schubert, in eine Reise nach Genf, in eine Nuckelflasche, die an die Lippen eines Rehs gehalten wird, das hatte Milan nie ganz von ihm gelernt. Er war doch nur ein entfernter Sohn, dachte ich in diesem Moment, und vielleicht hatte er den Abstand gewünscht, und ich hatte es nicht verstanden damals, oder übersehen oder falsch gedeutet, den Blick, den er mir zuwarf, als er sich noch einmal umdrehte zu mir, nichts sagte, die Hand nicht nach mir ausstreckte, sich nur über den Nacken fuhr, er blickte mich an und wiegte den Kopf, als messe er in seinen Gedanken etwas ab, und als ein Brett des Infoständers krachend zu Boden fiel, fing das Kind an zu schreien. Ich lief auf es zu, hob es hoch, die Mutter kniete sich zu ihm, strich ihm über den Kopf und versuchte zugleich, die Broschüren aufzusammeln, Menschenrechtserklärungen in Französisch und Englisch, und als ich wieder hinübersah, war Milan verschwunden.

Ich schob die Absperrung beiseite und trat ans Fenster. Auf den Park ging ein feiner Regen nieder, feiner, als ich ihn gewohnt war, als es ihn auch hier, in einer Stadt am unteren Ende der Schweiz, gab, die bereits von Cäsar beglaubigt worden war, aber was bedeuteten schon Jahrtausende, manchmal war schon ein Wochenende zu lang, und durch das Gras, das sich bis hin zu der gewaltigen Zeder aus dem Libanon zog, ging ein Zittern, doch kein einziger Pfau tauchte auf. Es gibt Protagonisten, Nebenrollen und die Staffagefiguren, die man nur braucht, um die Leinwand zu füllen, es gibt die Gesichter, Körper, skizzierte Rückenansichten, die nach einer Weile verschwinden, sich einfach auflösen, überstellt werden von ein paar Gebäuden, Lichtflecken, einer Kanone, einem Brunnen, einem Schatten, den irgendetwas außerhalb des Bildrandes wirft, man kann diese Leerstellen mit allem Möglichen füllen, diese Figuren sind nicht entscheidend, nicht die Menschen, sondern die Gebäude, Plätze, die strategischen Ziele, und man blickt jemandem ins Gesicht, man fährt ihm über den Rücken, die Wirbelsäule entlang, fühlt seine Haut, hört seine Stimme dicht am Ohr, so dass man meint, sie hätte eine größere Wirklichkeit als andere Geräusche, aber es liegt allein an der Nähe, durch die alles mehr Raum einzunehmen scheint.

Es war nur ein Satz gewesen, den er nicht ausgesprochen hatte, denke ich jetzt, aber vielleicht habe ich ihn doch verstanden, auch an dem Tag schon, habe bloß Angst bekommen, mich nicht mehr zuständig gefühlt mit einem Mal, wie weit darf man sich in ein Leben einmischen, das nicht zu einem gehört, das einen nichts angeht, in dem man nur Staffage ist, eine kleine Episode, damit die Zeit leichter vergeht, der bleiche Rasen des Parks, die Sicherheitsumzäunung in der Ferne, und warum hatte ich Milan nicht ansehen wollen in dem Moment, als er mir mit einer Geste zu verstehen gab, dass ich vielleicht doch mehr gewesen bin für ihn, jedenfalls hier, jedenfalls jetzt, da er niemand anderen mehr hatte. Ich sah in der Scheibe gespiegelt, wie er seinen Kopf neigte, und auch den Satz, den er nicht aussprach, habe ich sehr wohl gehört: Bleib da, bitte bleib da, ich hätte so einfach antworten können, ich wusste doch wie, es wäre so leicht gewesen, aber manchmal ist man nicht mehr willens, ist außerstande, sich selbst zu gehorchen, und ich schüttelte nur den Kopf, bedeutete ihm: Keine Angst, ich werde dich nicht verraten, was denkst du von mir, oder doch eher: Du wirst mich nicht verraten, ganz egal, was du von mir denkst, aber ich verschwieg, worum es eigentlich ging.

Seit diesem Vormittag erschienen mir die Gänge des Palais des Nations tot, wie in einem Gebäude, das lange schon verlassen war, aber die Menschen, die mir begegneten, wussten nichts davon. Meine Umgebung war für mich immer weniger greifbar, als verliefe sie hinter einer Glaswand, ich übersah Kollegen, die mich in der Cafeteria grüßten, verwechselte Namen, die ich in den Dossiers las, und ich dachte an das Blitzlicht, von dem Milan mir in einer Nacht an der Nordsee erzählt hatte, das aus den Fotografierten etwas herausblendete, vielleicht war es das, was mir passiert war, und ich hatte nur den Blitz nicht bemerkt.

Einmal sah ich Teresa, meinte zumindest, dass sie es war, eine Frau auf der anderen Straßenseite, sie blickte kurz zu mir herüber, eine Straßenbahn hielt an der Ampel, verdeckte die Sicht, und als sie wieder anfuhr, war Teresa nicht mehr zu sehen, aber vielleicht hatte sie dort drüben auch gar nicht gestanden, war längst in Den Haag, da drüben stand nur ein Mädchen, es hob die Hand, als wolle es mir winken, in seinen gelben Shorts hätte es so gut zu den Strandliegen in Scheveningen gepasst, hätte zwischen den mit Meerwasser gefüllten Wannen Verstecken gespielt, Sissi wäre über die Terrasse gewandelt, Churchill hätte eine Zigarre geraucht, und die Mole war noch nicht zerstört, sie war noch nicht einmal gebaut worden.

Bei Bonn. Juli und August 1994

Die Kirschbäume standen längst wieder in ihrem schlichten Grün, es blühten jetzt Sonnenhut und Springkraut, im See stanken Seerosen und Entengrütze, ich jagte Frösche, ließ Ameisen unter dem von einer Lupe gebündelten Licht verbrennen, kleine schwarze Punkte, die auf der Brüstung der Veranda explodierten, und vielleicht lag es nicht nur am Juli, vielleicht waren es tatsächlich die wärmsten Wochen, die ich in diesem Haus erinnere, eine drückende Wärme, als wagte niemand, die Fenster zu öffnen, voneinander abzurücken, weil man merkte, dass man einander ohnehin gerade verlor. Die Blicke beim Essen waren fürsorglich, niemand sprach laut, man reichte sich das Brot, den Zucker, bevor jemand darum gebeten hatte, ging vorsichtig miteinander um, und wenn Darius kurz innehielt, sich umsah, obwohl hinter ihm nichts war als das Fenster, der Wald, den er seit seiner Kindheit kannte, wenn er, zerstreut und entschuldigend, mich anlächelte, war es, als wäre eine Schicht durchbrochen, aber es war nicht nur diese Schicht, es waren Dinge viel tiefer zerbrochen, was ich damals noch nicht begriff, aber spürte.

Darius' gebräuntes Gesicht im April, seine Waldspaziergänge im Mai, die Schrotflinte im Pfingsturlaub, sein Fortbleiben im Juni, die vorsichtigen, fast stillstehenden Tage im Juli, ehe er wieder zu einer Reise aufbrach, eine Postkarte aus New York zu Beginn der Sommerferien, und dann war er zurückgekommen mitten in der Nacht, ich sehe noch die Leuchtziffern auf meinem Kinderwecker, der neben dem Bett stand, höre Lucias Stimme im Flur, Darius, aber wieso?, und ich habe damals gedacht, dass es meine Schuld gewesen sei, vielleicht, weil ich wach wurde zu einer Stunde, in der ich zu schlafen hatte, weil ich etwas mitanhörte, das nicht für mich bestimmt war, und ich frage mich, ob Milan es ebenfalls gehört hat, sein Zimmer lag ein paar Schritte weiter entfernt, Darius' Stimme war gedämpft, er wird vergessen haben, dass es mich in diesem Haus gab, dass ich so dicht neben ihrem Schlafzimmer lag, das nach dieser Nacht kein eheliches Schlafzimmer mehr war, sondern das Zimmer von Lucia, einer immer kalt bezogenen Betthälfte, und die andere Seite umso zerwühlter.

Zwei Tage später kamen die Möbelpacker, Lucia hatte sie bestellt. Dass sie es wohl kaum erwarten könne, Darius los zu sein, sagte Milan beim Mittagessen, durch die geschlossene Esszimmertür hörten wir das Rumpeln im Flur, dabei war kaum etwas verschwunden, als ich nach dem Essen durchs Haus ging, in seinem Arbeitszimmer standen noch die Regale, nicht einmal alle Bücher hatten die Packer mitgenommen. Neben dem Fenster hatte der Schreibtisch Druckstellen im Teppich hinterlassen. Ich setzte mich in das so gezeichnete Rechteck, suchte den Raum ab nach dem Nippes, den es hier früher in allen Ecken und aus allen Gegenden der Welt gegeben hatte, aber zumindest der war vollständig verschwunden. Ich lehnte meinen Kopf gegen die Wand, schloss die Augen und stellte mir vor, der Schreibtisch wäre noch über mir, schützte mich ebenso wie an all den Nachmittagen, an denen ich mich unter ihm versteckt hatte, vor wem auch immer, niemand hatte nach mir gesucht. Als ich Schritte hörte, öffnete ich die Augen. Lucia stand in der Tür, und ich merkte, dass ich mir den Schreibtisch nicht ausreichend einbildete, damit er auch für sie noch da war. Mira, willst du nicht woanders spielen?, ich schüttelte den Kopf, Lucia strich sich über die Augenbrauen, weißt du, wenn man Entscheidungen getroffen hat, tut man niemandem einen Gefallen, wenn man sie rauszögert, sagte sie, und da wusste ich, dass ich hierbleiben würde, in diesem Rechteck, ich würde nicht gehen, bis sie den Schreibtisch zurücktrügen, aber um halb sieben saß ich wieder unten beim Abendbrot.

Mit den Möbelpackern war auch der Geruch verschwunden, nein, natürlich verschwand er nicht gleich, er veränderte sich nur, ein Bestandteil wurde flüchtiger, bis er schließlich vollständig verloren ging, so wie der Geruch im Haus sich verändert hatte nach meinem Einzug, ein Bestandteil, der sich hinzugefügt hatte, zuerst noch vage, aber dann sich Raum nehmend, einnistend in die Stoffe, die Gardinen, den Teppich, die Sofakissen.

So schwer es Darius früher gefallen war, für länger als zwei Wochen in der Villa zu bleiben, so wenig gelang es ihm nun, endgültig zu gehen. Am Samstag stand er wieder vor der Tür, und ein paar Tage später wieder, mal hatte er ein Buch vergessen, das fälschlicherweise in Lucias Bücherregal eingeräumt war, als könne sich nach so langer Zeit noch jemand daran erinnern, wer welches Buch gekauft, wer es wann gelesen, wer welche Spuren darin hinterlassen hatte, fast ausgeblichen die gelben Unterstreichungen, mal brachte er Milan etwas vorbei, ein Andenken von einer seiner Reisen, das keine Vorstellung mehr wecken sollte von irgendeinem fernen Land, sondern nur Milan an seinen Vater erinnern, und dann blieb er noch und ließ sich das neu einstudierte Stück am Klavier vorspielen, und Milans Finger stolperten nicht, jetzt nicht mehr.

Im Flur wiederholte Darius, was er in der Nacht um zwei Uhr morgens schon einmal gesagt hatte, ich kann euch das nicht antun, Lucia, es geht einfach nicht.

Ich warte trotzdem auf dich, sagte sie, oder war es nur: Ich warte auf deinen Anruf, ich warte auf eine Nachricht von dir, Milan wird auf dich warten, bringst du ihn zur Schule am Montag? Ich weiß, er ist zu alt dafür, aber mach es, tu mir den Gefallen.

Worauf willst du denn warten?, fragte Darius, es war nicht abweisend, denke ich heute, es war wohl mehr eine Bitte, die Bitte, ihm zu sagen, dass es noch etwas gab, auf das sie warten konnte, dass etwas von ihm zurückgekommen war von der Reise im April.

Aber Lucia hielt ihre Lippen geschlossen, gab ihm das Buch, nickte vor sich hin oder ihm zu und schloss, als er hinausgegangen war, behutsam die Haustür.

Mein Vater stand unten in der Einfahrt, ich sah ihn durch mein Fenster, balancierte, die Zehenspitzen gestreckt, auf einer Kiste, reckte meinen Kopf durch die offene Luke in der Dachschräge, ich war überrascht, wie zerbrechlich er aussah zwischen den Bäumen und den parkenden Wagen, wie oft hatte ich meinen Kopf an seine Brust gelegt, und niemals hätte ich mir vorstellen können, dass auch er nicht größer war als eine Villa am Rand eines Waldes, dass er nur eine kleine Figur war, die zwischen Bäumen und Autos stand auf einem gepflasterten Platz. Lucia ging auf ihn zu, eilig und elegant, sie standen mit einem Schritt Abstand zueinander und sprachen, mein Vater fuhr sich über die Wangen, Lucia ließ ihre Finger flattern, sie blickten zur Villa herüber, sahen nicht den Kopf, der aus einer Luke im Dach herausragte, und dann, aber ich muss es mir eingebildet haben, wie hätte ich es aus dieser Entfernung erkennen können, sanken Lucias Schultern ab, ihr Gesicht zerbrach, mein Vater zögerte, und dann legte er doch seinen Arm um sie.

Milan war erst nach der dritten Ermahnung aus seinem Zimmer gekommen an diesem Mittag im August, die Hecken, der Rasen, die Büsche waren leuchtend grün, es rieche schon nach Herbst, behauptete mein Vater, als wir vor dem Haus standen und Milan mit dem Schuh etwas in den Kies schrieb, das keiner lesen konnte, dabei roch es nur nach Regen, ich ging auf den

Wagen zu, blieb mit der Spitze meines weißen Stoffschuhs an einem Stein hängen, stolperte, die Hände vor mir ausgestreckt, jemand lief, um mich aufzufangen, meine Handballen waren gerötet, in mein Knie hatte sich ein scharfer Kiesel gebohrt, mein Vater strich mir über den Kopf, hielt mir die Tür auf, im Inneren des Wagens der alte Polstergeruch, aber ich weiß noch, jetzt weiß ich es wieder, wie sich deine Hände angefühlt haben, als du mich hochgehoben hast, Milan, denn natürlich bist du es gewesen, der losgerannt ist, es mag nur ein Reflex gewesen sein, und dann stand ich wieder, sah dich kurz an, blickte aber schnell zu Boden, nicht wie es heimlich Verliebte tun, nur wie Kinder, die glauben, dass die Älteren ihre Pläne durchschauen.

Bujumbura. März 2015

Ich erhielt die Nachricht an einem Freitagabend, kurz bevor ich den Computer herunterfahren und mein Büro verlassen wollte, der Absender war mir unbekannt, der Betreff *votre ami* besagte nichts, sagte nicht einmal, dass es sich wirklich um einen Freund handelte, das distanzierte *votre*, die umständliche Sprache, mit der die Mail anhob, zeigte doch, dass der Absender mir nicht nahestehen konnte und dieser *ami* sicherlich ebenso wenig, vermutlich nicht mehr als ein Bekannter war und dass er sich erhängt haben sollte, stand nur zwischen den Zeilen.

Ein tragischer Zwischenfall, eigenes Verschulden. Etwas von Striemen am Hals las ich, so unklar in die Nachricht gesetzt, dass ich nicht sagen konnte, ob sich das auf den *ami* bezog oder allgemein auf jene die Sklaverei bezeichnenden Male, die sich an den Hälsen der verkauften, verschleppten, verschifften Menschen zeigten, die man auf die Plantagen nach Nord- und Südamerika gebracht hatte, es war nur ein spöttisches Lächeln, das unser Lehrer uns in der Schule, Klasse neun, zeigte. Für ein paar Glasperlen!, rief er belustigt, die Schwarzen haben ihr Land und ihr Volk verkauft für Glasperlen, wie Kinder, die mit Murmeln spielen, und damit war das Kapitel beendet, die Schwarzen in riesige Barkassen verstaut und auf dem Weg nach Amerika, und ich hatte im Schulbuch ein Foto der Perlenmanufaktur in Idar-Oberstein gesehen, mit deren Hilfe man den Himmel in Kenia errichtet und im Gegenzug das Besitzrecht über die dortige Erde erworben hatte. Aber sie waren schöner, die Perlen, als der liebe Gott.

Natürlich glaubte ich nicht, was ich in der E-Mail las, wie viele waren verschwunden, verhaftet, umgebracht worden, aber einige waren auch verschwunden, untergetaucht, wiedergekommen, und warum hätte sich jemand wie Aimé gerade jetzt töten sollen durch eigene Hand, für ihn hatte es genügend Gelegenheiten gegeben, umzukommen, und natürlich fiel sein Name in der Nachricht kein einziges Mal, es war nur ein *ami*, der in ein paar Zeilen, Schrifttyp Helvetica, für tot erklärt wurde, und überlegen Sie bitte, ob es nicht Ihre Schuld ist.

Ich sah aus dem Fenster, Regen fiel, oder es war unsere Sprinkleranlage, die jemand abzustellen vergessen hatte. Im Institut français fand an diesem Abend das *café littéraire* statt, Antoine wartete dort auf mich, um neben mir auf den Plastikstühlen sitzend ein Bier im Hof zu trinken, er würde mir etwas über Rilkes Panther oder den Schnee bei Aichinger erzählen, und ich würde meinen Kopf in den Nacken legen, in den Himmel sehen, alles wäre wie immer. Nichts war passiert.

Ich stand auf, ging mechanisch den Flur entlang, auf die um diese Uhrzeit selten genutzte Damentoilette, klappte in einer der Zellen den Deckel herunter, setzte mich und starrte auf die Kacheln.

Die Straße vor Aimés Haus. Eine Prozessionsfigur hob ihre Finger zum Segen. Die Treppe hatte zehn Stufen.

Ich dachte an das, was Aimé mir vorgeworfen hatte: Selbst, wenn ihr Judas wärt, würdet ihr uns noch zu ihm machen, weil ihr allein nicht sterben könnt, weil auch euer Christus die Schuld eben nicht auf sich nehmen konnte, es gibt immer noch jemanden darunter, aber was soll das für ein Glaube sein, ich nehme die Schuld der Welt auf mich, und er nimmt sie und hat noch einen Lakaien, der sie trägt, nämlich die eigentliche Schuld, den Erlöser verraten zu haben, und ich legte mein Gesicht in die Hände, atmete gegen meine Haut, ein und aus, ein und aus, so als bräuchte es eine Vorbereitung, bevor ich weinen konnte.

Was es gab

Es gab Klarheiten, sogar in meinem Leben gab es die. Die serifenlose Schrift auf den Schildern, die den Sprechern ein Land oder eine Funktion zuordneten, Under Secretary General. United States. Iran. Israel. Italy. Die Ordnung, die entstand, wenn man sich ans Alphabet hielt oder an die Warnhinweise auf amerikanischen Barbecue-Grills. Manche Menschen hielten daran fest, an diesen Sicherheiten.

Im Übrigen gab es nicht viel, nicht viel jedenfalls, was Klarheit schaffte, die Flaggen zerknitterten im Wind, Wahlbeobachter zweifelten wieder eine Abstimmung an, und die *Joint Vision 2020* war keine Vision, nur ein Strategiepapier.

Es gab Verwechslungen ebenso wie Missverständnisse.

Es gab die Operation *Restore Hope,* die Operation *Olivenzweig* und viele mehr, sie klingen alle so friedlich, die Militäreinsätze.

Es gab die UN, die es nicht immer besser machte, aber ohne die es noch schlechter wäre.

Es gab das Patt im Sicherheitsrat.

Es gab den Wortlaut: unter Hinweis, in Bekräftigung, als Ausdruck, erinnernd, betonend, erneut erklärend, befürwortend, in Würdigung, mit der nachdrücklichen Aufforderung, unter Befürwortung, eingedenk, Kenntnis nehmend. Am Ende blieb man immer mit der Angelegenheit befasst.

Es gab den Gründungsgedanken, *plus jamais ça*, den gab es ja noch, vielleicht hielt sich die Welt nicht genug daran, und wir verstanden nicht so viel von der Welt, wie wir es uns wünschten, die Orte lagen zu weit entfernt, wir konnten uns nur die Hälfte vorstellen, und selbst die stimmte nicht mit der Wirklichkeit überein. Weil sich jeder anders erinnerte, und am liebsten erinnerten wir uns an die Dinge, die uns nichts anhaben konnten.

Milan griff meine Hüfte, nicht kunstvoll, meine Hand glitt über seine, nicht geschickt, ich tastete seinen Bauch hinab, sein Nabel ein wenig hervorgewölbt, das leichte Pochen darunter.

Es gab den Gedanken am Anfang, und ich glaube trotz allem bis heute daran.

Es gibt wenig, Milan, es gibt doch eigentlich wenig, an das wir glauben, ich meine nicht diese Wirklichkeit, durch die wir jeden Tag hindurchlaufen, ohne sie überhaupt zu registrieren, das ist nur die Fläche, unter der etwas passiert. Ich erzähl dir eine Geschichte, vielleicht keine, die weitererzählt oder weitergeschrieben werden muss, aber doch eine Geschichte, denn du glaubst erst dann an etwas, wenn es den ganzen Rest in Frage stellt.

Hör zu.

Bujumbura. März 2015

Ich blickte hinab in den leeren Pool, der Riss war gewachsen, nicht viel, einen Zentimeter vielleicht, die Sonne stach mir in den Nacken, von Ferne hörte ich Schritte, und als ich aufsah, meinte ich in den Umrissen, die sich mir im Licht näherten, Jean zu erkennen, mit einem Käscher in der Hand, um die gefallenen Blätter aus dem Bassin zu fischen, aber heute waren keine Blätter dort unten, nicht einmal die morastige Pfütze, an die ich mich in den Jahren gewöhnt hatte, die Hoffnung nach und nach aufgebend, dass dieser Pool jemals repariert und mit frischem Wasser gefüllt würde. Mir schwindelte, die Luft war zu schwül, die Mücken summten über mir, ich blinzelte zu Jean hinüber, zu dem Schemen, den ich noch immer für ihn hielt, wer anderes sollte auch hier sein als der Gärtner, wen suchst du, hörte ich ihn fragen, und auch, wenn ich doch eigentlich erkannte, dass es nicht Jeans Stimme war, dachte ich noch immer, es müsste Jean sein, wer sonst hatte hier etwas zu suchen.

Draußen, auf der Sandpiste, fuhr ein Wagen vorbei, die Räder buckelten in den Schlaglöchern, nebenan würde ein Tor geöffnet werden von unsichtbaren Händen, wie es immer geschah hier oben im Viertel Kiriri. Ich schreckte vom Hupen zusammen, Hupen direkt vor meinem Zaun, der Wagen war nicht auf ein anderes Grundstück abgebogen, Jean, warum gehst du nicht das Tor öffnen?, fragte ich, jetzt geh schon, der Käscher wankte, aber der Schemen, den ich so gern für Jean gehalten hätte, bewegte sich nicht.

Die Hand in meinem Nacken, die einen Knoten band, die Biegungen, die das Auto fuhr, die Sekunden, die ich zählte, aber war meine Sekunde wirklich eine Sekunde lang, das Gusseisen, die Terrasse, der Geruch des frisch gegrillten Fleischs, auf meinem Teller ein Meer aus Ketchup, die Treppe, zehn Stufen, ich stand vor dem Fenster im oberen Stockwerk und blickte von Aimés Haus auf die Stadt hinunter.

Ich weiß nicht, wo er ist. Meine Stimme heiser, kaum hörbar. Ich weiß ja nicht einmal, wer er ist.

Dort der Schrank mit den verspiegelten Türen, da der Nachttisch, eine schwere, silberne Armbanduhr neben dem Lampenfuß, ein Kissen auf dem Boden, auf der Kommode das Foto von Aimés Frau, den beiden lachenden Kindern, und mit einem Mal standen sie alle um mich, ich hörte ihre Stimmen wie das Schwirren eines gewaltigen Schwarms, als wären jene Falter, die ich im Lager reglos gesehen hatte, sich tot stellend, die Wände überwuchernd, plötzlich erwacht.

Vielleicht habe ich an diesem Mittag nicht sehen wollen, wer vor mir stand, nicht begreifen, weshalb Jean nicht hier war, seine Schürze, die er für alle möglichen Arbeiten im Haus trug, noch über der Gasflasche in der Küche hing, und ich hörte bloß, wie der Wagen vor dem Tor erneut hupte, zu laut, wie mir schien, ich horchte auf das Rascheln der Magnolienblätter über mir, ging in die Hocke und tastete den Rand des Pools entlang, der Riss zog sich länger und tiefer, wuchs über die Wand, zeichnete einen Umriss, fast den einer menschlichen Figur, die dort im leeren Türkis lag, warum haben sie das gemacht, fragte ich, sie haben die Kacheln zerschlagen, als die Brauerei schon wieder geöffnet hatte, warum auch das noch, der Käscher stocherte durch das leere Bassin, das Netz hing in der Luft, fing nichts, warf nur Schatten.

Es hupte erneut.

Ich ging zum Tor, schob den Riegel zurück und ließ den Wagen einfahren. Pietro nickte mir vom Beifahrersitz aus zu, sein vorgerecktes Kinn wie die Geste eines Herrschers, und er ließ die Scheibe heruntergleiten.

Mira, wir haben lange warten müssen.

Er ist nicht hier, antwortete ich, wandte mich ab und ging zum Haus. Neben dem Pool bückte ich mich, hob den Käscher auf und nahm ihn mit hinein.

Genf. September 2017

Kurz sah ich Sarah auf dem Weg hinter dem Relais de Chambésy oder meinte zumindest, sie zu sehen, ihr Gesicht verwischt wie die Gesichter auf den alten Fotografien, die ich aus Wims Archiv kannte, bei denen ich nicht sagen konnte, ob sie gemalt oder auf Fotoplatten entstanden waren, nachkoloriert, das Unsaubere der Konturen retuschiert, während andere, die er mir gezeigt hatte, geradezu überdeutlich die Figuren aus ihrer Umgebung herausholten, schärfer und klarer, als ich es in der Realität je gesehen habe. Sie ging neben jemandem, eingehakt, ich konnte nicht sagen, bei wem, sie waren schon hinter einer der Zypressen verschwunden, die, zerzaust vom Unwetter vor einigen Tagen, zwei geborstene Stümpfe zeigte.

Und jetzt?, fragte Boucheron.

Brazzaville, sagte ich. Am Ende ist es immer Brazzaville. Und wenn ich da eine Bar eröffne.

Zu oft *Casablanca* gesehen, sagte er, und die Strenge in seinem Gesicht verschwand. Aber ich mache Ihnen keine Vorwürfe, ich weiß, dass die *Casablanca*-Fotos am Genfer Flughafen hängen. Wir haben alle dieselben Fantasien.

Ein Kellner hob die Weinflasche aus dem Kühler, schenkte mir ein, ehe ich ablehnen konnte.

Wissen Sie, wo mir mein größter Fauxpas passiert ist?, fragte Boucheron. Nicht in einem dieser Säle im Palais des Nations oder im Palais Wilson, nicht einmal in einer Genfer Brasserie, nein. Am Flughafen von Addis Abeba. Ich hatte meinen Diplomatenpass nicht dabei, und ein Grenzbeamter hat mich gefragt, was ich hier bitte schön wolle. Die Antwort kennt jeder, *holiday*, ganz egal, ob Sie nach Nordkorea oder in die Vereinigten Staaten reisen, nach Eritrea oder Israel, *holiday, tourism, sightseeing*, es ist so einfach, und der Teufel muss mich geritten haben an diesem Flughafen, der Mann vor mir war zwei Meter groß, ich sah zu ihm auf und sagte, *I'm here to help.* Er hat seine Arme vor der Brust verschränkt, mich von oben bis unten gemustert, dann eine Weile in die andere Richtung gesehen, aber da waren nur ein Toilettenschild und ein Mülleimer, er hat noch immer nicht zu mir gesehen. *So you want to help us? You think we need your help?* Boucheron hob sein Glas. Zum Wohl. Es wird ja nichts besser, wenn wir den Wein nicht austrinken.

Es ist mein Ernst, sagte ich.

Ich habe immer die Leute bewundert, die aus dem Nichts diese Lager bauen, mit Infrastruktur in der völligen Abgeschiedenheit, mitten in der Wüste oder an der Grenze eines Kriegsgebiets oder noch viel weiter weg, im Nirgendwo, das hätte ich gerne gekonnt, aber wir haben alle unsere Aufgabe, Sie auch, Mira.

Ich konnte nicht mal zuhören.

Ach, zuhören. Bei Ihnen habe ich mich immer gefragt, was Sie der Welt eigentlich mitteilen wollen.

Ich? Nichts. Gar nichts.

Boucheron nickte. Das gefällt mir, sagte er. Manche, wissen Sie, wollen der Messias sein, wenigstens der Erzengel Michael, der den Teufel gestürzt hat, ich höre immer das Rascheln von Flügeln, wenn ich an diesen Leuten vorbeigehe, aber wenn ich mich umdrehe, ist es nur eine Anzughose, die nicht gut sitzt. Er nahm einen tiefen Schluck aus seinem Glas. Auch wenn er mein Vorgesetzter war, war er in unserem Apparat nicht viel, ein Zauberer, der nur wenig von seinen Künsten zeigte, er war wie einer der Pfauen im Park, der seine Schleppe hinter sich herzog, Staub aufwirbelte, wenn es im Sommer lange trocken war, aber er spannte sein Rad niemals auf. Er griff nicht an. Er imponierte niemandem. Er besah sich die Dinge mit einer Zärtlichkeit für Details, durch die er die großen Zusammenhänge zu überblicken meinte. Ehe der Messias kommt, sind Sie die Heilige Jungfrau Maria, sagte er. Wenn Sie wollen, können Sie jetzt gehen.

Dann sind wir uns ja einig, sagte ich, griff nach meiner Handtasche, suchte mein Portemonnaie.

Aber Sie gehen natürlich für uns. Was ist Ihnen lieber, Mosul oder Amman?

Sie haben meine Kündigung doch gelesen.

Gelesen, nun ja. Zur Kenntnis genommen.

Außerdem spreche ich kein Arabisch.

Sie haben noch ein halbes Jahr. Ich kenne eine ausgezeichnete Lehrerin, Montag schicke ich Ihnen die Nummer.

Es ist ja nicht nur Zypern. Sie wissen …

Boucheron hob die Hand und sah mich so direkt an, wie wir uns noch nie angeblickt hatten, seine Augen kastanienbraun, seine Wimpern kurz, dann wich ich seinem Blick aus.

Mira, Sie tauchen an den unglaublichsten Orten auf. Aber vielleicht waren Sie dafür an anderen überhaupt nicht.

In Mosul werde ich jedenfalls nicht sein. Und genauso wenig in Amman.

Sie wollen mit General Aimé über die Wahrheitskommission gesprochen haben?

Ich zuckte die Achseln.

Sind Sie sicher?, fragte Boucheron.

Meine Hand knitterte den Saum der Tischdecke, was wusste ich schon, die Vergangenheit verschob sich unaufhörlich, stand so wenig fest wie die Zukunft, ich war nur beauftragt gewesen, etwas aufzubauen, und wenn nicht aufzubauen, dann doch eine Wiederholung zu verhindern, aber alles wiederholt sich, jemand taucht unter, es ist kurz still um ihn, und dann hörst du wieder seinen Namen, die Grenzen sind für diese Leute weich.

Haben Sie wirklich mit ihm gesprochen?, fragte Boucheron.

Ich weiß es nicht mehr.

Haben Sie ihn überhaupt je getroffen?

Lesen Sie es doch in den Berichten nach.

In den Akten steht nichts davon, sagte Boucheron und zeigte mir sein bescheidenes Lächeln. Nichts.

Ich saß allein im Raum der Menschenrechte, hörte auf die Stille, die bald durchbrochen würde von einer Besuchergruppe, zwanzig Touristen, denen ein Student erzählte, wie das Herz der Weltdiplomatie schlug, wie seine Klappen schlossen und wie eng seine Kapillaren waren, von den Pfauen im Ariana-Park würde er erzählen, die Pfauen waren das Zentrum jeder Führung, seit Kurzem gab es zwei Jungvögel, noch zerzaust und grau, die vermutlich nur geschlüpft waren, damit dieser junge, sympathische Mensch, der es sich leisten konnte, sechs Semester im Schatten der großen Organisationen zu studieren, etwas zu erzählen hatte. Man würde Fotos schießen (bitte nicht zu weit nach vorn, die vorderen Reihen sind während der Führungen gesperrt!), man würde sich kurz in der Rolle des Generalsekretärs sehen und erst die Bemerkung des Studenten, Guterres' Büro befände sich im Hauptquartier in New York, würde die Besucher aus ihren Träumen holen.

Über mir schäumte das Meer des Künstlers Miquel Barceló, die Farben changierend, die Wogen und Wirbel aus der Fläche herauswachsend, dieses Deckengemälde ließ sich nicht einfach mit einer Flagge verhängen, wie man es mit der Kopie des *Guernica*-Bildes getan hatte, einen Tag bevor Collin Powell die Vereinten Nationen von einer Intervention in den Irak überzeugen wollte, und doch hatte es bei der Einweihung von Barcelós Decke einen Skandal gegeben wegen der spanischen Entwicklungshilfegelder, die für sie ausgegeben worden waren, jemand rechnete vor, wie viel Penicillin davon hätte erworben werden können und wie viele Schulbücher gekauft, ich habe diese Wellen und Schründe immer geliebt, sie flößten mir einen ruhigen Schrecken ein, die Angst vor dem Himmel, der gleich herabfällt, dabei ist es in Wahrheit das Meer, aber auch das Meer kann auf uns herabfallen, und wie oft lassen wir es, nachdem unsere eigenen Leute es passiert haben, wieder zusammenschlagen über den fremden Pferden und Wagen und Reitern, und vermutlich stellt sich jeder, der in diesem Raum zur Decke hinaufblickt, vor, dass einer der Stalaktiten herunterbrechen würde. In unseren Fantasien variiert lediglich, wer von ihm getroffen wird.

Es war still. Die Mikrofone ruhten. Das rote Licht leuchtete an keinem von ihnen. Und ich frage mich, ob es so gewesen sein könnte. Dass ich nicht wusste, wie viele Stufen die Treppe neben der Prozessionsfigur hat. Dass ich die Aussicht aus dem oberen Stock von Aimés Haus nicht beschreiben konnte. Konnte es sein, dass man von dort hinabsah auf das Viertel Kiriri, und links lag das Belvédère, aber ich hatte es nie gesehen? Konnte das sein?

Ja, natürlich – Milans Stimme, die ein wenig leiser wird, wenn er das eine Blatt beiseitelegt und das erste Wort auf dem nächsten sucht –, alles Mögliche kann sein. Sein Blick, der offen scheint, es aber nicht ist. Er sucht nichts im Raum, sucht nur, sein Gegenüber zu überzeugen. Und ich erinnere mich, wie Kolja seinen Kopf gegen meine Brust legt, als wolle er einschlafen dort auf meinem Schoß, und es sind zehn Stufen, die neben der Prozessionsfigur hinaufführen, links liegt das Belvédère, die Lager riechen nach Feuer und Plastik, nach Staub und Zucker, nach zwei Dingen, die nicht zusammengehören, das erinnere ich, und es ist alles so passiert, ich erzähle es nur anders.

Bad Godesberg. September 2017

Ich grub die Hände tiefer in die Taschen, als er einen Schritt vortrat, um das Gitter des Fahrstuhls zu öffnen, mir verlegen entgegenlächelnd. Er war schmaler geworden, das war alles, was ich über ihn sagen konnte.

Die Adresse hatte sich seit Jahren nicht verändert, seit jenem August, als die Möbelpacker ein Stück nach dem anderen aus der Villa hinausgetragen hatten und sich meine Kindheit endgültig schloss. Der Flur seiner Wohnung roch wie der Flur meiner Kindheit, nur etwas fehlte, Milans Geruch und das schwebend herbe Parfum von Lucia. Das Parkett im Wohnzimmer war in den Ecken abgenutzt, und in den Regalen sah ich keines der Mitbringsel mehr, die Darius auf seinen Reisen geschenkt bekommen und früher dort ausgestellt hatte, Federn, Masken, geschnitzte Tiere, sah bloß die Buchrücken, die Titel in Französisch, Arabisch, Spanisch, er war überall gewesen, nur um schließlich in diesem Zimmer anzukommen, in dem nichts mehr persönlich wirkte, selbst die Strickjacke, die über der Sofalehne hing, schien dort von einem Fremden hingelegt oder eher platziert zu sein, für einen Menschen, der nicht auffallen und durch kein einziges Detail an sich selbst erinnert werden wollte.

Ich dachte, vielleicht magst du noch Zitronenplätzchen, sagte Darius und sah mich bittend an. Langsam und ein wenig unsicher ging er durch den Raum, hob ein Silbertablett von einem Beistelltisch, ich starrte es an, ein seltsamer Geschmack kam mir in den Sinn, metallisch und bitter, aber es war ja nur ein Teller für Gebäck, das Tablett zitterte leicht in Darius' Hand, jaja, natürlich, Zitronenplätzchen, flüsterte ich, die habe ich immer gemocht, obwohl ich mich nicht erinnern konnte, jemals eine Vorliebe dafür gehabt zu habe, ich sah den Wald vor dem Fenster in einer Villa bei Bonn, sah die unzähligen Falter an einer Krankenhauswand, aus der Musikanlage klirrte der gläserne, zerbrechliche Klang eines Cembalos.

Aber setz dich, setz dich, sagte er und ließ sich vorsichtig aufs Sofa sinken, zog sich die Hose über den Knien zurecht. Die Eleganz, die er immer für mich besessen hatte, war einer Scheu gewichen, dieser Mann würde keine Journalistengruppe durch einen Wald führen, eher würde er sich vor ihnen im Unterholz verstecken, vielleicht waren sie immer nur wegen seiner Tiere gekommen und weil er die Nuckelflasche so lieblich an die Rehlippen hielt. Das Reh hatten sie weggebracht, nachdem ich im Garten die Federn gefunden hatte und wenig später den Körper eines toten Sittichs, sie hatten es einen Monat nach Darius' Auszug abholen lassen, es ist keine Strafe, hatte mir Lucia gesagt, es ist nur, dass sich ein Reh so nicht verhält.

Milan und du, ihr habt euch wiedergetroffen?

Flüchtig, eher ein Zufall.

Er hat mir davon erzählt. Er ruft nicht oft an.

Ich habe ihn seit dem Sommer nicht mehr gesehen.

Ich habe ihn seit Jahren nicht gesehen, sagte Darius und lächelte.

Er ist in Den Haag.

Ja, ich weiß, sie sind in Den Haag. Darius beugte sich vor, schob mir den Teller zu, nimm doch, nimm doch. Er griff sich ein Plätzchen, hielt es aber nur in der Hand, strich mit dem Daumen darüber. Er hat sein Leben jetzt, es ist nicht schlecht, oder?

Ich glaube, es ist nicht schlecht, sagte ich, und hatte ich damals schon, mit neun, begriffen, dass man das Reh nicht, wie Lucia mir erzählte, auf einen neuen Hof, in einen anderen Wald, in ein besseres Zuhause bringen würde, der Garten der Villa sei keine Umgebung für ein Reh?

Das ist gut, Darius' Handteller formten eine Kuhle, in der das Plätzchen wie eine Hostie lag. Weißt du noch, im Ferienhaus, der letzte Urlaub mit ihm, danach wollte er nicht mehr mit seinen Eltern verreisen, er war ja auch zu alt dafür.

Und ihr habt euch getrennt, Lucia und du.

Darius sah mich überrascht an, als hörte er zum ersten Mal davon, hätte längst vergessen, dass sie sich im folgenden Sommer hatten scheiden lassen auf Lucias Wunsch hin.

Aber Milan war doch vor allem zu alt, sagte Darius. Wer will mit achtzehn noch mit seinen Eltern in einem Ferienhaus sitzen? Er hat das damals nicht verstanden.

Darius sah mich eine Weile stumm an, seine Augen blass und fleckig, ich meinte, sie hätten früher eine kräftigere Farbe gehabt.

Er hat das damals nicht verstanden, wiederholte er. Vielleicht hätte ich es ihm erzählen sollen, aber manche Sachen sind eben nicht passiert. Sie können nicht passiert sein, wenn du wieder zurück bist. Das hat er nicht verstanden.

Zehn belgische Soldaten, sagte ich.

Zehn. Ja. Es waren zehn, nicht wahr?, sagte Darius. Weißt du, sagte er und brach ab, legte sich das Plätzchen in den Mund, kaute langsam. Weißt du, ich habe das nicht erlebt, ich habe es mit angesehen, ja, das vielleicht. Ich war einer von denen, um die sich der gewöhnliche Alltag wieder geschlossen hat, und alles andere ist nur ein Märchen gewesen, Mira, es kann doch gar nicht anders sein, eines von diesen Märchen, die ich dir abends vorgelesen habe.

Du hast mir nie vorgelesen.

Nicht?

Sein schmales Gesicht, die Wangen grau vom Schatten des Bartes, der seit der Rasur am Morgen wieder nachwuchs, ebenso schnell wie bei Milan.

Hätten sie sie einfach nur erschossen, sagte Darius, hätte ich es nicht begriffen. Diese Angst. Es war ja nicht die Angst der Soldaten, es war die Angst der belgischen Regierung, der amerikanischen Regierung, der Leute, die sehr weit weg erklären mussten, wo Ruanda überhaupt liegt und warum dort belgische Soldaten sterben. Zehn Belgier sind mehr wert als einhunderttausend Ruander, das haben wir ja alle gewusst, das ist die übliche Rechnung, es gibt den Dreisatz, es gibt Bruchrechnung, und es gibt dieses Verhältnis. Hätten sie die Soldaten einfach nur erschossen, ich hätte es nicht verstanden. Ich weiß nicht mehr, wer es mir erzählt hat, ein Kollege, oder ich habe es aus einem Bericht, jedenfalls habe ich erfahren, dass sie gefoltert worden sind, bevor man sie getötet hat. Die besondere Grausamkeit, sagte Darius. Da wurde es mir klarer.

Kurz strich er sich über die Brauen, den Blick auf das Innere seiner Hand gerichtet, ein leichtes Flattern der Lider, kaum wahrnehmbar, und ich erkannte Milan so deutlich in ihm, dass ich die Augen schloss, um den Gedanken loszuwerden.

Manchmal wache ich nachts auf, sagte er, dann sehe ich es wieder, links, rechts, das Meer teilt sich vor uns, vor den Weißen, den Ausländern, den Europäern. Es weicht vor uns zurück, aber es ist ja kein Meer, sondern eine Menschenmenge, eine Frau mit drei Muttermalen über dem Wangenknochen, ein Mann, der sich bekreuzigt, ein Junge, der hinfällt, als ein Soldat ihn beiseitedrängt. Aber nie, kein einziges Mal habe ich geträumt, dass ich auf der anderen Seite stehe. Dass ich dieses Meer bin, ein Teil davon. Dass sie mich zurücklassen. Und wenn ich aufwache, ist alles zu nah. Die Möbel sind falsch. Alles ist falsch.

Er fuhr sich mit der Zunge über die rissigen Lippen, hob seine Hand, als wolle er etwas halten, kurz griff ich sie, die Haut hatte eine pergamentene Trockenheit, wie sie bei älteren Menschen häufig vorkommt, wenn der Körper sich nicht mehr genügend vor der Umwelt schützen kann, der Kälte und dem Wind und dem Licht, weder vor dem, was draußen ist, und noch weniger vor dem, was sie längst vergessen haben.

Natürlich wusste ich, was wir da tun, sagte er. Selektion hat man das mal genannt, die einen links, die anderen rechts, die einen durften gehen, das waren wir, nur wir, sie haben sogar unsere Koffer mitgenommen, wir hatten noch Zeit zum Packen, und die anderen, das waren alle anderen, die ließen wir einfach zurück, und wir wussten ja, was da ausbrach in diesen Tagen, wir haben das doch gewusst, Mira, aber vielleicht habe ich es auch erst begriffen, als ich wieder in Deutschland war, in Panik reagierst du anders oder reagierst gar nicht, wirst nur durch die Menschenreihen getrieben, ich habe sie ja gesehen.

Er streckte mir wieder seine Hand entgegen, ich rührte mich nicht, er legte sie auf die Sofalehne, und ich dachte daran, wie er mir das Haar aus der Stirn gestrichen hatte an einem Abend im Schwarzwald, weder hatte ich Fieber gehabt noch mich an den scharfen Steinen und Scherben im See verletzt, es war eine jener Selbstverständlichkeiten, die es eben auch gibt, warm und behütend.

Da lag ein Junge, acht, neun Jahre alt, so alt war Milan, als ich ihn ins Krankenhaus gebracht habe, er ist mit dem Schlitten ins Gebüsch gefahren, seine Jacke, sein Gesicht, alles rot, ich dachte, er hätte sich den Schädel gebrochen, aber es war nur die Unterlippe, gut durchblutet, gut genug für einen Schreck. Er hat eine kleine Narbe davon, ich glaube, man kann sie nicht mehr sehen. Aber bei dem Jungen in Kigali war es nicht nur die Unterlippe, nicht nur ein Schreck, und selbst wenn es an dem Tag nur das gewesen ist, dann wusste ich doch, dass am nächsten Tag, nächste Woche etwas anderes auf den Jungen zukam, und es war nicht die Unterlippe, es war keine Schlittenfahrt, es lag ja nicht mal Schnee.

Warum bist du nicht geblieben?

Du weißt nicht, wie es ist. Es geht plötzlich alles sehr schnell und trotzdem unerträglich langsam, als würde die Zeit um dich erstarren, du bleibst für immer in diesem Moment. Du reagierst nur noch oder nicht einmal das, du folgst jemandem, der dir sagt, da lang, wenn Sie sich nicht beeilen, kann ich Ihnen nichts garantieren, und es geht hier nicht nur um Ihr Leben, meins hängt mit dran. Du siehst die Menschen, aber du nimmst sie bald nicht mehr wahr, es sind Schatten, du weißt, auf die kommt es nicht an, auf die darf es jetzt nicht ankommen, die sind nur Dekor, nur da, damit die Szene nicht zu viele leere Flecken hat, und ich habe mich gefragt, ob ich wirklich in Ruanda bin, ob es dieses Land überhaupt gibt. Mein Begleiter hat mich an all denen vorbeigetrieben, wir sind auf einen Armeelaster gestiegen und zum Flughafen gefahren, ich habe ihn danach nie wiedergesehen, und ich glaube nicht, dass ich je seinen Namen gekannt habe, vielleicht kannte ich ihn auch, aber Mira, frierst du?, fragte Darius, griff nach der Strickjacke und legte sie mir über die Schulter.

Man kann sich wegducken, sagte ich, man kann mitlaufen. Und du wolltest immer klüger sein als die anderen, und du dachtest, damit kämst du davon.

Darius schloss die Augen, seine Finger spielten auf der Armlehne, obwohl das Lucias Geste war.

Ich habe gesehen, wie sie ihn gejagt haben, sagte er. Da war ein einfaches Lagerfeuer, das jemand angefacht hat, weil es kalt wird manchmal in der Regenzeit. Seine Hände haben sie zusammengebunden.

Darius griff nach seinem Kragen, als wollte er die Krawatte lösen, aber er trug keine. Dann stand er unvermittelt auf, trat ans Fenster, mit dem Rücken zu mir, so wie ich Milan gesehen habe am letzten Tag unserer Reise, in dem von der Klimaanlage unterkühlten Hotelzimmer, ich fröstelte, als ich die Strickjacke von mir streifte und zu ihm ging.

Dieser Blick, sagte er und lächelte mich hilfesuchend an, sein Blick, als er aus dem Feuer kam, ich hatte ihn noch Tage später vor mir, Wochen, sagte er, und ich sah die gerötete tote Haut auf Darius' Fingern, er vertrug die Sonne nicht, ich hatte ihn in seinem Arbeitszimmer überrascht, als er sich die verbrannten Stellen einrieb, versteckt hinter einer Regalwand, die den Raum teilte, er hatte noch am Nachmittag nach Creme gerochen, als es Baiserplätzchen gab, und Lucia stand kein einziges Mal auf, um ans Telefon zu gehen, alles war still, als wäre die Leitung gekappt, als wären wir vergessen oder einfach herausgeschnitten aus der Welt.

Wo bist du gewesen?, fragte ich.

Weißt du es, sagte Darius, wo ich überall war in den drei Tagen? Ich war in Genf, ich war in Ruanda, ich war im Kopf von Kagame, ich war in Deutschland. Man hat mir gesagt, in jener Straße habe kein Massaker stattgefunden so früh im April, nicht da, nicht zu dem Zeitpunkt, aber vom Fenster meiner Wohnung aus konnte ich es sehen, eines der ersten, sie haben den Männern die Achillessehne durchgeschossen, damit sie nicht fliehen konnten, und dann haben sie sie hingerichtet, einige mit den Gewehren, andere mit Macheten, Schlag in den Nacken, oder habe ich mir diese Szene erst später aus den Bildern und Beschreibungen zusammengesetzt, denke ich erst jetzt, dass da ein Junge lag, habe ich das nur später erzählt bekommen, und ich meine bloß, mich zu erinnern?

Er drehte sich um, seine Hand unters Kinn gedrückt, sie war alt, voller Flecken. Man geht einfach, murmelte er, man geht, als wäre nichts gewesen, ich habe die Kleider noch einmal glatt gezogen, bevor ich ins Flugzeug gestiegen bin. Wir haben den anderen nicht noch einmal ins Gesicht gesehen, wir haben ihnen kein einziges Mal ins Gesicht gesehen. Dann sind wir geflogen. Wir sind einfach geflogen und ein paar Stunden später ausgestiegen, hier am Flughafen Köln/Bonn. Er tastete wieder nach seinem Kragen, blickte hinaus, den Rhein entlang zog ein Frachtkahn.

Wir sind weggeschickt worden. Weil wir machtlos waren, hat ein Kollege später zu mir gesagt. Aber das stimmt nicht. Ich war nicht machtlos, wir alle waren das nicht, einige wären es nur gerne gewesen. Es ist bequemer. Sie haben uns durch die Menge gelotst. Und wir wussten, was mit denen passiert, die bleiben. Wir wussten es alle.

Das Laub auf der anderen Uferseite, rostrote, hellgelbe Hügel, so weich, man wollte mit der Hand darüberstreichen, und ich hörte Darius' Stimme von fern, Mira, nicht zu hoch, pass auf, das Gelb, das Grün, das Rot schwankte um mich, du musst vorsichtig sein, ich spürte den Schmerz in meinem Knie, sah, wie Blut aus meiner Haut sickerte, wir müssen das auswaschen, sonst entzündet es sich.

Ich bin auch gegangen, sagte ich. Und weißt du warum?

Er nickte mir zu, und ich war mir nicht sicher, ob es eine Aufforderung war oder ob er es wirklich wusste, vielleicht sogar verstand, es war nicht mehr als eine Geste, aber es war die Geste, dass ich nicht allein war damit.

Weil du es konntest, flüsterte er, legte seinen Arm um meine

Schultern und strich mir mit der Hand über die Wange, obwohl ich kein Fieber hatte und auch mein Knie nicht aufgeschlagen war.

An dem Abend erzählte ich ihm eine Geschichte. Eine Geschichte von einer Flinte, von einer Treppe neben einer Prozessionsfigur, von einem Käscher am Rand eines Swimmingpools, denn man glaubt eine Geschichte ja erst, wenn man sie jemandem erzählt, dem man vertraut, und wem vertrauen wir schon, wem glauben wir, dass diese ganzen Mythen und Märchen wahr sind, und vielleicht handelte die Geschichte nur davon, dass man sich die Erinnerung teilt, das ist alles, nicht viel. Es ist bloß mehr als alles andere.

Genf. April 2018

Das Hotel hat 94 Zimmer und 15 Suiten. Durch die Fenster sieht man hinaus auf den Genfer See, in dem sich die große Welt spiegelt, die eben doch nur eine kleine Stadt am unteren Zipfel der Schweiz ist. An den Balkonen nebenan, am Richemond, hängen noch immer Blumenkübel, Narzissen und Hyazinthen, und auf dem Quai du Mont-Blanc ist der Verkehr aufgeräumt wie alles in Genf, eine saubere Pedanterie bis in unsere Geheimnisse hinein. Jeden Moment können Wagen mit Wimpeln aus aller Herren Länder vorbeifahren, es liegt ein leiser Nieselregen über der Stadt, oder ist es die Fontäne, die bis hierher streut, ein großes, dezentes Schauspiel zwischen den Bergrücken, und an der Endstation der Tram sucht man nach Gottesteilchen. Sonst geschieht hier selten etwas.

Ich gehe ein paar Schritte die Uferpromenade hinunter, über den See treiben Schwäne, ihr Gefieder angefettet vom Talg, das Wasser unter ihren Leibern so klar, dass ich ihre monströsen Flossen sehen kann. Man kann, wenn man sich am Ufer vorbeugt, bis auf den Grund blicken, bis zu den Steinen, und so wie der See ist alles in Genf, auf den ersten Blick klar, aber das sind nur die Nebensächlichkeiten, das Vorgeschobene und Nichtige, das von anderem ablenkt, und vielleicht hat mein New Yorker Nachbar diese Stadt noch am besten durchschaut, auf der Straße, die Zigarette zwischen seinen Fingern rollend, wollte er einmal von mir wissen, ob sich in Genf der Vatikan befände, und als ich verneinte, fügte er verwundert hinzu: *But then, what is in Geneva?*

A fountain, only a fountain, but in Rome they have plenty of them. Morgen werde ich unter den Fotos aus *Casablanca* darauf warten, dass mein Flug nach Rom aufgerufen wird, *A kiss from Geneva*, Ilsa und Rick eng umschlungen in Schwarzweiß, wer hat diese Filmstills nur aufgehängt zwischen Spielecke und Raucherbereich. Von Rom noch einmal vier Stunden Flug am Nachmittag, gegen sechs bin ich in Amman, die ersten Tage im Hotel, im Mai ziehe ich in das Haus meiner Vorgängerin, eine Spedition bringt meine Sachen aus der Genfer Wohnung, es ist nicht viel, was sie abholen müssen, ich hänge nicht an Besitz, das ist ein Vorteil, zumindest in meinem Leben.

Vor dem Café Balzac sitzen zwei Männer beim Kartenspiel, die Lehnen der Plastikstühle biegen sich unter dem Druck ihrer Rücken, das Fensterglas ist beklebt mit den Worten *fried Chicken* und *The Chicken Place*. Monsieur Boucheron hat mir den Laden empfohlen, die Pommes sollen besser sein als im Beau-Rivage, und glaubt man Boucheron, werde ich Genf schon noch vermissen, diese Stadt, in der selbst die Hähnchenbratereien unter großbürgerlichen Namen leiden, und die Rosen heißen *Jetset*, man hat sie ein Jahr nach der Gründung des Menschenrechtsrats vor dem Palais Wilson gepflanzt.

Zum Abschied hat er mir ein Mühlespiel geschenkt, das ist Boucheron. Nächstes Jahr geht er in Ruhestand, bis dahin bleibt er mit den Angelegenheiten in Zypern befasst, Antoine hat in Brüssel einen Job bei einer Stiftung gefunden, Wim schreibt an seiner Habilitation, Sarah heiratet im Sommer ihre Freundin, und in Den Haag ist ein Milizenführer der Kriegsverbrechen in dreizehn Punkten angeklagt und der Verbrechen gegen die Menschlichkeit in fünf, es geht alles seinen Gang, und manchmal, nur manchmal, überkommt mich die Angst, das falsche Leben zu leben, als würde es das richtige irgendwo geben, aber man berührt immer nur den Ersatz, die Fälschung, das Beinah, den Pseudokönig, den sie den lustigen, Tropenhelm tragenden Deutschen vorgesetzt haben, die auch nicht so lustig waren, wie sie vorgaben, und wir können zwar die Nationen aufheben, aber nicht das Befremden, wenn zwei Menschen aufeinandertreffen, es ist nur diese kurze Täuschung, weißt du, wenn der Regen plötzlich schön ist und alles, was man dir immer als wahr verkauft hat, plötzlich etwas ganz anderes ist, nämlich tatsächlich stimmt.

Vor den hüfthohen Verkaufstischen der Buchhandlung Rameau D'Or bleibe ich stehen, fahre mit den Fingern über die Buchrücken. Im Inneren das sanfte Licht aus den alten Kronleuchtern, die Holztische mit der Auslage. Ich kaufe zwei Bücher für die Reise, *Gulliver's Travels*, das ich als Kind nie zu Ende gelesen habe, auch dieses Mal werde ich das Buch auf dem Nachttisch eines Hotels vergessen oder schon im Flieger, eingeklemmt zwischen den laminierten Sicherheitsvorschriften und dem Duty-Free-Katalog, und einen Jane-Austen-Roman, von dem mir Aimé erzählt hat an einem Morgen, irgendeinem Morgen, lies das, Mira, die Geschichte spielt hier, diese Anhöhen, siehst du, da drüben, und er zog mich zu sich, um mir die Aussicht aus einem bestimmten Winkel zu zeigen, hier ist Europa, der Traum von Europa, aber ich habe nichts gesehen, ich habe nur gefühlt, dass sein Herz ein wenig zu schnell, ein wenig zu heftig pochte.

Im Schaufenster des Märklinladens haben sie die Eisenbahnschienen durch rote Modellautos ersetzt, die unbeweglich nebeneinanderstehen und zu neumodisch sind für dieses bis unter die Decke mit Kartons zugeräumte Geschäft. Einmal habe ich gedacht, Kolja da drinnen zu sehen, vor dem Tresen, der jeden Moment verschüttet wird, ich bin schnell weitergegangen, mag mich im Übrigen getäuscht haben, und es ist ja nicht so, dass die Geschichte wahr werden muss, nicht so jedenfalls, wie du Obst kaufst auf dem Markt, Aprikosen oder doch Pflaumen, nur so wahr, wie es Geschichten sind, sie beanspruchen nicht die Wirklichkeit für sich, sondern lediglich, nicht stumm zu sein, und wäre nur alles ein wenig anders, dann wäre Zypern eine vereinigte Insel und wir würden von hier aus den Mont Blanc sehen.

Der Verkehr zieht geordnet an mir vorbei, dahinter die Häuser, Ampeln, das Café Remor, die Karyatiden schmal und knochig, die Bäume und Jacken und Autos grau, die Straßenschilder und Stromkästen und Ampelpfähle blass, als wollte sich das Land vor meinen Augen langsam auflösen, und manchmal sehe ich dich an einer Straßenkreuzung wie dieser, du hältst Kolja an der Kapuze zurück, flüsterst ihm etwas zu in einer Sprache, die ich nicht verstehe, vielleicht ist es meine Schuld, sie nicht zu kennen, ist es überhaupt eine der anerkannten Sprachen der Vereinten Nationen, deine Stimme ist nur noch ein Murmeln, etwas zwischen Gebet und Schlaflied, das nicht verschwindet, wie das Flattern toter Flügel, die Nachrichten an einem 9. April, die ich mir wieder angesehen habe, eine landende Militärmaschine, die Scheinwerfer eines Lastwagens mitten in der Nacht, den Korrespondenten habe ich wiedergesehen vor dem Brüsseler Parlament, vor einer dieser Rückprojektionen, von denen ich bis heute trotz besseren Wissens glaube, dass sie echt sind.

Evakuierung der Ausländer in Ruanda. Vormarsch der Serben auf Gorazde. Skandal um Babykost. Boris Becker beim Japan Open ausgeschieden.

Das ist alles so lange her, nur die Erinnerung von jemand anderem, die fast meine geworden wäre, ich saß nur zufällig dabei an einem Abend, als keiner darauf achtete, dass ich bereits im Bett zu sein hatte, wir sahen die Soldaten mit ihren blauen Baskenmützen im Gleichschritt auf die Kamera zu marschieren, du hattest deinen Stift sinken lassen, das Heft noch offen, in das du einen Aufsatz schreiben solltest, und Lucia weinte lautlos, ihre Finger spielten auf der Armlehne des Sofas, aber wem gehört schon eine Erinnerung, eine Geschichte, wir erzählen sie, damit die Vermissten zumindest dort noch ein wenig bei uns sind.

Kolja blickt zu mir herüber, kein Gesicht, lediglich verschwommene Konturen, und als ich mich ihm ganz zuwende, verschwindet er hinter einem parkenden Kombi, um elf hätte ich zu Hause sein können, vielleicht wäre noch jemand ans Telefon gegangen, und am Ende bleiben ein paar Geheimnisse, das ist es doch, nicht die Grenzen, die Geheimnisse halten zusammen, deshalb muss man sie schonen, sie gehen so leicht kaputt, und irgendwann fliegt das Nilpferd auf, in einem Text über Zypern, über eine Insel mit Erdgasvorkommen und Schutzzone, und jemand streicht es aus den Berichten.

Drüben, im dritten Stock deines Wohnhauses, hängt Wäsche an einer Leine über den Blumenkästen, die Fensterläden sind zugeklappt, aber an den Lamellen vorbei strahlt Licht aus dem Inneren, gedämpft von einem Lampenschirm aus Kupfer, dabei ist der Schirm längst abmontiert, der Türcode ausgewechselt, irgendjemand geht, irgendjemand kommt, irgendein Name steht auf dem Klingelschild, nicht mehr deiner. Aus dem Schatten des Dachfirsts flattert etwas auf, eine Schwalbe, denke ich zuerst, doch sie zappelt heftig in der Luft, taumelt unruhig zwischen den Häuserfronten hin und her, schließlich verschwindet die Fledermaus über den Dächern in der milchigen Dämmerung.

Und das soll alles gewesen sein.

Dabei hätte das Ende einer Flinte bedurft, eines geworfenen Schuhs, zumindest einer Wanne, die lange schon vom Speicher des Beau-Rivage verschwunden ist, aber sogar Cäsars *Gallischer Krieg* bricht mitten im Satz ab, nach einem Schimmer Hoffnung, sich mit dem Gegner friedlich zu einigen, »er eilte ...«, und der Text lässt uns allein mit einem Krieg, der für alle Ewigkeiten weder ausbrechen noch vermieden werden wird, und auch wenn ich denke, denken will, das hier kann also nicht das Ende sein, ohne Flinte, ohne Wanne, bedeutet es eben nur, dass es keine richtige Geschichte ist, bloß etwas, das passiert ist, dir und mir und einigen anderen.

Es gibt die Verschwiegenen, Stummen, Ausgesparten, die Geliebten, jene, die niemals erwähnt werden, man streicht sie aus den Protokollen oder lässt sie von vornherein aus, hängt sie mit Stoff ab, manchmal werden sie dadurch erst sichtbar, und auch wenn es vielleicht keine Wahrheit gibt und die Kommission nie in Kraft treten wird, was Antoine und ich uns nie so deutlich zu sagen getraut haben, als wir durch die Dörfer gefahren sind, gibt es doch immerhin Abstimmungen, Resolutionen, die Entscheidung, mit der Sache befasst zu bleiben, und es gibt den Wunsch zu erzählen, weil wir jemanden halten wollen, obwohl es Unsinn ist, jemanden zu halten, der längst gegangen ist oder nie wirklich da war, aber solange wir sprechen, wird er uns noch eine Weile zuhören, wird er bleiben, uns nicht töten am Morgen, wie er auch von Scheherazades Tod absah, der nur eine Rache gewesen wäre, gegen eine andere Frau gerichtet und an so vielen ausgeführt, und jetzt erzähle ich eben dir, Milan, damit du nicht gehst, noch eine Nacht bleibst und noch eine, und auch wenn ich weiß, dass es Unsinn ist, du gerade die Schuhe ausziehst in einer Wohnung in Den Haag mit drei Strahlern in der Küche und einer Aussicht, die nicht verbaut werden kann – trotzdem erzähle ich dir das, damit du nicht nur die eine Seite hörst.

Du hattest die Handteller zu einer Kuhle geformt, als hieltest du etwas Unsichtbares darin. Wenn man sie sich genau anschaue, seien die Pfauen nicht so schön, wie ihr Rad es vermuten lasse, hast du bei unserer letzten Begegnung im Ariana-Park noch gesagt und ein wenig hitzig hinzugefügt, genau genommen seien sie sogar hässlich, mit dem grauen, schlackernden Halslätzchen, den Klauen, diesen aus der Urzeit übriggebliebenen Hautfalten, Knochen, Krallen, aber das übersähen wir meist, es wäre ja leichter zu behaupten, Pfauen seien eitel. Widersprüche lägen uns eben nicht, Unauflösbares, die Frage zum Beispiel, wem das Heilige Land gehöre, und schon bei Zypern kämen wir nicht weiter, man brauche manchmal mehrere Zeitebenen, um mit den seltsam sich überlappenden Ansprüchen zurechtzukommen, um ihre Schönheit zu bewahren.

Ich habe dir nicht mehr zugehört, nur noch diesen sich aufrädernden Vogel angesehen, dessen Federn zu zittern begannen, von der Bedeutung her ähnlich, nur sehr viel schöner als das Gurren der Tauben, dabei sprachst du sicherlich weiter, und vielleicht sagtest du etwas, was ich hätte hören sollen, was mir alles anders, noch einmal anders, wieder anders erklärt hätte, aber ich bin aufgestanden und habe dabei mit der Hand dein Knie gestreift, was dir, wie du mir einmal gesagt hast, in der Öffentlichkeit nicht gefällt, und ich meine, dass du trotzdem noch etwas fragtest, so als wolltest du mich zurückhalten, es war keine Frage, in der es um irgendetwas ging, es ging nur darum, dass ich noch einen Moment bei dir blieb, und deshalb wirst du gefragt haben, wie es mit meinem Vorgesetzten stehe oder wann die Verhandlungen weitergingen, was meine Reise nach Amman mache, ich weiß es nicht, aber ich weiß, dass ich mich noch einmal umdrehte, und obwohl wir gesehen werden konnten, hier im Park, auf einer Bank vor der gewaltigen Fensterfront des Palais des Nations, obwohl es gegen die Abmachung verstieß, fuhr ich mit der Hand in dein Haar, küsste dich auf die Wange, nah an deinen Lippen, und dann bin ich eben gegangen, ohne mich an die Regeln zu halten, in diesem letzten Moment habe ich mich nicht daran gehalten, weil ohnehin nichts mehr zu retten war, die Welt vielleicht noch, aber was ist schon die Welt.

S. 116: Richard Kandt, zitiert nach: Helmut Stritzek, *Geschenkte Kolonien. Ruanda und Burundi unter deutscher Herrschaft*, Berlin 2006, S. 79.

S. 154: Vgl.:»*PRISONNIERS POLITIQUES ACCUSÉS DES MASSACRES D'OCTOBRE 1993*

OBJET: Mise au point

... massacré les Élus du peuple ... Dès la matinée de ce jeudi noir, face aux provocations, aux menaces et à l'exhibition par les Tutsi des listes préfabriquées des électeurs du Président NDADAYE Melchior (des HUTU) qui devraient être exécutés comme lui et ses proches collaborateurs ... résistance populaire ... résultat d'un simple réflexe animal d'autodéfense ... morts et blessés tant chez les Hutu que chez les Tutsi ... milliers de militants ... dans les prisons qui deviennent de véritables camps de concentration nazis. D'autres militants ... exécutés ...

Monsieur le Président du FRODEBU,

Malgré les tortures inhumaines que nous avons subies ... nous nous sommes sacrifiés et avons refusé de dévoiler les secrets que nous connaissons pourtant bien sûr la résistance populaire d'octobre 1993.

Nous venons de passer plus de 10 ans dans des souffrances et des traumatismes indesdribtibles dans les cachots de la mort et malgré cela, nous gardons toujours ›l'IBANGA‹ (le secret) en nous. ...

MARTYRS DE LA DEMOCRATIE que nous sommes ...« Auszug aus dem Brief der Gefangenen von Mpimba an den damaligen FRODEBU-Präsidenten Jean Minani vom 25.7.2005, zitiert nach: Marc Manirakiza, *Burundi. Les écoles du crime.* Bruxelles 2007, S. 158 ff., übersetzt von der Autorin.

S. 159: Wilhelm Külz, *Deutsch-Südafrika im 25. Jahre Deutscher Schutzherrschaft*, Berlin 1909, S. 156-159.

S. 211: Vgl.: »In mythischen Zeiten … gab es einen Drachen. Einen Drachen, den alle fürchten, aber der nicht existiert. Niemand kann sagen, was er macht, er macht nichts, er existiert nicht einmal. Die internationale Gemeinschaft ist nichts als eine mythische Zeit.« Zitiert nach: https://www.ushmm. org/m/pdfs/20150403-rwanda-rapporteur-report.pdf (Stand: März 2019), übersetzt von der Autorin.

S. 218: Zitiert nach: http://www.chants-protestants.com/in dex.php/chants-francais/169-je-suivrai-jesus-christ-rev-am our-du-christ-suivre-le-maitre-consolation-dans-l-epreu ve-to (Stand: März 2019), übersetzt von der Autorin: »Ich werde Christus folgen, / Unbeirrt und wissend, / Dass nur er, er ganz allein / Wird meines Leidens Ende sein. / Seine Hand, sie schlägt und bricht / Doch sein Blut, das heilet mich.«, sowie aus dem Brief der Gefangenen, zitiert nach: Manirakiza, *Burundi*, S. 159: »Verhaftet, verhaftet alle Leute die wir verdächtigen, dass sie sich an den Massakern der Tutsi beteiligten, sie werden sich vor Gericht erklären.«

INHALT